La recherche de Laura

Kay Hooper

La recherche de Laura

Traduit de l'américain par Sophie Dalle

Titre original :
Finding Laura
Published by arrangement with Bantam Books,
a division of Bantam Doubleday Dell Publishing Group, Inc., N.Y.

PROLOGUE

24 décembre 1954

Elle posa délicatement la glace à main sur la coiffeuse et laissa courir machinalement les doigts sur les motifs compliqués du cuivre poli. Elle leva vers lui un regard troublé.

— Pourquoi me racontes-tu ça ? s'enquit-elle d'une voix mal assurée.

— Parce qu'il faut que tu le saches.

Il se rapprocha, les traits tendus devant sa détresse.

— Ne vois-tu pas ce que cela signifie, ma chérie ? Ne comprends-tu donc pas ?

— Je n'y crois pas.

— Catherine...

Elle secoua la tête avec violence.

— Non. Je n'y crois pas. Comment le pourrais-je ? Tu me demandes de rejeter tout ce que l'on m'a appris au cours de mon existence.

Il avait eu tort de lui parler. Elle était trop profondément croyante, elle avait une foi trop absolue pour accepter une chose pareille, même venant de lui. Un sentiment de malaise le submergea.

— Aucune importance, ma chérie. Une idée absurde, qui m'a effleuré l'esprit. Je t'aime tellement qu'il me semble...

— Non.

Elle était outrée.

— Non, reprit-elle. Tu en es convaincu.

Il aurait voulu nier, dire n'importe quoi pour effacer son expression effrayée, pour calmer sa panique. Mais il était persuadé de détenir la vérité, et il se connaissait trop bien pour envisager de mentir à ce sujet... de *lui* mentir.

Il opta pour une autre tactique :

— Bah, qu'importe, Catherine ? Nous ne sommes pas toujours d'accord sur tout, nos opinions divergent parfois. Pourquoi en faire une montagne ?

Elle blêmit.

— Tu veux dire que... depuis tout ce temps, tu m'as accompagnée à la messe sans *croire* ? Tu n'as pas la foi ? Tu... tu m'as menti ?

— Non, simplement, j'interprète à ma façon la parole de Dieu. J'explique autrement...

Elle reculait, les yeux écarquillés, horrifiée.

— Je ne te connais pas du tout, murmura-t-elle. Comment puis-je épouser un homme dont je ne sais rien ?

— Catherine...

Il tendit la main vers elle, mais elle se détourna et se rua hors de la pièce.

Il se pétrifia, glacé d'angoisse, conscient d'avoir commis la plus grave erreur de sa vie. Puis il entendit rugir le moteur de sa vieille voiture et, le cœur battant, il se précipita vers la porte. Il pleuvait à seaux, les routes étaient glissantes, Catherine n'était pas une conductrice chevronnée...

Elle s'éloigna en dérapant, tandis qu'il s'engouffrait dans son propre véhicule. Il savait où elle allait. A l'église, où elle s'ouvrait de tous ses problèmes, de toutes ses interrogations. Mais l'édifice se trouvait à l'autre bout de la ville, et les virages en épingle à cheveux et les côtes abruptes étaient trop nombreux pour que l'on effectuât le trajet à tombeau ouvert sous une pluie battante.

Il n'était sans doute pas loin derrière elle, mais la visibilité était quasiment nulle, et il dut ralentir. Un juron lui échappa. Ses pneus patinaient, même à vitesse réduite.

Elle n'a rien à craindre. Tout ira bien. Son Dieu prendra soin d'elle.

Il atteignit le sommet d'une colline, et ses phares éclairèrent une brèche dans la barrière de bois. Affolé, il s'arrêta et ouvrit sa portière à la volée, criant déjà son nom. En quelques secondes, il fut devant le trou béant, ruisselant, aveuglé par la pluie au point qu'il faillit basculer dans le vide.

Il s'essuya les yeux d'un revers de main, s'efforçant de percer le rideau liquide. Un éclair zébra le ciel, illuminant fugacement la scène en contrebas : la voiture de Catherine en équilibre instable sur des rochers, une lueur rougeoyante en léchant le ventre. Il plongea en avant, glissant dans la boue.

Il était à une dizaine de mètres, quand une explosion déchira l'air, soulevant un instant la voiture du sol. La violence du souffle le projeta à terre, et lorsqu'il réussit enfin à se redresser, les flammes accomplissaient déjà leur œuvre de mort.

Paralysé d'horreur, il distingua, dans la lumière cruelle de la fournaise, la main de Catherine qui pendait hors de la vitre brisée. A son annulaire, étincelait le diamant qu'il lui avait offert, gage dérisoire d'une félicité qu'ils ne connaîtraient jamais.

1

— Nous n'y resterons que deux heures, promis. Allez, Laura ! Ce sera amusant comme tout.

Laura Sutherland baissa ses lunettes noires sur le bout de son nez pour dévisager son amie. Eblouie par les reflets du soleil rebondissant sur l'eau de la piscine, elle plissa les paupières.

— Amusant pour qui ? Tu sais bien que j'ai horreur des meubles anciens.

Cassidy Burke, allongée à quelques pas du parasol abritant son amie, s'empara d'un tube de crème solaire.

— Il n'y aura pas que des meubles, Laura. D'après ce que j'ai entendu dire, on devrait y trouver toutes sortes d'objets. Et puis, n'as-tu pas envie de voir la propriété des Kilbourne ?

— Pas spécialement.

Laura observa avec une pointe d'envie le bronzage de Cassidy. La vie était décidément injuste. Cassidy, avec ses cheveux blonds et ses yeux bleus, aurait dû virer à l'écrevisse par une journée pareille. Mais non. Sa peau avait pris une belle teinte cuivrée. Laura, elle, avec sa pâle carnation de rousse, redoutait les coups de soleil et n'arborait jamais le moindre hâle.

— Ça, par exemple ! s'écria Cassidy. Pourtant, les Kilbourne étaient là bien avant l'arrivée de Sherman, et leurs intrigues de famille ont fait les choux gras des journaux au fil des générations. On raconte que la vieille Amélia Kilbourne a tué son mari et que leur fils est mort dans des circonstances mystérieuses, alors qu'il avait deux enfants en bas âge…

— Cassidy, l'interrompit Laura en remettant ses lunettes d'aplomb, même en supposant ces rumeurs fondées, t'attends-tu vraiment à découvrir quoi que ce soit d'intéressant à une vente aux enchères ? Et si un des Kilbourne est présent, tu peux être sûre qu'il se tiendra à l'abri de la curiosité du public, dans des pièces interdites d'accès.

Ce fut au tour de Cassidy de baisser ses lunettes et d'observer Laura d'un œil d'azur pétillant.

— Oh, la maison tout entière est interdite aux visiteurs. La vente aura lieu dans une cour. Si j'ai bien compris, depuis son retour, le fils prodigue a repris les rênes. En aucun cas il n'autorisera des inconnus à fouler les sols ancestraux.

— Le fils prodigue ? s'enquit Laura malgré elle.

— Oui, Daniel Kilbourne. L'aîné des petits-fils d'Amélia. Il était parti dans le Nord accroître la fortune familiale. Apparemment, c'est un génie de la finance. Bref, Amélia s'est mis en tête de débarrasser caves et greniers du fatras qui les encombre, et coucou, qui voilà ? Daniel qui réapparaît pour organiser les choses à sa façon.

— Tes journaux te renseignent bien.

Cassidy se mit à rire.

— En effet. Je sais par exemple que Madeleine, la mère des garçons, fait les quatre volontés d'Amélia alors que Daniel et Peter font impunément les quatre cents coups — le premier parce qu'il se moque de ce que pense Amélia, le second parce qu'il use de son charme pour la mettre dans sa poche.

— Tout ce petit monde m'a l'air fort sympathique, dit Laura, pince-sans-rire.

— Et encore, tu n'en sais pas la moitié ! Un vrai soap opera, sans blague, Laura. En principe, la vieille dame a le contrôle de la fortune familiale, mais c'est en fait Daniel qui dirige les affaires depuis des années. Il semble qu'il doive lutter avec elle pied à pied. Juste avant de se noyer dans sa piscine, le mari d'Amélia aurait pris des dispositions pour que Daniel hérite de tout à la mort de sa grand-mère. Ce qui veut dire, en clair, que les autres auront intérêt à bien se tenir s'ils ne veulent pas se retrouver à la rue… Et ils sont nombreux : Josie Kilbourne, une cousine par alliance, je crois. Elle ne s'entend pas du tout avec la petite-fille d'Amélia, Anne, qui est la fille de la fille d'Amélia, mystérieusement décédée, et…

Laura leva la main.

— Assez, Cassidy, de grâce ! Je m'y perds.

— Attends. Je ne t'ai pas parlé de Kerry, l'épouse de Peter, et de son histoire avec le chauffeur. Je t'assure, c'est *Dallas*.

Laura secoua la tête.

— En vérité, je me fiche de la vente aux enchères et des Kilbourne. J'ai mieux à faire de mes samedis matin, merci bien !

Cassidy esquissa un sourire et, sans regarder son amie, murmura :

— Tu sais, je parie qu'il y aura des miroirs. Forcé, dans une baraque pareille… Des pièces rares, très anciennes, introuvables ailleurs…

— Traîtresse ! marmonna Laura.

Cassidy lui sourit.

— Je prendrai le volant... Oh, à propos... Je pourrais t'emprunter ton chemisier bleu ?

Les miroirs passionnaient Laura depuis toujours. Petite, on la taquinait souvent pour sa vanité. Personne n'avait compris qu'elle n'y cherchait pas son reflet, mais autre chose. Elle-même aurait été bien en peine de dire quoi.

Au fil du temps, elle avait appris à dissimuler son obsession, ainsi que tous les phénomènes étranges qu'elle percevait et qui la mettaient à part, en la transformant en une manie acceptable : elle était devenue collectionneuse de glaces à main. Certains haussaient bien les sourcils de temps en temps, mais personne ne la prenait pour une folle. Des tas de gens collectionnent les vieux trucs.

On continuait à la taquiner çà et là, mais ses proches écumaient les brocantes pour dénicher des objets intéressants, qui la ravissaient immanquablement.

Cependant, personne dans son entourage, pas même Cassidy, sa meilleure amie, n'imaginait l'ampleur de son obsession. Nul ne se doutait qu'elle scrutait toujours chaque glace qu'elle trouvait, non pas pour y vérifier sa coiffure ou son maquillage, mais pour y découvrir ce je-ne-sais-quoi qu'elle n'aurait pu nommer. Tous ignoraient que la trentaine de glaces exposées dans son appartement étaient loin de constituer la totalité de son trésor.

Elle en possédait des centaines, rangées dans des boîtes qu'elle stockait dans la chambre d'amis. Elle n'achetait pas systématiquement. Celle-ci était trop petite, celle-là trop grande, celle-ci trop ornée, celle-là trop simple, ou encore faite en un matériau qui ne lui convenait pas. Elle n'avait pas d'exigence particulière, mais savait repérer au premier coup d'œil les glaces « inadéquates ». Au bout d'un moment, pourtant, toutes ces acquisitions la laissaient vaguement insatisfaite, quel qu'ait pu être son enthousiasme initial.

Elle avait fini par se dire qu'elle recherchait peut-être une glace bien précise, mais pourquoi ? Et que pouvait représenter l'objet pour elle ? Et à quoi ressemblait-il ? Elle se fiait seulement à ses intuitions et à la collection réunie au cours des ans. Elle était en quête d'une glace à main assez petite, façonnée en métal, dont le manche et le dos s'ornaient d'un motif compliqué.

Elle ne pouvait laisser passer l'occasion de tomber peut-être sur une autre de ces merveilles.

A l'écart de la route, ceinte d'une clôture de brique et de fer forgé, la propriété des Kilbourne était sise dans un vieux quartier résidentiel à la lisière d'Atlanta. La demeure, bâtie au milieu de chênes centenaires, sur un terrain paysagé de douze hectares dont la conception et l'entretien étaient un pur chef-d'œuvre, évoquait les plantations de la Louisiane. Une véranda couverte, soutenue par six colonnes doriques, courait sur toute la façade du corps principal, que flanquaient deux longues ailes. L'ornementation mêlait divers styles, du classique au baroque.

Laura en tomba amoureuse au premier coup d'œil, ce qui la surprit. Son regard d'artiste savait apprécier la beauté, pourtant, c'était la première fois qu'un lieu l'attirait au point de lui donner envie de le peindre ou d'en explorer les moindres recoins.

C'était impossible, évidemment. La demeure n'avait plus été représentée depuis 1840, et, aujourd'hui, son accès était strictement interdit aux étrangers. Des gardiens en uniforme veillaient à en éloigner tout intrus éventuel.

— Pour des gens dont les secrets s'étalent dans tous les journaux, ils en font un foin, à cause de quelques visiteurs, murmura Laura.

Cassidy opina, les yeux brillants d'excitation.

— Tu l'as dit ! Mieux vaut suivre sagement les flèches.

Elles empruntèrent donc une allée abondamment signalisée qui les mena devant un gigantesque garage vidé de ses voitures. Les portes étaient grandes ouvertes. Meubles et objets étaient exposés en prévision de la vente aux enchères. Laura et Cassidy durent présenter à l'entrée leur carte d'identité afin de se voir attribuer un numéro.

— Les gros meubles semblent être rassemblés de ce côté, fit remarquer Cassidy, et les objets là-bas… Je cherche une coiffeuse, et toi, une glace. Je propose que nous nous séparions. Retrouvons-nous ici au moment de la vente.

Laura, dont l'attention venait d'être attirée par un lointain reflet, acquiesça distraitement et se dirigea vers le fond de la bâtisse.

Elle inspecta d'abord une série de miroirs aux cadres dorés et sculptés, s'arrêtant une bonne minute devant chacun, scrutant intensément l'image inversée de la salle qu'ils lui renvoyaient. Comme toujours, seul l'intéressait ce qui se passait derrière elle.

Mais, comme toujours, son attente fut déçue.

Poussant un soupir, elle se détourna et déambula parmi des rangées d'étagères. Vases et bibelots anciens, coupes, bougeoirs, deux beaux serre-livres de bronze, lampes, pendules... Laura ne vit rien qui la tentait vraiment, jusqu'au moment où elle atteignit la dernière rangée d'étagères. Sur la planche centrale, isolée des autres objets, il y avait une glace à main. Longue d'une trentaine de centimètres, en cuivre, semblait-il, bien que le métal fût trop terni pour qu'on pût l'affirmer. Le manche était incrusté de volutes, et Laura fut certaine, sans avoir besoin de le vérifier, que le motif se répétait sur le dos. La glace elle-même, légèrement cordiforme, était enchâssée dans un cadre au dessin encore plus compliqué.

Une certitude s'empara aussitôt de la jeune femme : cet objet était celui qu'elle cherchait depuis toujours.

Elle le sentait.

Le cœur battant, elle s'aperçut que sa main tremblait. Du bout du doigt, elle suivit les arabesques du métal, puis, précautionneusement, serra le manche et leva la lourde glace. Sans s'en rendre compte, elle avait fermé les yeux, comme si elle avait peur de ce qu'elle allait y voir — ou ne pas y voir.

Elle prit une profonde inspiration et rouvrit les yeux.

Elle se vit. Cheveux roux, yeux verts. Un visage encore plus pâle que de coutume. Et derrière, des rangées d'étagères remplies d'objets divers. Rien de plus.

Au bout d'un long moment, elle reposa la glace et demeura à l'observer, l'effleurant du bout des doigts en attendant le début de la vente.

— Elle est moche, constata Cassidy en jetant un coup d'œil à la glace que Laura tenait sur ses genoux. Et tu l'as eue pour cinq dollars. Comment pourrait-elle avoir la moindre valeur à ce prix-là ?

— Elle ne sera pas moche une fois nettoyée, répliqua Laura. Et tu sais aussi bien que moi que c'est justement dans les ventes aux enchères qu'on fait des affaires en or. Cette glace est ancienne, Cassidy. Très ancienne.

— Ce qui ne la rend pas belle pour autant.

— Tu es de mauvais poil parce que ce type t'a soufflé la coiffeuse.

— Elle me revenait de droit ! explosa Cassidy.

Laura sourit distraitement, sans quitter la glace des yeux. Toujours aussi excitée par sa trouvaille, elle avait hâte de rentrer chez elle pour la remettre en état et l'examiner à la loupe. Elle avait remarqué une entaille, sur le manche, comme si la glace avait reçu un choc violent, ainsi qu'un léger creux, là où des dizaines de pouces avaient dû la tenir au fil des ans. Et elle était sûre que la glace elle-même avait été cassée et remplacée.

— ... Allô ? Allô ? La Terre à Laura...

Laura cligna des paupières et se tourna vers son amie.

— Excuse-moi.

— Ce n'est pas grave, bougonna Cassidy en faisant la grimace. Nous sommes arrivées.

— Je suis vraiment désolée, Cass, pour la coiffeuse.

— Au diable cette fichue coiffeuse ! Je suppose que tu vas passer l'après-midi à admirer ta nouvelle acquisition ?

— Tu exagères, protesta Laura. Cela dit, j'avais

envisagé de rester tranquillement chez moi, en effet.

Les deux amies pénétrèrent dans le hall de leur immeuble, saluèrent le gardien, puis montèrent dans l'ascenseur. Cassidy, morose, descendit au troisième étage en déclarant qu'elle allait se commander une pizza, puis s'installer au bord de la piscine.

Laura sortit au quatrième.

Toutes deux vivaient là depuis cinq ans. Elles s'étaient rencontrées dans la buanderie commune et des profonds liens d'amitié s'étaient aussitôt instaurés entre elles. Issues l'une et l'autre de familles nombreuses dont elles ne se sentaient pas très proches, découvrant pour la première fois le luxe de la liberté, elles n'étaient guère pressées de se marier et d'avoir des enfants. Cassidy, qui travaillait dans une banque, trouvait le boulot de Laura beaucoup plus prestigieux que le sien — son amie était dessinatrice publicitaire.

Laura, de son côté, enviait à Cassidy sa facilité de contact avec les gens et sa capacité à flirter.

D'un naturel solitaire, Laura évitait les relations superficielles. Très entière, elle se donnait pleinement à ses émotions. Elle avait des amis, bien sûr, mais elle les voyait peu, Cassidy exceptée.

Quant aux hommes, depuis l'université, deux d'entre eux seulement avaient eu l'honneur et le privilège de susciter chez elle l'envie de les présenter à sa famille à Noël. Ni l'un ni l'autre n'avait jamais entrepris le voyage jusqu'à sa petite ville natale de l'Etat de Géorgie, ces liaisons ayant pris fin avant même que l'on ait accroché les guirlandes lumineuses dans le centre d'Atlanta. Laura avait assumé la responsabilité des deux ruptures, sachant qu'à l'approche des fêtes de fin d'année elle était toujours d'humeur morose, mais elle avait gardé le moral : un jour, elle rencontrerait l'âme sœur.

Elle entra dans son appartement, spacieux et lumineux grâce à ses fenêtres et à son exposition sud-est. La cuisine, minuscule, était séparée du séjour par un comptoir devant lequel s'alignaient deux hauts tabourets. Au-delà, trônaient une table de travail et un chevalet sur lequel reposait un tableau à moitié achevé, dernière tentative en date de Laura pour découvrir si elle était, oui ou non, douée pour la peinture. En l'occurrence, le verdict était non. Il lui manquait encore l'étincelle à même de révéler son génie créatif. Mais elle n'avait pas l'intention de baisser les bras.

A droite, près de la porte donnant sur un petit couloir qui desservait deux chambres à coucher, était exposée sa collection de glaces — une trentaine, de formes et de tailles diverses.

Laura ne leur jeta pas même un regard.

Elle laissa tomber son sac sur un fauteuil et posa délicatement sa nouvelle acquisition sur la table basse, puis partit chercher ses produits d'entretien.

Peu après dix-sept heures, le gardien l'appela pour lui annoncer un visiteur.

— Qui est-ce, Larry ?

— M. Peter Kilbourne, mademoiselle Sutherland. Il dit que c'est à propos de la glace que vous avez achetée ce matin.

L'espace d'un instant, Laura eut envie d'empoigner la glace et de s'enfuir. Glacée, elle céda soudain à la panique, avant de se ressaisir. Pourquoi se sentait-elle à ce point menacée ? Elle avait acquis l'objet en toute légalité. Personne n'avait le droit de le lui reprendre, pas même Peter Kilbourne.

— Merci, Larry. Dites-lui de monter, s'il vous plaît.

Elle remit ses chaussures et se recoiffa machinalement, se souciant peu, au vrai, de son apparence physique. Sur la table basse, la glace était méconnaissable. Le cuivre rutilait, rehaussant le motif incrusté. Celui-ci, tout en courbes et en volutes, était fait d'une seule ligne continue et évoquait un labyrinthe, au centre duquel figuraient des chiffres ou des lettres. Elle le saurait quand elle aurait fini de nettoyer le dos.

Il y eut un coup à la porte. Laura revint sur terre et se prépara pour affronter son visiteur.

Elle ouvrit et resta sous le choc. Peter Kilbourne était un très bel homme. Grand, ténébreux, le cheveu noir, les yeux bleu clair, un sourire éclatant, des traits parfaits. Un charme presque palpable.

— Mademoiselle Sutherland ? Je me présente : Peter Kilbourne, dit-il d'une voix chaude et veloutée.

Une voix à briser les cœurs.

Laura prit sur elle et s'effaça pour le laisser entrer.

D'un regard, il embrassa la pièce et remarqua la glace. Il se tourna vers Laura en souriant.

Son magnétisme la troubla. Elle qui, d'ordinaire, restait insensible au pouvoir de séduction masculine comprit que, cette fois, elle aurait du mal à résister à cet homme-là. Mal à l'aise, elle posa la main sur le dossier d'un fauteuil et le regarda avec un sourire qu'elle espérait poli.

Si Peter Kilbourne lui tint rigueur de ne pas l'inviter à s'asseoir, il n'en montra rien. Il eut un geste vers la table basse.

— Je vois que vous avez travaillé comme un ange, mademoiselle Sutherland.

Elle haussa les épaules.

— La glace était très sale. Je voulais examiner le dessin de plus près.

Il hocha la tête et considéra de nouveau la collection de Laura.

— C'est une passion de toujours ?

Cette question parut bizarre à la jeune femme, peut-être parce qu'il paraissait hésitant, tout d'un coup.

— Depuis toute petite, en effet. Vous comprenez donc pourquoi j'ai acheté celle-là ce matin.

— Mademoiselle Sutherland... euh, vous permettez que je vous appelle Laura ?

— Je vous en prie.

— Merci.

Il nota sa réticence et une lueur amusée pétilla dans son regard.

— Merci. Moi, c'est Peter.

Elle opina, mais ne dit rien.

— Laura, accepteriez-vous de me revendre cet objet ? Avec un profit, bien entendu.

— Je regrette, mais c'est non.

— Je vous en offre cent dollars.

Laura cligna des paupières, sidérée, puis secoua la tête.

— Ce n'est pas l'argent qui m'intéresse, monsieur...

— Peter.

— O.K., Peter. Je ne veux pas vendre cette glace. Je vous rappelle que je l'ai achetée de façon honnête.

— Personne ne prétend le contraire. Et vous n'êtes en rien responsable de mes erreurs. La vérité, voyez-vous, c'est que ce miroir n'aurait jamais dû être mis en vente. Il est dans ma famille depuis très longtemps, et nous aimerions le récupérer. Cinq cents dollars.

Cinq cents dollars pour une mise de cinq dollars... Belle culbute ! Laura respira à fond et déclara d'un ton posé :

— Je suis désolée, mais je cherchais une glace comme celle-ci depuis des années. Pour ma collection. Je ne veux pas de votre argent, inutile d'enchérir. Même à cinq mille dollars, je refuserais.

Il plissa les yeux, puis sourit.

— Je n'en doute pas. Détendez-vous, Laura. Je ne vais pas vous l'arracher de force.

— Loin de moi cette pensée, mentit-elle.

Il rit.

— Vraiment ? Je crains de vous avoir effrayée, ce qui n'était pas du tout mon intention. Et si je vous invitais à dîner un de ces soirs pour me faire pardonner ?

Cet homme est dangereux, songea-t-elle.

— Ce n'est pas la peine.

— J'insiste.

— Votre épouse vous accompagnera-t-elle ?

— Si elle est en ville, certainement.

Très dangereux, se répéta-t-elle.

— Merci, mais vous n'avez rien à vous faire pardonner. Votre proposition était très généreuse, je l'ai refusée. Point final.

Elle se détourna à demi et esquissa un geste vers la porte, lui signifiant ainsi son congé. Peter grimaça, mais obtempéra. Il s'arrêta sur le seuil et sortit une carte de visite de sa poche.

— Appelez-moi si vous vous ravisez... A propos de la glace, s'entend.

— Je n'y manquerai pas.

Il la quitta sur un dernier sourire. Laura referma la porte et s'adossa quelques instants au battant, soulagée mais toujours mal à l'aise. Pourquoi Peter Kilbourne tenait-il à récupérer la glace, au point de la payer une fortune ? L'affaire n'allait sûrement pas s'arrêter là.

Ce ne fut que le dimanche matin que Laura parvint enfin à distinguer ce qui était incrusté au centre du labyrinthe : un cœur, divisé en deux par une ligne courbe. Chaque moitié portait une lettre : un *S* et un *B*. En dessous, une date : 1778. Elle en découvrit une autre sur le manche : 1800.

Laura s'attarda à polir la glace, songeant aux deux initiales. Ce devaient être celles des prénoms de deux amants. L'homme avait sans doute offert la glace à sa bien-aimée. La date sous le cœur commémorait peut-être un mariage ou une naissance, ou encore le jour où ils s'étaient rencontrés.

Laura ne s'expliquait toujours pas pourquoi elle tenait tant à un objet vieux de deux siècles. Y avait-il un moyen d'en reconstituer l'histoire ? Et, par là même, de comprendre pour quelle raison il la fascinait tant ?

On frappa à sa porte. Ce devait être Cassidy. Elle posa la glace sur la table basse et alla ouvrir. Deux hommes fort bien mis se tenaient sur le seuil. Pourquoi Larry ne les avait-il pas annoncés ?

L'un d'eux brandit un badge.

— Mademoiselle Sutherland ? Inspecteur Bridges. Et voici l'inspecteur Shaw. Police d'Atlanta. Pouvons-nous entrer bavarder quelques instants ?

— A quel sujet ?

— Où étiez-vous hier soir, mademoiselle Sutherland ? Disons, entre vingt heures et minuit ?

Ouf ! On ne l'accusait pas d'avoir volé la glace.

— Ici...

— Seule ? s'enquit Shaw.

Son air suspicieux déplut à la jeune femme.

— Oui, pourquoi ?

Bridges reprit la parole, toujours très poli, le regard apparemment aimable.

— Quelqu'un peut-il nous le confirmer, mademoiselle Sutherland ?

Elle fronça les sourcils.

— Cet immeuble est placé sous surveillance. Il y a un gardien en permanence à l'entrée. Quant à la porte de derrière, on ne peut l'emprunter qu'avec une carte magnétique. Si j'étais sortie, le gardien l'aurait inscrit dans son registre. Au fait, pourquoi ne vous a-t-il pas annoncés ?

— Nous lui avons demandé de ne pas le faire, répondit Bridges.

— Qu'est-ce qui nous prouve que vous n'êtes pas passée par-derrière ? attaqua Shaw.

Le malaise de Laura revint en force. De quoi s'agissait-il ?

— Lorsqu'on se sert de la carte, l'ordinateur enregistre le nom de l'utilisateur. Voyez donc Larry, au rez-de-chaussée. Ma carte n'a pas été utilisée hier soir.

— Vous auriez pu vous servir de celle de quelqu'un d'autre, fit remarquer Shaw avec hargne.

— J'aurais pu, en effet, mais ce n'est pas le cas, riposta Laura d'un ton sec. Bon ! si vous me disiez de quoi il retourne ?

— Vous connaissez Peter Kilbourne, je crois ?
— Non. C'est-à-dire que je l'ai rencontré. Hier. Mais de là à le connaître... Pourquoi ?
— Il est venu chez vous en fin d'après-midi, n'est-ce pas ?
— C'est exact.
— Pour quelle raison ?
Laura serra les dents. Ce serait la dernière question à laquelle elle répondrait tant qu'ils ne lui auraient pas dit l'objet de leur visite.
— J'ai acheté une glace à main à la vente aux enchères du domaine familial, hier. Il s'est présenté quelques heures plus tard en affirmant que l'objet avait été mis en vente par erreur. Il voulait me le racheter. A présent, allez-vous, oui ou non, éclairer ma lanterne ?
Bridges dut comprendre que l'ère de la coopération était révolue. Ou peut-être possédait-il un don pour ménager les coups de théâtre.
— Peter Kilbourne a été assassiné hier soir. Et, d'après ce que nous savons, vous êtes l'une des dernières personnes à l'avoir vu dans les heures qui ont précédé sa mort.
— De plus, ajouta Shaw, une lueur de satisfaction dans les prunelles, il est descendu dans un motel à trois blocs d'ici... en compagnie d'une rousse.

2

— Ils ne m'ont pas crue, Cass !

Laura, blême, était recroquevillée dans son fauteuil.

— Mais ils n'ont pas la moindre preuve, puisque ce n'est pas toi.

— Je ne peux pas prouver que je n'ai pas quitté l'immeuble hier soir, voilà ce qui les titille. Même si le gardien ne m'a pas vue sortir, même si ma carte à puce n'a pas servi, ils prétendent que j'aurais pu utiliser celle de quelqu'un d'autre. D'après la liste, trente personnes environ ont passé la porte entre vingt heures et minuit. Ce flic est persuadé que j'ai pris le passe de l'une d'entre elles. (Laura frissonna et s'efforça de penser à autre chose.) Au fait, et ton rancard ?

— Atroce ! Je suis rentrée vite fait. Mais je te raconterai ça un autre jour. Ecoute, une fois qu'on aura vérifié toutes les cartes, tu seras innocentée, non ?

— Je crains que non. Quand il a remis le listing aux flics, Larry a dit que deux locataires au moins avaient perdu ou égaré la leur. Si l'une d'elles a servi hier soir…

— Tu n'as pas de mobile. Tu ne connaissais pas Kilbourne.

— Mouais... Le plus gentil des deux flics a dit qu'ils allaient interroger sa famille pour s'assurer qu'il était bel et bien venu ici rencontrer une inconnue au sujet d'une glace qu'elle aurait achetée à la vente aux enchères. Le chauffeur ne savait rien, sinon qu'il avait déposé Peter à cette adresse, et que ce dernier avait mentionné mon nom.

— Un de ses proches le confirmera, Laura.

— Peut-être, mais je doute que ça fasse une différence. La police pourra toujours dire que Peter me connaissait, et qu'il a pris la glace comme prétexte pour me rendre visite. Tes journaux à la gomme ne mentaient pas en vantant son charme. Je parie que la jeune femme d'hier n'était pas la première à le suivre dans un motel. Tu te rends compte ? Il m'a fait du gringue au bout de cinq minutes !

— J'espère que tu n'as pas dit ça aux inspecteurs.

— Bien sûr que non, marmonna Laura en se frottant les yeux. Dommage que Peter ait renvoyé le chauffeur en sortant de chez moi pour conduire lui-même. On a retrouvé sa voiture à deux pâtés de maisons d'ici. Tout semble m'accuser, bon sang ! Il n'y a que moi pour clamer mon innocence !

— S'il était avec une autre femme, peut-être que son épouse...

— Son épouse est — ou plutôt était, car elle doit être sur le chemin du retour — chez des amis en Californie. Tu n'as pas lu l'édition spéciale parue cet après-midi ? Le meurtre de Peter Kilbourne fait la une. Les journalistes, apparemment, ne savent pas grand-chose. Toutefois, il semble que l'épouse soit la seule à avoir un alibi solide. Les autres étaient ici et là, certains chez eux, mais ils ne peuvent pas le prouver, le reste en ville, peut-être en compagnie de témoins.

— Dans ce cas, la police ne tardera pas à découvrir l'identité de la femme qui l'accompagnait.

— Tu parles ! Elle a été aperçue tard dans la nuit par un gérant de motel ensommeillé qui se rappelle seulement qu'elle était rousse. Vu la propreté des hôtels, les flics ont dû relever suffisamment d'empreintes pour tapisser un panneau d'affichage. L'assassin a eu la présence d'esprit d'essuyer le manche du couteau. (Laura frissonna.) J'espère que les journalistes en ont rajouté. On parle d'une douzaine de coups de couteau. Seigneur ! Faut-il haïr un homme pour le poignarder douze fois !

— N'y pense plus, grommela Cassidy, légèrement nauséeuse.

— Facile à dire, répliqua Laura en esquissant un pâle sourire. Je n'ai pas ta faculté à compartimenter les événements. Tu raisonnes en mathématicienne. Moi, je me laisse emporter par mon imagination. Même si je n'ai pas commis le crime, je... je visualise la scène, Cass. La violence. Le sang... Bon Dieu, je serais sans doute capable de le peindre !

Ce fut au tour de Cassidy de frissonner.

— J'en ai la chair de poule !

— Que veux-tu... Toute médaille a son revers.

— Revenons à la logique, alors. Nous savons qui n'est pas l'assassin — toi. Donc, qui a pu commettre le crime, et pourquoi ?

— Comment le saurais-je ? (Laura fixa la glace

sur la table basse et fronça les sourcils.) Tout ce que je sais, c'est que Peter Kilbourne est venu ici dans le but de me racheter cette glace. Il était prêt à m'en offrir cinq cents dollars.

— Elle vaut si cher que ça ?

Cassidy semblait soudain juger beaucoup moins moche la trouvaille de son amie. Etait-ce parce que Laura l'avait astiquée, ou parce qu'elle avait pris de l'importance depuis la veille ?

— Je n'ai pas assez de connaissances en la matière pour estimer sa valeur marchande, mais je suis prête à parier que ce n'est pas la raison pour laquelle il voulait la récupérer.

— Que veux-tu dire ?

Laura réfléchit.

— Par exemple, il a affirmé que cette glace était dans sa famille depuis très longtemps. Or tu as vu dans quel état elle était quand je l'ai achetée. Visiblement, elle est restée dans une malle ou sur une étagère poussiéreuse pendant des années. Des dizaines d'années, peut-être. Est-ce là une façon de traiter un précieux objet de famille ? Et puis, j'ai vu la manière dont il a réagi en découvrant ma collection. Il m'a demandé si j'avais toujours collectionné les glaces, comme si ma marotte revêtait pour lui une signification spéciale.

— Comment ça ? demanda Cassidy, intriguée.

— Je ne sais pas. Quelque chose dans son ton, dans son regard... Trop fugace, cependant, pour que je puisse l'analyser. Et puis, j'ai eu la curieuse impression qu'il a laissé tomber uniquement à cause de ma collection. Quand il est arrivé, il était prêt à récupérer la glace à prix d'or, puis il s'est ravisé.

— Peut-être a-t-il senti que, comme tous les

collectionneurs dans l'âme, tu refuserais de la lui céder.

— Non. Il a paru... reconnaître quelque chose. C'est un peu comme si, tout d'un coup, il avait compris un mystère qui lui avait toujours échappé jusque-là.

Cassidy observa son amie un moment, puis :

— Je suppose que les flics vont nous demander de présenter nos cartes à puce. Mais toi, à quelle sauce vont-ils te manger ?

Laura grimaça.

— Le plus gentil des deux inspecteurs m'a demandé si je consentirais à faire relever mes empreintes. Le sous-entendu était clair : si je refusais, on m'arrêtait.

— Tu as accepté ?

— Je passe au commissariat demain matin à la première heure.

— Bon. Nous savons toi et moi qu'ils ne trouveront pas tes empreintes dans la chambre du motel. Résultat : ils n'auront rien contre toi. Tout ce qu'ils savent, c'est que Peter Kilbourne a passé un quart d'heure chez toi plusieurs heures avant d'être assassiné. D'accord, tu es rousse. Et après ? Combien y a-t-il de rouquines à Atlanta ? Et à condition que l'hôtelier n'ait pas eu la berlue. Il était tard, il était à moitié endormi.

— Exact. C'est sans doute pour ça qu'on ne m'a pas arrêtée ce matin. Il n'y a aucune preuve contre moi. Cependant, je suis une des dernières personnes à avoir vu Peter vivant, et s'ils ne dénichent pas une autre rousse dans son passé immédiat, les flics vont s'acharner sur moi. Ils vont essayer de trouver un lien entre Peter Kilbourne et moi.

— Il n'y en a pas !

— Tu le sais, je le sais, mais les policiers vont vouloir le démontrer par eux-mêmes. Ils vont examiner ma vie à la loupe, parler aux gens qui me connaissent. Peut-être me feront-ils suivre. Et quand mon nom sera livré en pâture à la presse... Au mieux, mon existence va devenir infernale.

— Et au pire ?

— Au pire, ils seront capables de trouver un autre suspect. (Elle ébaucha un pâle sourire.) Et même si le dossier est trop mince pour qu'il y ait procès, les journalistes vont sûrement inventer toutes sortes de scénarios dans lesquels je suis l'assassin de Peter Kilbourne.

— Que vas-tu faire ? s'enquit Cassidy d'un ton grave.

Laura posa de nouveau son regard sur la glace à main.

— Les policiers ne s'intéressent pas du tout à la glace. Pour eux, c'est seulement le prétexte de la visite de Peter. Ils ne vont donc pas approfondir la question. Pourtant, cela me semble nécessaire. A mon avis, il est capital de savoir pourquoi il voulait la récupérer. Il faut que je découvre un maximum de renseignements sur son histoire, sur la façon dont elle est arrivée en possession des Kilbourne.

— Comment comptes-tu t'y prendre ?

— J'y ai réfléchi, dit-elle, sans avouer qu'elle avait arrêté sa décision dans un but tout à fait personnel, afin de comprendre pourquoi elle tenait tant à la glace. Tu te rappelles cette étudiante que j'ai engagée l'été dernier pour effectuer des recherches ?

— Oui. Tu la trouvais efficace.

— Hyperefficace. Je crois que je vais l'appeler.

— Pour lui proposer d'enquêter sur une glace ? Laura haussa les épaules.

— Pourquoi pas ? J'ai repéré deux dates, au dos. Cela lui donnera un point de repère. Peut-être pourra-t-elle découvrir son origine et comment elle a atterri chez les Kilbourne.

— Et qu'espères-tu en conclure ?

— Je saurai peut-être pourquoi Peter Kilbourne lui attachait une telle valeur.

— Tu crois vraiment que cette glace joue un rôle dans son assassinat ?

— Non, je l'ignore, mais c'est le seul élément dont je dispose, Cass. Tout ce que je sais, c'est qu'il voulait récupérer cette glace le jour où il est mort. Je dois découvrir pourquoi.

Cassidy secoua la tête.

— Autant chercher une aiguille dans une botte de foin, Laura ! D'un autre côté, tu ne peux pas rester les bras croisés.

— En effet, acquiesça Laura, le front plissé. Le problème, c'est que les recherches risquent de prendre du temps. Dena devra remonter aux origines de la glace, c'est-à-dire près de deux siècles en arrière. Avant d'en arriver aux Kilbourne, elle va avoir du pain sur la planche !

— A moins qu'elle n'ait toujours été dans leur famille. Imagine qu'elle ait été transmise de génération en génération avant d'être reléguée par une dame Kilbourne qui préférait l'argent au cuivre pour sa coiffeuse. Elle a pu y rester pendant des années. Peut-être qu'après la vente aux enchères, en examinant la liste des objets vendus, quelqu'un de la famille l'a vue...

— Peut-être.

Laura n'était guère convaincue. Elle ne pouvait se fier qu'à son intuition, mais celle-ci lui soufflait que la glace avait une tout autre histoire et n'appartenait que depuis peu aux Kilbourne.

— Sinon, Dena sera obligée de passer au peigne fin des archives allant de la guerre de l'Indépendance à nos jours. Bonjour la galère !

Cassidy la regarda droit dans les yeux.

— Il existe un autre moyen d'obtenir l'information : se rendre directement à la source. Tu as la glace, autrement dit un pied dans la porte.

Bien que Laura y songeât depuis des heures, elle s'empressa de protester :

— Je n'aurai jamais le courage de me rendre chez eux, Cass. Surtout maintenant. D'après les journaux, Peter sera enterré mardi après-midi. Je me vois mal aller les voir pour leur parler d'une glace.

— Il me semble que tu n'as pas le choix, du moins si tu veux mener ton enquête. Les flics te diront peut-être que quelqu'un a confirmé que Peter est venu chez toi à cause de la glace mais ils ne t'en apprendront guère plus. Seul un membre de la famille pourra t'expliquer pourquoi Peter désirait récupérer cette glace.

— Ils sont tous en deuil. Et je suis quasiment accusée du meurtre de Peter.

— Un suspect n'est pas forcément coupable, Laura, et même si les journalistes précipitent le mouvement, la famille voudra probablement faire la lumière sur l'affaire.

— Si un être cher était assassiné, je ne voudrais pas de son meurtrier présumé chez moi. Point final.

— Tu n'as pas été accusée. Tu as été interrogée par la police, et tu n'es sans doute pas la seule. Rappelle-toi qu'il est sorti d'ici vivant. Son chauffeur peut en témoigner. Tu es innocente, tu cherches simplement à savoir si cette glace achetée lors d'une vente aux enchères organisée par les Kilbourne a un lien quelconque avec la mort de Peter. Point final.

Laura parvint à sourire.

— A t'entendre, tout cela est simple comme bonjour. N'empêche... Je doute d'avoir le cran nécessaire.

Cassidy se leva et s'étira machinalement.

— Du cran, ma chère, tu en as à revendre. Jusqu'ici, tu n'as pas eu à y faire appel, c'est tout. J'ai toujours pensé que tu cachais bien ton jeu. Une main de fer dans un gant de velours...

— Je me demande ce qui te fait croire cela.

— Ah, oui ? Comme moi, tu es issue d'une famille nombreuse. Tu es la troisième de huit enfants, et l'aînée des filles. Cela veut dire que, toute ton enfance, tu as ployé sous les responsabilités. Tes cinq cadets s'accrochaient à toi, les deux autres te taquinaient... Si cela ne suffit pas à endurcir quelqu'un ! Ensuite, le jour de tes dix-huit ans, tu as définitivement tourné le dos à tout cela. Tu es assez forte pour te fixer une ligne de conduite et t'y tenir, Laura, crois-moi.

Cette fois, Laura eut un sourire spontané.

— Merci. Je vais réfléchir.

— Tiens-moi au courant. Je rentre chez moi. Tu veux qu'on dîne ensemble ?

— Non, merci. Je t'appelle demain, Cass.

— Tu as intérêt !

Une fois seule, Laura prit la glace. Elle la laissa quelques instants sur ses genoux, traçant le motif de l'index, puis elle la leva et la tourna lentement pour s'y contempler. Comme toujours, elle regarda au-delà d'elle-même, comme si elle s'attendait à voir quelque chose derrière son épaule.

— Qu'est-ce que je cherche ? murmura-t-elle.

Et, comme toujours, elle fut incapable de répondre. Mais peut-être l'un des Kilbourne lui donnerait-il la réponse. Ou lui dirait pourquoi Peter tenait tant à récupérer cet objet. Quoi qu'il en fût, cette glace la liait désormais à la famille Kilbourne, pour le meilleur ou pour le pire.

Une chose était sûre : Cassidy avait raison, la glace était son sésame pour pénétrer chez les Kilbourne.

A condition qu'elle ait le courage de se jeter à l'eau.

Josie Kilbourne raccrocha et se frotta les yeux en soupirant. Entre les appels de condoléances et l'organisation des funérailles, cette matinée de lundi avait été infernale. Elle avait à peine eu le temps de penser. Le choc de la nouvelle n'était pas près de s'atténuer.

Que Peter fût mort — et qui plus est assassiné — lui semblait irréel. Elle songea avec un certain détachement à l'ironie de la situation : Peter avait perdu la vie dans un motel miteux, lui qui exigeait et obtenait toujours ce qu'il y avait de mieux.

Elle posa son regard sur la pile de lettres prêtes à être mises sous enveloppe. Toutes étaient écrites à la main, d'une écriture élancée, régulière, sur un élégant papier à en-tête. Josie se demanda si Amélia avait passé la nuit à répondre personnellement à tous les messages de sympathie qui leur étaient parvenus la veille. Elle n'en serait guère étonnée : Amélia avait l'habitude d'arpenter les couloirs endormis de la maison à toute heure.

Pourtant, après la mort de son petit-fils préféré, on aurait pu imaginer qu'Amélia, qui avait fêté son quatre-vingtième anniversaire un peu plus tôt dans l'année, sacrifierait les convenances pour aller pleurer le disparu en compagnie de sa mère et de sa veuve.

A peine cette pensée lui avait-elle traversé l'esprit, que Josie grimaça. Comment pouvait-elle critiquer Amélia, alors qu'elle-même avait fui les débordements de chagrin de Madeleine ? Quant à Kerry, elle souhaitait manifestement rester seule. Arrivée le matin même, pâle et calme, elle n'avait quasiment adressé la parole à personne.

Madeleine, en revanche, s'était effondrée en apprenant la nouvelle. Daniel était le seul dont elle semblait requérir la présence. Lui, au moins, avait la patience de demeurer des heures auprès d'elle en l'écoutant parler entre deux sanglots de son « bébé ».

Daniel devinait-il que sa mère ne verserait pas le quart de toutes ces larmes s'il devait mourir avant elle ? Peter était son chouchou, et bien qu'elle se tournât toujours vers son fils aîné en cas de besoin, elle n'avait jamais montré d'affection pour lui. Il semblait même la mettre légèrement mal à l'aise.

Amélia était d'une autre trempe. Pour elle, manifester ouvertement sa peine était inconvenant. Elle avait été élevée selon des principes rigides, par des parents peu démonstratifs, à une époque où l'austérité était de mise. Cela expliquait peut-être pourquoi elle affichait — en apparence, du moins — un visage impassible face à la tragédie. Pourquoi elle écartait tout chagrin et répondait poliment aux lettres de condoléances, pourquoi elle ne supportait pas les pleurs de sa bru. Et rien n'avait changé dans son apparence

— comme toujours elle était vêtue de noir, portant encore le deuil d'un autre drame survenu quarante ans plus tôt.

Troublée, Josie jeta un coup d'œil sur sa jupe et sur son chemisier. S'était-elle habillée de noir, par respect pour Peter, ou par pur automatisme ?

Mon Dieu, suis-je en train de devenir comme Amélia ?

Cette idée la déconcerta vaguement. Cinq années s'étaient écoulées depuis le décès de Jeremy dans un de ces accidents étranges qui semblaient le lot de tant de Kilbourne. Josie s'était retrouvée veuve à trente ans. Très lointain parent du mari d'Amélia, issu d'une branche moins fortunée de la famille, Jeremy l'avait laissée sans un sou. Accablée par le chagrin, démunie, Josie était devenue la secrétaire particulière d'Amélia. Le travail n'était pas déplaisant, loin s'en fallait. Bien rémunérée, nourrie et blanchie, elle croulait rarement sous la tâche. Cependant, tout en se regardant, Josie ne put s'empêcher de se demander si elle n'aurait pas dû fuir depuis longtemps.

— Tu ne devrais jamais froncer les sourcils. Cela gâte la perfection de ton front d'albâtre, dit une voix moqueuse.

Josie leva la tête et sourit, tandis qu'Alex venait se jucher sur le coin de son bureau. A vingt-huit ans, il était plus jeune qu'elle, certes, mais son assurance et sa perspicacité lui conféraient une certaine maturité. Grand, bien bâti, extrêmement séduisant, il était un des rares Kilbourne à être blond aux yeux verts. Il attirait les femmes avec autant de facilité que Peter.

Pour la première fois, Josie se demanda avec qui d'autre il couchait.

— C'est un jour à froncer les sourcils, le réprimanda-t-elle.

Alex eut un sourire désabusé.

— Pourquoi ? Parce qu'une de ses conquêtes a enfin mis Peter hors service ? Je le détestais, l'aurais-tu oublié ?

— Non. Tu pourrais tout de même porter un brassard, Alex. C'est la moindre des corrections.

— Tu portes suffisamment de noir pour nous deux, mon cœur.

Elle résista à la tentation de s'examiner de nouveau.

— Je suis comme toujours, se défendit-elle.

— Justement.

Il n'avait encore jamais fait la moindre remarque sur sa prédilection pour le noir, mais, de toute évidence, ce détail ne lui avait pas échappé. Sans doute même comprenait-il. N'ayant pas envie de s'étendre sur la question, Josie changea de sujet.

— Sais-tu si Daniel est encore avec Madeleine ?

— Non. Je ne suis pas monté. Il me semble avoir aperçu le médecin. Il n'est pas venu pour Amélia ?

— Non. Daniel l'a appelé pour Madeleine. Je suppose qu'il supporterait sans broncher une seconde nuit de pleurs, mais si elle ne dort pas un peu, elle ne tiendra jamais le coup demain pour les obsèques. Et quant à Kerry, bien qu'elle paraisse très calme, il lui a prescrit un somnifère.

Alex la dévisagea.

— Et toi ?

Josie haussa les épaules.

— Je suis trop occupée pour penser. Cependant, j'ai parcouru les journaux, ce matin, et...

— N'y pense plus ! dit-il avec autorité. Ce ne sont que des spéculations sans fondement.

— On dit que Peter est descendu dans un motel en compagnie d'une rousse.

Alex considéra un instant sa chevelure de flamme.

— Et alors ?

— Et alors, je suis la seule rousse de cette maison, Alex. La police pourrait me soupçonner.

— Tu étais avec moi, samedi soir.

— Jusqu'à vingt-deux heures. Il semble que Peter ait été assassiné aux alentours de minuit.

— Tu n'as aucun mobile, il n'était pas ton amant. Peter n'était pas assez stupide au point d'entretenir une liaison adultère sous le même toit que son épouse... A moins que tu ne m'aies caché quelque chose ? ajouta-t-il en plissant les paupières.

Josie secoua la tête.

— Il m'a fait des avances, une seule fois, quand je suis arrivée.

— Juste après l'enterrement de Jeremy ?

Elle acquiesça.

— Bon Dieu ! marmonna Alex.

— Tu sais comme moi qu'en dépit de son charme il manquait singulièrement de sensibilité. Bref, je l'ai prié de me laisser tranquille, et il n'a pas insisté. Sans doute avait-il agi par réflexe. Tu sais comment il était. D'ailleurs, contrairement à toi, il ne semblait guère s'intéresser aux femmes plus âgées.

— Insensible *et* stupide ! décréta Alex. (Il lui prit les mains et l'obligea gentiment à se lever de son fauteuil.) Tu es restée enfermée ici toute la journée et ton imagination commence à te jouer des tours. Que dirais-tu d'une balade ? Il y a encore des fleurs dans le jardin, et l'air est frais.

— Non, je dois poster ce courrier pour Amélia, et ensuite...

Alex l'embrassa, la réduisant au silence. Elle gémit langoureusement lorsqu'il l'étreignit avec une force étonnante de la part d'un homme qui ne semblait que nonchalance.

— Non, murmura-t-elle. On pourrait nous surprendre.

Il redressa la tête et sourit.

— Josie, nous couchons ensemble depuis deux mois. Crois-tu vraiment que quelqu'un l'ignore encore ?

Prise de court, elle bredouilla :

— Amélia, certainement.

Il s'esclaffa.

— Ma chérie, elle l'a su avant tout le monde. Elle n'a pas sa pareille pour flairer un secret.

— Elle n'en a pas soufflé mot.

— Heureusement ! Nous sommes tous deux majeurs et libres de toute attache. Malgré ses principes, Amélia s'est adaptée à notre époque. Tant que nous sommes discrets, de quoi peut-elle se plaindre ?

— Elle va penser que je trompe Jeremy.

Alex ne la libéra pas, mais il relâcha légèrement son étreinte et son expression devint soudain indéchiffrable.

— Jeremy est mort, Josie, dit-il d'une voix posée. Il est mort depuis cinq ans. Tu ne le trompes pas.

— Je sais, mais... mais Amélia risque de ne pas voir les choses ainsi. Elle est veuve depuis quarante ans, et elle continue de porter le deuil.

Elle garde la place de David à table, elle a sa photo sur sa table de chevet...

Alex prit son visage en coupe entre ses mains.

— Amélia porte du noir parce qu'elle sait que la couleur lui sied. Quant au reste, si tu trouves sain de réserver une chaise pour un homme qui n'en a plus besoin depuis quarante ans, tu ferais bien de voir un psy, mon cœur.

Josie comprit qu'il la taquinait.

— La photo près du lit, avoue que ce n'est pas excessif...

— Moins que la chaise vide, je te l'accorde. A propos, en as-tu une de Jeremy sur ta table de nuit ? Etant donné que tu ne m'as jamais autorisé à fouler ton sanctuaire, comment le saurais-je ?

Josie s'était ressaisie.

— Sur ma coiffeuse, pas sur ma table de nuit.

— Préviens-moi quand tu la rangeras dans un tiroir.

— Pourquoi ?

Il effleura ses lèvres d'un baiser, puis la relâcha. Il souriait, mais son expression demeurait impénétrable.

— Parce que, alors, je briguerai la permission d'être admis dans le sanctuaire.

Cette déclaration la surprit. Elle sous-entendait qu'il ne voulait pas sentir la présence de Jeremy quand il faisait l'amour avec sa veuve. Or, jusqu'ici, Alex n'avait jamais montré le moindre signe de malaise à propos de leur relation. Au contraire, même, il avait toujours évoqué Jeremy sans embarras. Josie préféra ne pas poser de questions.

— Viens avec moi au jardin, insista Alex.

— J'ai du travail...

— Il ne s'envolera pas, Josie, et personne ne te

demande d'y consacrer ta journée sans t'octroyer une pause. (Alex sauta à terre et entraîna Josie jusqu'à la porte.) Pour ton bien-être et ta santé, nous allons marcher une vingtaine de minutes. Tu finiras plus tard. Pas de discussion.

Josie fit un baroud d'honneur.

— Et toi, tu n'as rien à faire ?

Alex, diplômé en droit, était, selon ses propres termes, « en apprentissage » depuis déjà plusieurs années. Il succéderait à l'actuel avocat des Kilbourne quand celui-ci prendrait sa retraite.

— Notre cabinet ne compte qu'un client, ne l'oublie pas : la famille Kilbourne. Et comme Preston Montgomery vénérait Peter et qu'il est étonnamment émotif pour un homme de robe, il a fermé boutique pour la semaine. La seule mission officielle que j'aurai à remplir, ce sera de lire le testament de Peter après les funérailles.

— Ce qui ne semble pas t'attrister des masses.

Alex secoua légèrement la tête.

— Après tout ce temps, tu ne t'attends tout de même pas que je sacrifie aux conventions ? Je refuse de pleurer un homme que je n'aimais pas, ou de respecter sa mémoire comme si la mort l'avait sanctifié. Peter était un vaurien. Profitant de l'absence de Kerry, il se trouvait dans une chambre d'un motel sordide avec une autre femme. Ce n'était pas la première fois. Si tu veux me voir compatir, dommage que tu n'aies pas été là ce matin lorsque je suis allé chercher Kerry à l'aéroport. C'est elle que je plains.

Josie ressentait la même chose qu'Alex. Elle était donc mal placée pour lui jeter la pierre. Mais elle avait été élevée par des parents collet monté, et ce n'était pas facile de faire litière des principes qu'on lui avait inculqués.

— Moi aussi, mais…
— Mais ?
Il attendit poliment.
Elle sourit.
— Peu importe ! Tu as raison : rien ne devrait pouvoir me surprendre de la part d'un homme qui porte des cravates Mickey dans les vénérables couloirs d'un respectable cabinet juridique.
Il lui adressa un clin d'œil.
— Tu as tout pigé !
Malgré elle, Josie rit en lui emboîtant le pas. Alex ne prenait rien au sérieux, mais sa décontraction lui remontait le moral. Et puis, elle éprouvait le besoin de prendre l'air, de se promener dans le parc au bras d'un homme qui la faisait rire et qui l'aidait à oublier la mort violente d'un autre… ne fût-ce que momentanément.

Le mardi matin, Laura reçut des nouvelles des flics. Une bonne : on n'avait relevé ses empreintes nulle part dans la chambre du motel où Peter Kilbourne avait été tué, ni dans sa voiture. Et une mauvaise : l'une des cartes à puce utilisées le samedi soir dans son immeuble appartenait à un locataire qui était parti faire un safari. Personne ne savait quand il reviendrait. D'ici là, et en supposant qu'il confirme s'en être servi personnellement pour sortir à vingt heures trente-cinq ce soir-là, Laura continuerait de figurer sur la liste des suspects.

Et même alors, Laura doutait qu'on l'en élimine. Les flics n'avaient pas l'air pressés de suivre d'autres pistes. Ils avaient interrogé son patron et ses collègues, ainsi que tous les résidants de l'immeuble. Apparemment, ils ne s'intéressaient qu'à elle.

Une amie à elle qui travaillait à sa banque lui avait appris que la police avait demandé tous ses relevés de compte. Elle était prête à parier qu'elle avait fait de même pour ses relevés téléphoniques, histoire de vérifier si elle avait appelé Peter Kilbourne — ou s'il l'avait appelée.

Laura essaya de travailler le mardi, mais elle avait un mal fou à se concentrer. Elle ne pouvait s'empêcher de penser que c'était le jour des obsèques de Peter Kilbourne. Pour couronner le tout, en début d'après-midi, un reporter lui téléphona, ce qui lui ôta tout espoir d'arriver au bout de ses tâches.

Elle alla voir son patron et lui demanda un congé sans solde. Elle lui expliqua que les journalistes n'allaient pas cesser de la harceler tant que la police n'aurait pas bouclé son enquête. Tant pour l'agence que pour elle, il valait donc mieux qu'elle disparaisse.

— Absentez-vous le temps qu'il faudra, Laura, répondit gentiment Tom Sayers. Je vais répartir vos projets entre vos collègues.

— Je suis désolée de vous causer tous ces soucis, Tom.

Il lui sourit, et son visage buriné se plissa :

— Vous n'y êtes pour rien, Laura. Comment auriez-vous pu prévoir que l'achat d'une glace déclencherait un tel cataclysme ? Prenez soin de vous, ajouta-t-il alors qu'elle quittait son bureau. Et ne laissez pas une bande de journaleux bouleverser votre vie.

Excellent conseil, songea Laura sur le trajet du retour. Mais il était déjà trop tard. Elle était en train de fuir la presse après avoir demandé un congé sans solde. Elle allait devoir se serrer la ceinture si son absence se prolongeait. Et quand elle rentra chez elle, elle trouva plusieurs messages sur son répondeur — demandes d'interviews et apostrophes grossières —, ce qui acheva de la démoraliser. Elle finit par débrancher son téléphone pour échapper aux sonneries incessantes.

Dans la soirée, elle parvint à contacter Dena Wilkes. L'étudiante accepta avec enthousiasme de venir chez elle le lendemain matin, afin de prendre des photos de la glace et de noter tous les détails qui lui permettraient d'entamer ses recherches.

Le mercredi après-midi, Laura essaya de peindre, lâchant la bride à son imagination. Elle se surprit à esquisser la glace tenue par une main féminine.

Quand ce tableau sera terminé, peut-être que je comprendrai enfin ce que je suis censée y voir!

Cassidy passa lui tenir compagnie dans la soirée. Elle avait acheté un repas chinois chez un traiteur. Pour oublier le meurtre, elles regardèrent un vieux film à la télévision, puis discutèrent du sex-appeal de leurs acteurs préférés. Cependant, quand elle se retrouva seule, Laura céda de nouveau, à l'angoisse.

La patience n'était pas sa principale vertu, surtout quand elle savait que d'autres — et notamment la police — tenaient son destin entre leurs mains. Elle devait agir, reprendre le gouvernail. Elle ne pouvait rien faire d'autre qu'enquêter sur la glace, mais cela n'apaisa guère sa nervosité.

Le jeudi matin, elle découvrit deux lettres parmi son courrier habituel. L'une, très maternelle, lui assurait que son innocence serait prouvée si elle mettait sa foi en Dieu. L'autre lui promettait tous les tourments de l'enfer en expiation de ses crimes.

La raison lui dicta de laisser courir. Ces missives étaient la conséquence inévitable d'une notoriété aussi soudaine qu'importune. Mais que deux inconnus aient découvert qu'elle était « la relation féminine de Peter Kilbourne que la police interrogeait », voilà qui était plus déroutant.

Elle les laissa tomber comme si elles lui brûlaient les doigts et les contempla un long moment. Puis elle se dirigea vers le téléphone et chercha la carte de visite que lui avait laissée Peter. Elle tomba sur une boîte vocale. Elle raccrocha sans laisser de message, se demandant avec inquiétude si la police enregistrait les appels destinés à Peter maintenant qu'il était mort.

Chassant cette pensée de son esprit, elle composa un autre numéro.

— Cass ? Ecoute... Ne m'as-tu pas dit que les Kilbourne avaient leurs comptes à ta banque ? Je sais que c'est interdit, mais... pourrais-tu me donner le numéro du manoir ?

Un gardien impassible lui ouvrit le portail. Il était seize heures. Laura n'en revenait toujours pas d'être là, aussi surprise d'avoir eu le courage de demander un rendez-vous que de se l'être vu accordé aussi vite.

Elle ne savait pas exactement ce qu'elle allait dire à la personne qui la recevrait, mais elle avait dans son sac plusieurs photos de la glace, ainsi que le reçu qui lui avait été remis lors de son achat. Au cas où.

Elle se gara et remonta l'allée de brique à pied. La demeure lui parut encore plus vaste et plus imposante que la première fois. Elle n'avait rien perdu de son charme, mais c'était une maison en deuil.

Laura inspira à fond et sonna. Aussitôt, la porte s'ouvrit, ce qui la fit sursauter.

Une jolie rousse à la peau diaphane dévisagea Laura de ses grands yeux gris. Vêtue sobrement d'un pantalon noir et d'un chemisier en soie bleu marine, elle était légèrement plus petite que Laura, et très frêle. On eût dit une poupée de porcelaine. Elle pouvait avoir entre vingt-cinq et trente-cinq ans.

— Mademoiselle Sutherland ? Je suis Josie Kilbourne. Entrez, je vous en prie.

Laura devina que c'était à elle qu'elle avait parlé au téléphone. Ses manières étaient brusques, mais elle avait une voix douce, curieusement enfantine, et très reconnaissable. Ce n'était pas elle, cependant, qui avait accédé à la requête de Laura. Elle s'était absentée quelques minutes, puis était revenue en ligne pour lui proposer ce rendez-vous.

Sans laisser à Laura le temps d'admirer le vestibule en marbre, elle déclara :

— Si vous voulez bien me suivre dans la bibliothèque... Je vais prévenir M. Kilbourne de votre arrivée.

Laura savait maintenant qui avait accepté de la voir. Mais n'y avait-il pas plusieurs M. Kilbourne, sous ce toit prestigieux ? Les journaux n'avaient-ils pas parlé d'un avocat ? Ce devait être lui.

La bibliothèque était une vaste pièce très agréable avec ses deux grandes fenêtres encadrées de tentures vieil-or qui s'harmonisaient à la perfection avec les lambris et le tapis bordeaux et or. Un énorme bureau occupait un angle. Un autre, plus petit, se trouvait près de la porte. Deux longs canapés de cuir se faisaient face devant une magnifique cheminée.

— Faites comme chez vous, dit Josie.

La formule était un peu saugrenue dans ce décor grandiose.

Josie sortit, laissant la porte ouverte.

Trop nerveuse pour s'asseoir, Laura s'approcha de l'âtre et contempla le tableau suspendu au-dessus. Une petite plaque en cuivre, au bord du cadre doré, indiquait : *Amélia Kilbourne, 1938*. Le portrait datait de près de soixante ans. Une femme superbe, mince et élégante, ses cheveux de jais coiffés en un chignon à la Pompadour flatteur, mais un peu désuet. La robe, au col en dentelle montant, très peu années trente, accentuait ce côté suranné.

Laura examina le ravissant minois, notant les pommettes saillantes, la lueur espiègle du regard. Le sourire, comme celui de la Joconde, était empreint de mystère.

Laura se demanda comment ce beau visage avait vieilli. La femme auquel il appartenait avait enterré son mari, deux de ses enfants et un petit-fils. Elle avait traversé une des périodes les plus agitées de l'histoire du pays. Tant de choses avaient changé, en soixante ans ! Lorsqu'elle était enfant, voyager en avion était une aventure ; elle avait vu l'homme marcher sur la Lune. La télévision, les ordinateurs, les satellites, les téléphones portables, la sécurité électronique… ces fruits du progrès avaient-ils transformé Amélia, ou était-elle encore cette femme qui portait un chignon à la Pompadour au mépris de la mode parce que cette coiffure lui seyait ?

Laura se retourna brusquement, consciente de ne plus être seule. Sa réaction, lorsqu'elle le vit dans l'embrasure, fut si vive qu'elle eut l'impression d'avoir reçu une décharge électrique. Dans un silence interminable, elle l'examina. Il était très grand, large de carrure, avait des cheveux d'un noir lustré, des yeux bleu pâle. Il n'était pas beau, mais son visage aux traits durs était de ceux que l'on n'oublie jamais.

Sa voix, profonde et chaude, brisa enfin le silence.

— Je suis Daniel Kilbourne.

Laura déglutit et parvint à bredouiller :

— Laura Sutherland.

— Dites-moi, Laura Sutherland, est-ce vous qui avez tué mon frère ?

3

Elle n'était pas telle que Daniel l'avait imaginée. Elle était belle, certes. Peter l'avait dit, et son frère était fin connaisseur en matière de beauté féminine. Grande, voluptueuse sans un gramme de graisse superflue, elle avait un visage ravissant. Ses cheveux, tirés en une natte dans le dos, avaient la chaude nuance de l'acajou, et son teint diaphane et ses yeux vert clair étaient ceux d'une véritable rousse.

Elle portait un pantalon clair et un chemisier de soie vert avec une élégance naturelle, et bien que sa voix eût un peu tremblé lorsqu'elle s'était présentée, elle avait l'allure d'une femme décidée et volontaire. Elle ne manquait pas de courage de venir dans leur antre en sachant ce qu'ils devaient penser d'elle.

— Avez-vous tué mon frère ? répéta-t-il, comme elle demeurait silencieuse.

— Non, répondit-elle sans quitter son regard. Non, je ne l'ai pas tué. Je ne le connaissais pas.

Daniel pénétra dans la pièce à pas lents, l'air impassible. Il la dépassa pour se diriger vers le petit bar entre les deux fenêtres.

— Puis-je vous offrir quelque chose à boire ?

Elle refusa d'un signe. Il se versa un whisky.

Il s'avança et posa la main sur le dossier du canapé qui les séparait. Il but une gorgée en la dévisageant.

— Peter vous a rendu visite samedi. Vous le connaissez donc.

— C'est à ce moment-là que j'ai fait sa connaissance, dit-elle d'une voix posée. Il est resté moins d'un quart d'heure, puis il est parti. C'est la seule fois de ma vie où j'ai rencontré votre frère.

— Et vous voulez que je vous croie ?

— C'est la vérité.

— Que vous dites.

Elle tripota nerveusement la bandoulière de son sac.

— Savez-vous que j'ai acheté une glace à main lors de votre vente aux enchères, samedi ?

Il acquiesça.

— La police m'a demandé de confirmer que Peter était allé vous voir à ce sujet.

— Vous l'avez confirmé ?

— Oui.

— Dans ce cas, vous savez que j'étais pour lui une inconnue.

Il eut un sourire dénué de chaleur.

— Apparemment.

— Réellement. Il voulait me racheter la glace. Savez-vous... pourquoi ?

Daniel fit tourner les glaçons dans son verre.

— Non.

Laura fut certaine qu'il mentait. Elle le regarda porter le verre à ses lèvres et fixa sa main droite. Il avait une grosse chevalière en or sertie d'une pierre verte, jade ou émeraude. Elle nota également qu'il tenait son verre avec trois doigts, et ce geste lui parut étrangement familier.

Elle avait du mal à aligner deux pensées cohérentes. Elle n'était pas de ces femmes qui succombent au charme d'un homme et se montrait toujours très prudente dans ce domaine. Or elle était troublée. Cet homme ne lui était rien et, qui plus est, il la soupçonnait d'avoir tué son frère. Pourtant, elle était incapable de détacher son regard de lui, de masquer les sentiments qu'il faisait naître en elle. Elle se sentit soudain très vulnérable.

Daniel ne possédait pas la beauté de son frère, mais son charme était beaucoup plus ravageur. Son corps puissant, athlétique, se mouvait avec une grâce féline.

Malgré elle, Laura eut une réaction purement physique. Sa peau devint brûlante, ses muscles se détendirent, son souffle s'accéléra, ses genoux flageolèrent. Une vague de désir la submergea.

Mon Dieu, que m'arrive-t-il?

S'efforçant de recouvrer son sang-froid, elle se concentra sur l'objet de sa visite.

— Vous ignorez pourquoi Peter voulait récupérer la glace, mais vous savez que c'est la raison pour laquelle il est venu chez moi samedi.

— C'est ce que j'ai dit à la police.

Il l'observait d'un regard fixe, intense, presque hypnotisant, tout en faisant distraitement tourner la glace dans son verre. La pierre de sa bague jetait des éclairs verts.

Sa main était longue et vigoureuse. Elle se demanda si ses caresses seraient douces ou brutales. A cette idée, elle sentit son ventre s'embraser.

— Vous ne savez pas pourquoi Peter tenait tant à cette glace? insista-t-elle.

— Je vous l'ai dit, répondit-il, imperturbable.

De toute évidence, l'émoi de Laura le laissait

insensible. Il ne semblait pas remarquer les difficultés qu'elle avait à se contrôler.

— Il m'a expliqué que c'était un héritage familial. Est-ce vrai ?

— Pour autant que je le sache, mademoiselle Sutherland, c'était un objet parmi des centaines d'autres remisés au grenier par je ne sais qui, il y a je ne sais combien d'années.

Comme la plupart des gens ayant vécu ou beaucoup voyagé en dehors des Etats du Sud, il n'avait conservé qu'une légère trace d'accent.

— Quelqu'un d'autre de votre famille serait-il susceptible d'en savoir davantage ?

— J'en doute, répliqua-t-il sèchement, les yeux plissés.

Pour la première fois, Laura se dit que Daniel paraissait bien peu ému, pour un homme qui avait enterré son frère l'avant-veille. Se détestaient-ils ? Ou Daniel était-il un de ces êtres capables de maîtriser leurs sentiments ? Avec ses yeux d'un bleu profond et ses traits burinés, il paraissait indéniablement dur. Et s'il croyait que Laura mentait à propos de ses relations avec Peter, il ne semblait guère affecté de se trouver peut-être en face d'une meurtrière.

Cependant les Kilbourne étaient en deuil. Possible qu'il eût accepté de la rencontrer pour épargner d'autres membres de la famille, plus proches de Peter.

— Pensez-vous que cette glace ait une valeur quelconque pour un de vos proches ?

— Je ne crois pas que l'on cherchera à vous la racheter, rétorqua-t-il d'un ton indifférent.

Il haussa imperceptiblement les épaules. Tout, en lui, exprimait la puissance et la force. Pourtant, il ne lui faisait pas peur.

Consciente tout d'un coup que le silence se prolongeait, elle dit à la hâte :

— Dans ce cas, cela ne vous ennuiera pas que je cherche à comprendre pourquoi Peter voulait la récupérer.

— Non, pas du tout. Mais comment comptez-vous vous y prendre ?

— C'est un objet ancien. Il a sûrement une histoire. J'ai engagé une étudiante pour effectuer des recherches.

— Pourquoi ?

Laura hésita un instant :

— Je... je collectionne les glaces à main, je l'aurais probablement fait de toute façon, par simple curiosité. Il se trouve que votre frère a voulu la récupérer, et qu'il a été assassiné quelques heures plus tard. Je veux savoir s'il existe un lien entre les deux faits. Pour ma tranquillité d'esprit.

— Je vois.

— Cette glace est le seul lien entre votre frère et moi, dit-elle en percevant son scepticisme. Je n'ai pas eu de liaison avec lui, si c'est ce que vous pensez.

Il plissa les yeux et l'observa longuement.

— Je ne me suis pas encore fait vraiment une opinion sur vous, mademoiselle Sutherland. Disons seulement que je connaissais fort bien mon frère. Jamais il n'a rencontré une jolie femme sans essayer de l'attirer dans son lit. Et il essuyait rarement un échec.

Laura ignora le compliment implicite.

— Peut-être, mais il n'est pas dans mes habitudes de coucher avec un homme que je connais depuis un quart d'heure. Ni avec un homme marié. Pensez ce que vous voulez de la moralité de votre frère, cela ne vous autorise pas à juger la mienne.

Il va incliner la tête d'une manière un peu moqueuse.

De fait, il eut ce geste, si familier pour elle, sans qu'elle pût comprendre pourquoi.

— On m'a appris à ne jamais traiter une femme de menteuse, riposta-t-il sèchement. Eh bien, nous voilà dans une impasse. Je ne suis pas tout à fait convaincu de l'innocence de votre relation avec mon frère, quant à vous, vous n'avez aucun moyen de me prouver le contraire.

Il avait raison et Laura en éprouva une sensation de malaise. Elle ne voulait pas que quiconque la soupçonne d'avoir eu une aventure avec Peter… et surtout pas cet homme.

— Tenez-moi au moins quitte du meurtre de votre frère, dit-elle d'un ton presque implorant.

Elle eut l'impression qu'il se radoucissait, crut déceler une lueur de chaleur dans ses prunelles.

— Pourquoi ne m'as-tu pas prévenue que nous avions de la visite, Daniel ?

J'aimerais la peindre, pensa Laura machinalement.

Ce ne pouvait être qu'Amélia Kilbourne. Une vieille dame minuscule et frêle, qui marchait avec une canne à pommeau d'argent, bien qu'elle se tînt très droite. Son visage n'avait guère changé, en soixante ans. Elle avait les mêmes pommettes saillantes, le même menton volontaire, le même regard espiègle. Ses cheveux blancs comme neige étaient coiffés en un chignon à la Pompadour, sa robe longue au col montant évoquait davantage une toilette de bal qu'un vêtement de deuil. Cependant, comme sa coiffure, elle lui seyait à merveille.

Daniel se tourna vers la vieille dame et, l'espace d'un instant, tous deux parurent s'affronter du regard.

— Voici Laura Sutherland. Ma grand-mère, Amélia Kilbourne.

— Madame, murmura Laura, ne sachant trop sur quel pied danser.

Amélia s'avança avec aisance, sans s'appuyer sur sa canne, et s'assit sur le canapé. Elle eut un geste de la main.

— Mon petit-fils ne vous a pas invitée à vous asseoir ? Je vous en prie.

Laura s'exécuta, horriblement gênée de sentir Daniel dans son dos.

— Je vous présente toutes mes condoléances pour la mort de votre petit-fils, madame.

Elle se rendit compte soudain qu'elle ne l'avait pas dit à Daniel. Etait-ce à cause de l'effet qu'il avait produit sur elle, ou parce qu'elle avait deviné d'instinct qu'il ne voulait pas de ses paroles de sympathie ?

— Merci, mademoiselle Sutherland. Puis-je vous appeler Laura ?

Elle avait une voix douce, teintée d'un accent de l'Alabama.

— Je vous en prie.

— Tout le monde m'appelle Amélia. J'espère que vous en ferez autant.

— Merci.

Laura sentait le regard caustique de Daniel sur sa nuque et regretta qu'il ne se déplace pas, afin qu'elle puisse le voir en face.

Et elle n'était guère à l'aise devant sa grand-mère. L'attitude d'Amélia changerait-elle du tout au tout lorsqu'elle apprendrait qui était Laura Sutherland ? Mais Amélia reprit la parole, toujours gracieuse, et Laura se rendit compte qu'elle savait parfaitement à qui elle s'adressait.

— Si j'ai bien compris, la police cherche des indices qui pourraient vous lier à mon petit-fils, Laura.

La jeune femme, prise au dépourvu s'efforça de répondre d'une voix ferme.

— J'ai rencontré Peter pour la première fois samedi, madame.

— Amélia, je vous en prie.

— Amélia. Merci. Il est venu chez moi à propos d'une glace que j'avais achetée le matin même à votre vente aux enchères.

— Oui, ma chère, c'est ce qu'a dit la police. Cependant, il se trouve que Peter a été vu à plusieurs reprises en compagnie d'une très jolie rousse, et, apparemment la police vous imagine tout à fait dans ce rôle.

— Vous avez parlé avec la police, Amélia? intervint Daniel d'un ton uni. Je croyais que nous étions convenus que je m'en chargerais.

— Tu oublies, Daniel, que le chef de la police est un vieil ami, rétorqua-t-elle, une flamme de triomphe dans les yeux. Il m'a appelée pour m'informer de l'évolution de l'enquête.

— Et, à l'évidence, il n'a pas su tenir sa langue.

— Ne dis pas de bêtises. Pourquoi n'aurais-je pas le droit de connaître les faits? Après tout, je suis la grand-mère de Peter.

— Les faits, Amélia? Vous les apprendrez si cette affaire arrive devant les tribunaux. D'ici là, vous n'entendrez que théories et spéculations. Car la police n'a pas la moindre preuve. Peter est mort, assassiné. Voilà les seuls faits que nous ayons.

Amélia, impassible, haussa légèrement ses délicates épaules.

— Si tu espères protéger Kerry des cancans, il est trop tard, Daniel. Beaucoup trop tard.

Laura, immobile, observait Amélia. Daniel et sa grand-mère discutaient sans se soucier de la présence d'un tiers. Quelles étaient les relations entre ces deux êtres ? Que ressentaient-ils l'un pour l'autre ? De l'antipathie ? S'agissait-il d'une lutte naturelle entre deux tempéraments forts et volontaires, ou y avait-il autre chose ? Daniel semblait choisir ses mots avec soin, pourtant, il était visiblement en conflit avec sa grand-mère. Amélia, de son côté, semblait à la fois le narguer et le ménager.

Ni l'un ni l'autre ne semblaient affligés outre mesure par la mort de Peter.

— Il est peut-être trop tard pour épargner Kerry, répliqua Daniel d'un ton morose, mais il me semble inutile de traîner Laura dans la boue quand aucun indice ne permet de l'accuser. Est-ce vous qui avez communiqué son nom à la presse, Amélia ?

Laura écarquilla les yeux, surprise de l'entendre prononcer son prénom avec une telle facilité.

— Comment savez-vous que les journalistes ont mes coordonnées ?

— Plusieurs d'entre eux ont téléphoné ici pour poser des questions frisant l'insolence.

— Vous leur avez demandé de ne pas citer mon nom ?

— Je leur ai rappelé que la liberté de la presse ne s'étendait pas au droit de diffamation et que, puisque vous n'aviez pas été inculpée, ils seraient malavisés de citer votre nom dans le cadre du meurtre de mon frère.

Pourquoi la protégeait-il de ces requins, alors que lui-même la soupçonnait ?

— Est-ce vous qui leur avez communiqué les coordonnées de Laura ? répéta-t-il à l'adresse d'Amélia.

— Quelle idée ! Pourquoi l'aurais-je fait ?

Laura dévisagea la vieille dame. *Mais vous l'avez fait, Amélia.* Comme elle en avait eu la certitude un peu plus tôt avec Daniel, elle était persuadée qu'Amélia mentait. Elle avait bel et bien révélé l'identité de Laura aux journalistes. Pourquoi ? Cela n'avait aucun sens.

— Je n'en sais rien, dit Daniel, mais je crois qu'il serait plus... sage de laisser l'enquête aux mains des autorités compétentes. Et laissez-moi m'occuper de la police, d'accord ?

Laura décela une menace sous le ton courtois. Amélia cligna des paupières et pinça les lèvres.

— Très bien, Daniel.

Que se passe-t-il entre ces deux-là ?

Laura se rappela alors que, d'après les journaux à scandale de Cassidy, ils détenaient à eux deux toute la puissance financière de la famille. Apparemment, Amélia contrôlait légalement toute la fortune, mais c'était Daniel qui la gérait, luttant avec sa grand-mère pied à pied. Si c'était vrai, peut-être était-ce l'explication à cette hostilité latente.

Laura fut surprise de voir Amélia rendre si rapidement les armes. Puis elle aperçut une lueur dans ses prunelles... La vieille dame préparait une riposte. Et Laura comprit soudain qu'elle aurait un rôle à jouer dans la bataille.

Amélia la regarda droit dans les yeux.

— Mon enfant, la cause est entendue. Une charmante créature comme vous n'a pu être mêlée aux agissements sordides de Peter. Le sujet est donc clos. J'ai cru comprendre que vous étiez une artiste ?

— C'est exact.

D'où tenait-elle cette information ? Du chef de la police ? Ou avait-elle une autre source ?

Amélia jeta un coup d'œil au portrait accroché au-dessus de la cheminée, puis regarda de nouveau Laura.

— Il est grand temps de remplacer cette vieille chose par une représentation plus actuelle. Travaillez-vous sur commande ?

Stupéfaite, Laura secoua la tête.

— Je crois que vous vous méprenez, madame… euh… Amélia. Je ne suis pas portraitiste. Je fais du graphisme publicitaire.

Ce fut au tour d'Amélia de secouer la tête, avec une esquisse de sourire.

— Je ne puis croire que ce soit là votre seule ambition, Laura.

Elle hésita, toujours consciente du regard de Daniel sur elle, puis confessa :

— Je ne suis pas suffisamment douée pour être peintre, et surtout portraitiste. Je m'y essaie par-ci, par-là, mais…

— Vous n'allez pas abandonner, j'espère ? l'interrompit Amélia.

— Je… je ne peux m'y résoudre.

Laura fut d'autant plus surprise de son aveu que personne, pas même Cassidy, ne se doutait de son désir d'être un jour une véritable « artiste ».

— A la bonne heure ! Vous allez pouvoir vous faire la main avec moi. Entre nous, nous déciderons si l'essai est concluant ou non. Si oui, je serai en possession d'un superbe portrait peint par une artiste pleine d'avenir. Sinon, ni vous ni moi n'aurons perdu grand-chose. Dans l'un et l'autre cas, vous serez rémunérée.

— Mais...

Amélia s'empressa de citer un chiffre qui sidéra la jeune femme.

— Cela me paraît généreux, pour une inconnue, ajouta-t-elle.

— Plus que généreux, répondit Laura.

Terriblement tentant, aussi, étant donné l'état de ses finances.

— Toutefois, je ne puis accepter. En admettant que je m'en sente capable, la police me soupçonne d'être mêlée au meurtre de votre petit-fils. Ma présence ici risque de lui paraître étrange et je doute que certains membres de votre famille l'apprécient.

— Vous n'avez pas tué Peter, décréta Amélia.

Savez-vous qui est le coupable ? Est-ce pour cela que vous êtes aussi intimement convaincue de mon innocence ?

— En effet. Mais en attendant qu'on découvre l'assassin, je préfère rester profil bas et ne pas attirer trop l'attention de la police.

— Ne vous souciez pas de la police, déclara Daniel. Je... clarifierai la situation.

Laura se tourna vers lui et le dévisagea.

— Ne me dites pas que vous approuvez cette idée ?

Il eut un sourire un peu sardonique.

— Ma grand-mère veut que vous peigniez son portrait. Et, en général, elle parvient toujours à ses fins.

Laura doutait que ce fût la raison de son acceptation. Elle se vit tout d'un coup comme un pion manipulé par le petit-fils et la grand-mère dans un jeu dont eux seuls connaissaient les règles. Or, le sort des pions était d'être sacrifiés en cours de partie.

— Vous pourriez travailler au portrait le soir, déclara Amélia. Ainsi, vous n'auriez pas de problèmes avec votre agence.

— Je viens de prendre un congé sans solde, dit Laura sans réfléchir.

— A cause de la presse ? demanda Daniel.

Elle l'observa par-dessus son épaule.

— Cela m'a paru pertinent, c'est tout.

Il resta silencieux, la contemplant d'un air impassible.

— C'est formidable ! s'exclama Amélia, ravie. Vous allez pouvoir vous consacrer complètement à mon portrait. Nous allons vous préparer une chambre, afin de vous éviter le trajet.

Laura se leva, soudain prise de panique.

— Je... Il faut que j'y réfléchisse, Amélia. C'est très aimable à vous et je vous en remercie, mais je ne peux pas vous répondre à la minute.

Amélia parut sur le point de protester, puis elle sourit et se mit gracieusement debout.

— Bien entendu, Laura.

La jeune femme éprouva un sentiment de soulagement absurde. Qu'avait-elle cru ? Qu'ils allaient la retenir de force ?

— Je suis ravie d'avoir fait votre connaissance, Amélia.

— C'est réciproque. J'espère que nous nous reverrons bientôt.

— Je vous raccompagne, dit Daniel en posant son verre.

Laura faillit lui rétorquer que c'était inutile, puis sortit de la pièce à ses côtés. Bien qu'elle fût plutôt grande, il avait une bonne tête de plus qu'elle. Sa carrure, sa puissance l'impressionnèrent. *Mon Dieu, qu'est-ce qui me prend?*

Dans le vestibule, il s'arrêta, une main sur la poignée de la porte.

— J'expliquerai à la police la raison de votre visite d'aujourd'hui. Je signalerai aussi que ma grand-mère vous a commandé son portrait.

— Pensez-vous que cela suffise à apaiser les soupçons ?

— Que ma famille accepte de vous recevoir pèsera d'un certain poids dans la balance.

— Allez-vous dire *pourquoi* votre famille m'accepte ?

— Certainement. J'affirmerai qu'à notre avis vous n'avez rien à voir avec la mort de Peter.

Laura secoua la tête. Il était prêt à la défendre contre la presse, à proclamer son innocence devant la police, et, pourtant, elle avait la certitude qu'il n'était mû que par des motifs personnels. Mais lesquels ?

Daniel resta sur le seuil jusqu'à ce que la voiture eût disparu, puis il referma lentement la porte et retourna dans la bibliothèque. Debout devant la cheminée, sa grand-mère contemplait son portrait.

— Vous lui avez fait peur, Amélia. Vous ne trouvez pas que vous avez manqué de subtilité ?

Elle pinça les lèvres.

— Et toi ? Figé sur place, me faisant des reproches comme si je n'étais qu'un laquais à tes ordres... Crois-tu que cela l'ait rassurée ?

— Oh, elle ne m'aimait déjà guère avant votre arrivée !

Amélia lui jeta un regard scrutateur.

— Tu as hérité de plus de charme de ton père

qu'il n'y paraît, même si Peter a eu la part du lion. Pourquoi ne t'es-tu pas montré plus agréable ? Elle est très belle.

— Peut-être n'ai-je pas envie des restes de mon frère.

Amélia émit un son qui se voulait un rire.

— S'il couchait avec elle, je doute qu'il soit allé avec une autre femme dans un motel.

— Si c'en était une autre...

— Tu crois qu'elle l'a tué ? Non... Elle n'a pas assez de rage en elle.

— Peut-être en avait-elle samedi soir.

Amélia haussa les épaules.

— Je suppose que, poussé à bout, n'importe qui peut craquer. Mais cette fille n'a assassiné personne. Ainsi, tu vas parler aux policiers, enchaîna-t-elle en le dévisageant avec attention. Tu vas préparer le terrain, afin que Laura Sutherland puisse venir ici faire mon portrait ? Et que je sois suffisamment occupée pour ne pas être sur ton chemin, n'est-ce pas ?

— J'essaie simplement de vous faire plaisir, Amélia, comme toujours.

— Tu as peut-être du charme, mais aucune humilité. Ne crois pas me berner. Me faire plaisir est le cadet de tes soucis. Mais laissons cela.

Les yeux plissés, il la regarda marcher jusqu'à la porte. Elle se tourna à demi, souriante.

— Je suis au courant, pour la glace, Daniel, dit-elle doucement. Je sais ce qu'elle représente.

Sur ce, elle s'esquiva avec sa grâce habituelle.

Daniel resta pétrifié un moment, ne semblant plus même respirer. Enfin, il lâcha un juron à voix basse et alla se servir un autre verre.

— C'est un peu bizarre, dit Cassidy.

Les deux amies étaient assises dans le séjour de Laura.

— Un peu ? Complètement, tu veux dire ! rétorqua Laura. Au début, c'était à peu près normal. Je ne me suis pas dégonflée. Le gardien m'a laissée entrer. Une certaine Josie Kilbourne, très aimable, m'a reçue. Peu après, Daniel est venu me rejoindre et...

— Et quoi ? Ton expression vient de changer. Que s'est-il passé quand Daniel est entré ?

— Je viens seulement de m'en souvenir. C'est dire à quel point ils m'ont troublée. Après s'être présenté, il m'a demandé très calmement si j'avais tué son frère.

— Comme ça ? Sans préambule ?

Laura acquiesça.

— A mon avis, il n'est pas homme à tourner longtemps autour du pot.

— En tout cas, il paraît t'avoir drôlement impressionnée.

— En effet. (Laura évita le regard scrutateur de Cassidy et ajouta précipitamment :) Je l'ai interrogé au sujet de la glace. Il m'a dit qu'il ne savait pas pourquoi Peter aurait voulu la récupérer, que c'était un objet mis au rebut. Il m'a dit clairement qu'il était convaincu que je couchais avec son frère. Puis Amélia a fait son entrée.

— Et là, tout s'est emballé ?

Laura eut un geste de désarroi.

— J'y perds mon latin. Elle ne pouvait pas savoir ce que je faisais dans la vie, et pourtant, elle m'a offert une somme coquette pour peindre son portrait. Moi, une femme que la police soupçonne d'avoir tué son petit-fils ! Elle était très décidée. Elle m'a même dit qu'elle me ferait préparer une chambre, au cas où je ne voudrais pas faire le trajet, comme si j'habitais à l'autre bout de l'Etat !

— Elle t'a invitée à séjourner chez eux ?

— C'était moins une invitation qu'un fait accompli.

— Et Daniel ? Comment a-t-il réagi ?

— Il est resté discret. Il n'était pas content qu'Amélia ait eu des contacts avec la police, et il l'a quasiment accusée d'avoir communiqué mon nom à la presse, mais il ne s'est pas opposé au fait que je vienne faire son portrait. Il a même promis d'expliquer la situation aux flics.

— D'après toi, c'est une lutte de pouvoir ?

— En tout cas, j'ai senti quelque chose. Et tous deux veulent m'attribuer un rôle.

Cassidy marqua une hésitation, puis :

— Peut-être te fais-tu des idées ?

— Tu n'étais pas là, Cass. C'est difficile à décrire, parce que c'était tout en subtilité, une question de ton, d'échanges de regards. Tout ce que je peux te dire, c'est que j'ai eu la sensation qu'ils voulaient se servir de moi.

— Comme d'un pion.

— Exactement.

— Dans ce cas, c'est simple : refuse.

C'était l'attitude la plus facile, la plus logique, aussi, et certainement la plus intelligente. Retourner chez les Kilbourne, se laisser happer par la famille, c'était aller au-devant d'ennuis sérieux. Son instinct de conservation l'avertissait du danger.

Cependant, elle voulait en savoir plus sur la glace et, en dépit des dénégations de Daniel, elle était convaincue que quelqu'un dans la famille pourrait lui fournir les renseignements souhaités. Daniel avait probablement raison de penser que la police la soupçonnerait moins si elle était acceptée au sein de la famille. Et puis il y avait le portrait, l'occasion pour Laura de découvrir si elle possédait ou non la fibre artistique. Capturer la beauté, l'élégance hautaine d'Amélia constituait assurément un test. Quant à l'argent, elle en avait bien besoin.

Mais surtout, ce qu'elle avait éprouvé à la vue de Daniel, cette attirance presque irrésistible, était une nouveauté dans sa vie — et elle ne pouvait passer outre.

Il n'était pas « tout à fait » convaincu de l'innocence de ses relations avec Peter et, pourtant, il était prêt à la défendre auprès de la presse comme de la police, prêt à la recevoir sous son toit.

Que cachait-il derrière cette façade impassible et ce regard lointain ? Quel rôle voulait-il lui faire jouer dans ce jeu étrange avec Amélia ? Que pensait-il de son frère ? De sa mort ?

Que pensait-il d'elle ?

— Laura ?

Elle croisa le regard anxieux de son amie.

— Je ne peux pas refuser, Cass. Je me pose trop de questions. Et les réponses sont là-bas.

— Au sujet de la glace ?

— Entre autres, oui. Pas plus Daniel qu'Amélia n'ont semblé touchés par le décès de Peter. Pourquoi ? Peter Kilbourne était peut-être un don Juan, il était beau, pétri de charme, très attirant. Comment a-t-il pu disparaître aussi facilement de leur existence ? Je ne l'ai côtoyé qu'un quart d'heure, et j'ai été plus choquée qu'eux.

— Tu ne penses tout de même pas que l'un des deux l'a tué ?

— Je n'en sais rien. Un hôtelier mal réveillé est un bien piètre témoin. N'importe qui aurait pu être avec lui. Un mari jaloux a peut-être surgi. Ou un membre de sa famille, scandalisé qu'il trompe sa femme. En vérité, un étranger ne peut jamais vraiment savoir ce qui se passe au sein d'une famille — à moins d'être invité à y pénétrer... Et on m'a invitée.

— Dit l'araignée à la mouche.

Laura eut un sourire désabusé.

— Oui. C'est exactement l'impression que j'ai.

— As-tu songé qu'il n'était peut-être pas prudent de résider chez les Kilbourne ? Et si Peter avait été assassiné par un de ses proches ?

— C'est possible. Et... Josie est rousse.

— On peut donc supposer qu'il y a un assassin dans cette maison. Tu dis que tu te sens entraînée dans quelque chose qui te dépasse. Pourquoi ne pas écouter ton instinct ?

— Rien ne m'oblige à me décider ce soir. Je vais y réfléchir.

Cassidy approuva d'un signe de tête, mais son expression disait clairement qu'elle connaissait d'avance la réponse. Elle n'évoqua plus les Kilbourne jusqu'au moment de son départ.

— Les journaux disent que Daniel est moins séduisant que Peter. C'est vrai ?

— Oui.

— Mais... ?

— Mais rien, répliqua Laura. Peter était plus beau.

— O.K. N'en parlons plus.

Laura céda.

— Daniel n'est pas beau, mais il a un charme fou. C'est ce que tu voulais entendre ?

— Si c'est la vérité.

— C'est la vérité. Dès que je l'ai vu, je... Disons que, pour la première fois de ma vie, j'ai compris comment on pouvait tomber dans les bras d'un inconnu au premier regard.

Cassidy écarquilla les yeux, puis sourit.

— Tiens, tiens ! Peut-être que cette histoire se terminera par un happy end, en fin de compte.

— J'en doute.

— Pourquoi ? Il est resté de bois ?

— Il est persuadé que j'étais la dernière maîtresse en date de son frère. Je ne peux pas prouver le contraire.

— Si tu y retournes, si tu le fréquentes un peu, il le saura, Laura.

— Je n'en suis pas si sûre. Sais-tu ce que signifie le prénom Daniel ?

— Non.

— Juge.

— Eh bien, il te jugera innocente. A demain !

— Bonne nuit, Cass.

En se couchant, Laura repensa aux paroles de son amie, mais elle avait du mal à y croire. Tant d'émotions l'assaillaient qu'elle était incapable d'en faire le tri.

Pourquoi Amélia Kilbourne tenait-elle à ce point à se faire portraiturer par une artiste inconnue ? Pourquoi semblait-elle si peu affectée par la mort de son petit-fils ? Daniel et elle luttaient-ils pour obtenir le contrôle de la famille ? Depuis combien de temps ? Qui triompherait ? Et pourquoi Laura avait-elle la désagréable sensation d'avoir désormais son rôle à jouer dans la bataille ?

Quant à Daniel... sous son apparente insensibilité, il exhalait une telle puissance que Laura l'avait immédiatement perçue. Que pensait-il de la disparition de son frère ? De cette grand-mère à qui il s'adressait en l'appelant par son prénom, tout en la vouvoyant ?

Elle resta immobile dans son lit, l'esprit en ébullition. Une douleur sourde la rongeait. Une sensation de vide. De désir pour un homme qu'elle n'avait jamais vu avant aujourd'hui, un homme qui ne lui avait même pas effleuré la main, un homme qui, d'emblée, pensait pis que pendre d'elle.

Je ne peux pas retourner là-bas.

Je le dois.

Elle tergiversa ainsi jusqu'à ce que le sommeil la terrasse enfin. Elle n'avait toujours pas pris de décision.

4

— Votre glace, expliqua Dena à Laura le samedi, a été fabriquée en 1800. Elle a été commandée par un certain Brandon Cash, à l'occasion du vingt-deuxième anniversaire de son mariage avec sa femme Sarah. C'est l'œuvre d'un orfèvre de Philadelphie. Le motif, qui évoque un labyrinthe, composé d'une ligne sans commencement ni fin, représente l'éternité. C'est d'ailleurs ainsi que l'a intitulé l'artisan : Eternité. Créé exclusivement pour Brandon Cash, ce motif ne pouvait être reproduit.

— Félicitations ! s'exclama Laura.

Ravie, Dena fit mine de lisser ses cheveux noirs.

— Je suis douée, n'est-ce pas ?

— Géniale ! Comment avez-vous fait pour trouver tout ça si vite ?

— J'ai eu de la chance, avoua Dena dans un rire. L'orfèvre conservait soigneusement toutes ses archives, et comme il est devenu célèbre, ses œuvres sont bien connues. Il n'a pas souvent travaillé le cuivre. A propos, votre glace vaut une petite fortune.

Laura secoua la tête.

— Seule son histoire m'intéresse, ainsi que celle de ses divers possesseurs.

Dena but une gorgée de café avant de se replonger dans son carnet de notes.

— O.K. La chance m'a de nouveau souri en ce qui concerne les Cash. La famille jouissait d'une certaine notoriété dans la région de Philadelphie, et les documents abondent : articles de presse, lettres, journaux intimes. Ils sont pour la plupart répertoriés sur la ligne Internet de la bibliothèque. Je ne serai donc pas obligée de me rendre sur place.

— Tant mieux ! Je peux déjà à peine me payer vos services... Alors ne parlons pas de billets d'avion !

— C'est ce qu'il me semblait, répliqua Dena avec un sourire. Voyons... Je ne savais pas ce que vous cherchiez au juste, j'ai donc rassemblé le plus d'informations possible. Brandon Cash est né en 1760. Il est décédé à soixante-dix ans, en 1830, probablement d'une grippe. Sarah Langdon, née en 1762, a vécu elle aussi jusqu'à l'âge de soixante-dix ans. D'après son médecin, elle serait morte en 1832 d'un « cœur brisé ».

— Il a vraiment écrit cela ?

— Parfaitement. Après la disparition de son mari, elle s'est mise à dépérir. Il semble que le couple ait vécu une véritable histoire d'amour, et que tout le monde en ait été très touché... Brandon et Sarah se sont rencontrés en 1777. Elle avait quinze ans, lui, dix-sept. Leurs parents les trouvaient beaucoup trop jeunes, mais ils étaient décidés coûte que coûte à se marier... ce qu'ils firent un an plus tard. Tout porte à croire qu'ils furent heureux. Ils n'avaient ni soucis d'argent, ni ennuis de santé. Sarah a donné le jour à trois enfants, sans la moindre complication, et tous trois ont grandi sans problème. Brandon et Sarah étaient à la dévotion l'un de l'autre. Ni l'un ni l'autre n'a laissé de journal intime, mais, dans une lettre adressée à sa belle-sœur peu après la mort de Brandon, Sarah écrit qu'ils n'avaient pas dormi une seule nuit séparés et que le lit lui paraissait insupportablement grand.

— Elle est donc peut-être bien morte d'un cœur brisé, murmura Laura.

— C'est triste, n'est-ce pas ? D'un autre côté, ils ont vécu plus de cinquante ans ensemble.

— C'est plus que la plupart des gens... Et la glace ?

— Sarah n'avait pas laissé de testament, mais la glace figure parmi les objets légués à sa fille, Mary. On ne sait pas grand-chose d'elle, mais il semble qu'elle n'ait pas conservé longtemps la glace en sa possession. Par besoin d'argent, sans doute, elle l'a revendue à l'orfèvre qui l'avait fabriquée.

— Savez-vous ce qu'il en a fait ?

— Il l'a gardée pendant plus de vingt ans, parce qu'elle plaisait tout particulièrement à son épouse. Lorsque celle-ci est morte, en 1858, il l'a revendue — ou plutôt, son fils — à une dénommée Faith Broderick. Quelques mois plus tard, le fils, Stuart Kenley, et Faith Broderick se mariaient. (Dena leva brièvement les yeux de ses notes.) Je n'ai guère eu le temps d'avancer depuis. Je sais seulement que Stuart est né en 1833, Faith, en 1836. Je reprendrai mon enquête dès lundi.

Laura ne put cacher son admiration.

— Vous avez déjà découvert beaucoup plus que je n'escomptais, surtout en si peu de temps. Pensez-vous pouvoir reconstituer l'histoire de la glace jusqu'à nos jours ?

— Je ne peux l'affirmer. Je suis étonnée d'avoir glané pareille moisson. Les gens tiennent rarement un registre pour une glace qui passe de main en main. Cependant, celle-ci semble avoir eu une signification particulière pour ses propriétaires successifs, qui ont donc tous noté son parcours. Croisez les doigts et priez pour que les suivants en aient fait autant.

Dena remit un double de ses notes à Laura et prit congé.

Laura les relut machinalement, vaguement déçue. A quoi s'était-elle attendue ? A trouver un énorme panneau rouge qui lui aurait indiqué pourquoi Peter Kilbourne tenait à récupérer la glace à son tour ? Eh bien, elle en était pour ses frais.

Elle se dirigea vers son chevalet pour examiner l'ébauche du tableau représentant une main féminine tenant la glace. La veille, elle avait passé un temps fou à la contempler, mais elle y avait à peine touché. Elle avait erré dans l'appartement, l'esprit en ébullition.

Je ne peux pas retourner là-bas.

Je le dois.

Laura se massa les tempes et se mit en quête d'aspirine. Soudain, le téléphone sonna. Elle avait rebranché l'appareil l'après-midi précédent, les journalistes se faisant plus discrets. Pourtant, elle s'en approcha avec méfiance.

— Laura ? Ici Amélia Kilbourne.

Sa nervosité monta d'un cran.

— Bonjour, Amélia.

— Pardonnez-moi mon impatience, mon enfant, mais à mon âge, le temps compte. Acceptez-vous mon offre ?

— Je... je ne sais toujours pas, Amélia. Je suis désolée.

— Si vous vous inquiétez pour la famille, c'est inutile. Ils sont tous informés, et personne n'a soulevé d'objection.

Sans doute n'avaient-ils pas osé protester.

— Si la police ne me soupçonnait pas, ce serait peut-être différent, mais...

— Daniel a parlé aux inspecteurs... et moi au chef, ajouta Amélia avec un petit rire espiègle à l'idée d'avoir enfreint l'interdiction de son petit-fils. Ils ont reconnu qu'ils n'avaient aucune preuve contre vous, Laura. Rien ne permet de vous lier au passé de Peter. Ils ont montré votre photo à l'hôtelier. Ce dernier a affirmé que ce n'était pas vous qu'il avait vue dans la voiture. Vous n'êtes donc plus... comment dit-on, déjà ?... le suspect numéro un.

Laura fut soulagée de l'entendre, même si elle savait qu'on ne pouvait faire la preuve de sa liaison avec Peter, puisqu'elle n'avait pas eu de liaison avec lui. Cependant, les erreurs judiciaires n'étaient pas rares, et il arrivait que des innocents soient condamnés pour un crime qu'ils n'avaient pas commis. Laura ne se sentirait parfaitement en sécurité que le jour où l'assassin de Peter Kilbourne serait derrière les barreaux.

— Je suis heureuse de l'apprendre, Amélia. Merci de me le dire.

— Cela vous encourage-t-il à répondre favorablement à ma proposition ?

Laura tenta de biaiser.

— Amélia, ne préférez-vous pas vous adresser à un peintre réputé ?

— Mais vous avez un réel talent, Laura ! Et pourquoi ne pourrais-je pas donner un coup de pouce à la carrière d'une inconnue ? Croyez-moi sur parole — si votre œuvre me satisfait, vous serez inondée de commandes dans le mois qui suivra.

Elle s'exprimait sans arrogance, mais avec une certitude absolue. Amélia Kilbourne n'avait peut-être plus l'influence d'autrefois, mais nombreux étaient les habitants d'Atlanta qui suivraient ses conseils.

— Je crains que le résultat ne vous déçoive, Amélia.

— Ce sera à moi d'en juger. De toute façon, comment pourriez-vous le savoir tant que vous n'avez pas au moins essayé ?

Paupières closes, Laura hésita. Elle se sentait aspirée dans une spirale infernale, et son instinct lui dictait la prudence. Le danger était là, latent, dans cette demeure. Mais il y avait aussi Daniel.

Je ne peux pas retourner là-bas.

Je le dois.

Laura rouvrit les yeux.

— Très bien, Amélia. J'accepte. Nous commencerons lundi, si cela vous convient.

La fourchette de Madeleine tomba avec fracas sur son assiette, et elle écarquilla ses yeux bleus encore rougis par les larmes.

— Oh, Amélia, non... chuchota-t-elle.

— Ne t'inquiète pas, maman, dit Daniel. La police pense que Laura Sutherland n'a rien à voir avec le meurtre de Peter.

— Elle viendra, Madeleine, insista Amélia d'un

ton sans réplique. Elle sera là lundi, et continuera à venir tant que le portrait ne sera pas terminé.

— Elle ne va pas vivre ici ? s'enquit Alex. J'ai cru vous entendre donner des ordres pour qu'on lui prépare une chambre.

— Si besoin est, rétorqua Amélia en pinçant légèrement les lèvres. Elle préfère rentrer chez elle chaque soir, mais je lui ai dit qu'elle pourrait rester si elle le souhaitait.

Alex lança un regard à Josie, assise en face de lui. Comment peut-on refuser de dormir dans cette maison ? lui demanda-t-il silencieusement. Sachant combien il trouvait l'endroit lugubre et l'atmosphère déprimante, Josie détourna vivement la tête.

— Rassurez-vous, Madeleine, dit-elle avec douceur. Je l'ai rencontrée, et elle m'a paru charmante. Je suis sûre qu'elle compatira à votre chagrin.

— Je me demande si elle compatira à celui de Kerry, dit Alex.

Josie jeta un coup d'œil vers la chaise vide à côté d'elle. Kerry passait le week-end chez une de ses sœurs à Atlanta.

— Mais certainement. D'ailleurs, rien ne nous permet de penser qu'elle... qu'elle avait une liaison avec Peter.

— Je suis prêt à parier que c'était le cas, riposta Alex.

— Ça suffit ! trancha Amélia en se redressant. Laura sera ici en qualité d'invitée, et je vous prie de vous comporter correctement avec elle.

Anne, la petite-fille d'Amélia, assise entre Madeleine et Daniel, dit d'une voix unie :

— Que cela nous plaise ou non.

Amélia fronça les sourcils.

— Je suis ici chez moi, et j'aimerais que tu ne l'oublies pas.

Anne, cheveux châtain foncé et yeux bruns, avait hérité des traits délicats de sa grand-mère, mais sa beauté était gâchée par une moue boudeuse. Elle haussa les épaules.

— Je ne risque pas de l'oublier, vous me le rappelez quotidiennement.

— Je ne devrais pas avoir à le faire.

— Non, bien sûr. Tout le monde sait que tout passe par vous dans cette demeure. J'ai dû demander votre accord pour le papier peint de ma chambre et nous sommes obligés d'avaler cette nourriture insipide parce que vous seule l'appréciez.

D'un geste furieux, elle repoussa son assiette.

— Tu n'es pas forcée de vivre ici, déclara sèchement Amélia.

Josie s'interposa avant qu'Anne ne puisse rétorquer.

— Je crois que nous sommes encore sous le choc de...

— Ne t'en mêle pas ! la rabroua vertement Anne.

Elle repoussa sa chaise et quitta la pièce.

Un court silence suivit, puis Josie soupira.

— Quoi que je dise, je la prends toujours à rebrousse-poil.

— Elle est jalouse de vous, répondit Amélia, à peine émue.

— Elle a tort, protesta Josie, mal à l'aise. Je... Je n'ai plus faim. Si vous voulez bien m'excuser...

Amélia lui fit signe qu'elle pouvait partir. En sortant, elle perçut la voix plaintive de Madeleine.

— Franchement, Amélia, cette fille... !

Le front plissé, Josie se rendit à la bibliothèque,

où était installé son bureau. Elle n'avait pas grand-chose à faire, sinon trier quelques papiers. Amélia entretenait une correspondance assidue avec des amis à travers le pays tout entier, et elle tenait à conserver des copies des lettres reçues et envoyées dans les archives familiales. Ces jours-ci, les missives s'étaient empilées, et Josie avait été trop débordée pour les classer.

Amélia, certes, n'attendait pas d'elle qu'elle s'y attelle un samedi soir, mais Josie avait besoin de s'occuper. Elle était inquiète. Peter n'avait jamais été un atout pour la famille, mais sa mort avait perturbé un équilibre déjà précaire, et avait eu pour conséquence d'intensifier les tensions internes.

Malgré elle, Josie était arrivée à la conclusion que l'assassin pouvait être un proche. D'une part, la police semblait s'intéresser de plus en plus aux alibis des uns et des autres le soir du crime. Les inspecteurs étaient venus à deux reprises pendant la semaine, avec des questions de plus en plus pressantes. D'autre part, les visages auxquels elle était confrontée jour après jour lui paraissaient de plus en plus méfiants.

Même Alex...

— Tu n'as pas l'intention de bosser toute la nuit, j'espère ?

Josie leva les yeux vers lui, et après une imperceptible hésitation, posa un presse-papiers en cristal sur une pile de courrier.

— Non, pas vraiment. Je voulais juste trouver un peu de tranquillité.

— Après cette scène à table, cela ne me surprend guère. Madeleine est bouleversée, et Amélia s'est emportée contre elle. Daniel n'a plus qu'à tenter de calmer sa mère.

— Au fond, on ne peut pas en vouloir à Madeleine. La présence d'une étrangère dans la maison est en soi perturbante, mais Laura Sutherland ? Quelle mouche a piqué Amélia ? Ce désir soudain de faire faire son portrait par une artiste inconnue me paraît tellement...

— Fou ?

Josie se leva, remit machinalement sa chaise en place.

— Excentrique, pour le moins.

Alex rit, amusé par le choix du terme.

— Une chose est sûre, elle a une idée derrière la tête. Daniel aussi.

Josie frissonna.

— Que veux-tu dire ?

— J'ai la nette impression qu'il va y avoir des règlements de comptes dans cette famille. La question est de savoir combien d'entre nous seront encore debout après.

— Tu en parles comme s'il allait y avoir une guerre.

Il haussa les épaules avec nonchalance.

— N'aie crainte, ma chérie. Amélia et Daniel t'apprécient beaucoup. Ne pensons plus à tout cela, enchaîna-t-il en lui prenant la main. Tu es sur les nerfs, et moi, j'ai besoin d'air. Si nous allions faire un tour ?

— Avec plaisir.

Josie ne savait pas ce qu'il avait en tête, mais elle s'en moquait. Elle voulait oublier ses soucis, et Alex était l'antidote idéal.

La pendule sur sa table de chevet marquait minuit quand Josie s'agita aux côtés d'Alex. Elle n'avait encore jamais passé une nuit entière dans son lit, elle n'allait pas commencer maintenant. Quoi qu'il en dise, elle était convaincue qu'Amélia serait furieuse que sa secrétaire couche au su de tous avec le futur avocat de la famille.

— Où vas-tu? murmura-t-il lorsqu'elle repoussa les couvertures.

— Dans ma chambre, évidemment.

Il la saisit par la taille et la ramena vers lui.

— Non.

— Alex...

Il se pencha sur elle et l'embrassa, le regard brillant. Il lui mordilla délicatement les lèvres.

Elle s'arqua vers lui, et un gémissement lui échappa lorsqu'il prit un de ses seins dans sa paume.

— Tu n'as pas vraiment envie de t'en aller, n'est-ce pas, mon cœur?

Elle le dévisagea, étourdie, puis reprit son souffle tandis qu'il effleurait le mamelon de ses lèvres.

— N'est-ce pas, mon cœur? insista-t-il.

Josie aurait voulu répondre que si. Elle aurait voulu se montrer forte, se prouver au moins à elle-même qu'Alex n'avait rien changé en elle. Mais il avait éveillé ses sens endormis, et il le savait aussi bien qu'elle.

— Non... marmonna-t-elle en passant les doigts dans ses cheveux soyeux. Non, je n'ai pas envie de m'en aller. Oh, mon Dieu, Alex, s'il te plaît...

— Tu restes toute la nuit?

Elle frémit, tandis qu'il glissait une main entre ses cuisses, sachant qu'il pouvait lui demander n'importe quoi.

— Oui! Oui! Alex... Oh!

Leur étreinte dura une éternité, le plaisir les assaillant par vagues de plus en plus puissantes jusqu'au paroxysme. Josie ne reprit conscience de l'endroit où elle était que lorsque Alex, à bout de souffle, se mit sur le dos. Elle posa la joue sur sa poitrine et ferma les yeux.

— Ce n'est pas du jeu, chuchota-t-elle.

— Non, en effet. Mais cela fait deux mois que tu t'éclipses comme une écolière prise en faute, et j'en ai assez.

Elle se redressa légèrement pour le contempler d'un air grave.

— Tu ne m'as jamais rien dit.

— Cela n'aurait sans doute servi à rien.

— Amélia...

Alex secoua la tête.

— Tu cherches à t'aveugler, Josie. Tu ne regagnes pas ta chambre au milieu de la nuit par crainte de ce que pourrait dire Amélia, mais parce que tu tiens à ranger notre liaison dans la catégorie des aventures sans lendemain.

— N'est-ce pas ce que tu veux ?

Il l'observa un moment, puis esquissa un sourire.

— Nous sommes amants, ma chérie, et il arrive aux amants de passer une nuit entière dans le même lit. Mais ne t'inquiète pas. Ce n'est pas pour autant que nous serons mariés, ni même amoureux. Rien ne t'oblige donc à abandonner Jeremy.

Josie s'écarta brutalement et s'empara des couvertures pour cacher sa nudité.

— Je ne comprends pas.

— Si, tu comprends parfaitement, répliqua-t-il en se hissant sur un coude, son beau visage un peu moqueur. Si notre histoire n'est qu'une affaire de sexe, elle ne menace en rien les souvenirs du cher disparu. En retournant dans ton lit la nuit, ce lit que tu as transformé en lit conjugal même s'il n'y a jamais couché avec toi, tu ne lui es pas tout à fait infidèle.

— Il est mort, dit-elle d'une voix tremblante.

— Oui, mais tu n'as pas encore fait ton deuil. Ne prends pas cet air horrifié, Josie, ajouta-t-il avec un sourire amusé. Si tu veux porter tes habits de veuve pendant les quarante ans à venir comme Amélia et conserver le portrait de Jeremy sur ta table de chevet, c'est ton problème. Peut-être est-ce même ce qu'il aurait souhaité. Evidemment, étant donné les circonstances, il lui est difficile d'accomplir son devoir de mari, aussi je ne pense pas qu'il nous en veuille de passer une heure ensemble de temps en temps. Après tout, je suis son cousin.

Etouffant un sanglot, Josie rejeta les draps et sortit précipitamment du lit. Elle sentit sur elle le regard attentif d'Alex pendant qu'elle se rhabillait.

— Tu m'avais promis de rester toute la nuit.

Elle lui jeta un coup d'œil incrédule, puis s'enfuit comme si elle était poursuivie par un monstre. A pas feutrés, elle parcourut le corridor, ses chaussures à la main. Elle n'osa respirer qu'une fois en sécurité dans sa chambre.

Elle se sentait légèrement nauséeuse. Alex n'avait jamais été cruel avec elle, jamais. Il ne l'avait jamais provoquée au sujet de Jeremy. Pourquoi ce soir? Pourquoi avait-il prononcé ces mots? Il savait qu'elle allait en souffrir. Cela ne lui ressemblait pas...

Se calmant petit à petit, Josie se dévêtit et alla prendre une douche. Ses mouvements étaient mécaniques, ses pensées entièrement focalisées sur Alex. Pour finir, tandis qu'elle se séchait les cheveux, elle se dit que, peut-être, il ne *tenait pas* à ce qu'elle passe la nuit avec lui. Il le lui avait proposé à de nombreuses reprises et n'avait jamais protesté lorsqu'elle avait refusé. Jusqu'à maintenant. Lorsqu'elle avait cédé, il s'était aussitôt mis à la pousser dans ses retranchements.

Pourquoi ?

Josie enfila une chemise de nuit et un peignoir, puis s'examina brièvement. Oui, elle commençait à ressembler à Amélia, tout en noir et gris. Eprouvait-elle le besoin de porter le deuil de Jeremy jusque dans son sommeil ? Ou était-ce une façon symbolique de demander pardon à son défunt mari de sortir du lit d'un autre homme ?

Elle observa le portrait de Jeremy un long moment, puis, pour la première fois, eut envie de le retourner.

Elle se mit à arpenter la pièce. Pour finir, elle décida qu'elle serait incapable de dormir si elle n'allait pas retrouver Alex pour lui demander des explications.

Elle ouvrit sa porte tout doucement, mais dès qu'elle mit le pied dans le couloir, elle se figea. Elle aperçut Alex qui se glissait subrepticement de l'ancienne chambre de Peter. Complètement habillé, il portait quelque chose dans la main droite, la mine sombre.

Au lieu de regagner ses appartements, il frappa discrètement à la porte de Daniel. Celui-ci apparut presque aussitôt, vêtu de pied en cap, lui aussi, et parfaitement éveillé en dépit de l'heure tardive.

Ils étaient trop loin pour qu'elle entende leur conversation, mais ils discutèrent un certain temps. Alex montra à Daniel ce qu'il avait dans la main. Daniel hocha la tête et rentra dans sa chambre. Alex se retourna. Josie battit précipitamment en retraite.

Elle entendit la porte de Daniel se refermer sans bruit, puis une autre, quelques secondes plus tard. Il n'y avait plus personne dans le corridor.

Josie alla s'asseoir sur son lit, pleine d'inquiétude.

Que se tramait-il ?

— Combien d'esquisses ferez-vous ? demanda Amélia.

Laura abandonna momentanément son fusain et sourit.

— Autant qu'il en faudra, je vous avais prévenue.

— En effet, admit Amélia avec bonne humeur. Ne vous inquiétez pas, mon enfant, je suis prête à poser pour vous le temps nécessaire. A condition de pouvoir bavarder. Sinon, cela risque de poser un problème.

— Vous pouvez parler. Au contraire, cela m'aidera. Un portrait doit capter la personnalité de son sujet, et l'œil seul n'y suffit pas.

— Vous vous y connaissez ! J'en étais sûre.

— Je propose que vous réserviez votre jugement, dit Laura avec simplicité.

La matinée était déjà bien avancée. Les deux femmes s'étaient installées dans la serre inondée de lumière et remplie de plantes luxuriantes. Amélia avait commencé à lui faire visiter le rez-de-chaussée de la maison, mais en arrivant ici, Laura avait suggéré de s'y arrêter un moment pour esquisser quelques croquis.

Amélia avait pris place dans un grand fauteuil en rotin. Elle se tenait le dos parfaitement droit, les mains sagement croisées sur les genoux.

Renonçant à lui faire changer de position, Laura

s'était mise à l'ouvrage. Elle reprenait confiance en elle.

— Cette serre serait sans doute idéale pour attaquer le tableau, Laura. La lumière est bonne. Cela dit, il ne me semble pas que le décor...

— Nous déciderons de tout cela un peu plus tard, Amélia. Pour l'instant, je préfère vous dessiner en divers endroits.

— C'est une sage décision. A propos, tout à l'heure au déjeuner, vous allez rencontrer plusieurs membres de la famille. Alex, un cousin, qui va bientôt reprendre nos affaires, passe en général toute la journée en ville. Quant à Anne, ma petite-fille, elle s'est mis en tête de faire des courses. Mais vous verrez ma bru, Madeleine, et, bien sûr, la veuve de Peter, Kerry.

Par-dessus son carnet, Laura vit qu'Amélia souriait. Elle souhaita pouvoir rendre avec son fusain ou avec son pinceau le ton monocorde, plutôt incongru, de sa voix.

— Je veux que vous vous sentiez ici comme chez vous, Laura, reprit Amélia. Quand vous ne travaillerez pas, je tiens à ce que vous circuliez en toute liberté. J'habite ici depuis soixante ans. Cette demeure reflète complètement ma personnalité. J'y ai apposé ma marque, de la cave au grenier. Elle vous en apprendra beaucoup sur moi.

— Je n'en doute pas, murmura Laura en estompant avec le pouce un trait de la pommette.

Amélia continua de parler, évoquant ses souvenirs, les soirées qu'elle avait organisées, la conception du parc. Elle parlait doucement, sans attendre de réponse de la part de Laura. Celle-ci était tellement concentrée qu'elle sursauta quand la vieille dame lui annonça qu'elles étaient là depuis deux heures.

— Je suis désolée...

— Pas du tout, mon enfant, pas du tout ! Je me sens très bien. Cependant, je pense qu'il est temps pour moi d'aller vérifier où en est le repas. Si vous voulez bien m'excuser...

— Bien sûr. Je crois que je vais m'attarder encore un peu ici.

Amélia se leva dans un mouvement plein de fluidité.

— Puis-je voir votre dessin ? s'enquit-elle.

Laura hésita.

— Si cela ne vous ennuie pas, je préfère attendre d'en avoir fait un ou deux autres. J'ai besoin d'un peu de temps...

— A votre guise, mon enfant, répliqua Amélia en souriant. Je reviens dans quelques minutes.

Elle s'éloigna avec la grâce d'un elfe.

Restée seule, Laura examina son esquisse en fronçant les sourcils. Pas mal, songea-t-elle. Pas formidable, mais pas mauvais. Elle ajouta un trait ici, en effaça un autre là, puis referma son carnet. Inutile de paniquer. Il ne s'agissait que d'un travail de préparation. Elle devait se familiariser avec son sujet.

Elle se tourna vers les portes s'ouvrant sur la terrasse au-dessus des jardins. La maison lui parut tout d'un coup bien silencieuse, l'atmosphère empreinte d'une tension latente.

Amélia n'avait pas dit un mot sur Daniel. Etait-il là ? Celui qui gérait la fortune familiale passait-il ses journées « en ville », ou restait-il derrière l'imposant bureau de la bibliothèque ? Il habitait ici la plupart du temps, même s'il était obligé de s'absenter souvent, parfois pendant plusieurs semaines d'affilée.

Elle avait glané ces renseignements dans les

journaux de Cassidy. On pouvait donc douter de leur authenticité. Laura avait néanmoins recueilli quelques éléments à peu près sûrs : il était célibataire, et n'avait apparemment pas de petite amie. Il avait trente-deux ans, bien qu'il parût plus âgé, et on le qualifiait volontiers de « génie de la finance ».

— Déjà au travail ?

Laura sursauta et écarquilla les yeux. Daniel se tenait à un mètre à peine. Il s'était approché sans bruit et portait une tenue décontractée, pantalon foncé et chemise blanche.

Elle fut plus impressionnée encore que la première fois. Il lui parut plus large, plus puissant. Elle fut prise de vertige, comme si elle s'était mise debout trop vite. C'était à la fois étrange et familier, comme l'écho d'un sentiment qu'elle aurait éprouvé à une autre époque de son existence.

— Amélia est pressée d'avoir son portrait.

Il mit les mains dans ses poches et hocha la tête.

— En effet. Quant à vous, vous voulez savoir si vous êtes ou non une véritable artiste. Quel est le verdict ?

— Il est encore trop tôt pour se prononcer. Je n'ai fait qu'une esquisse.

Que lisait-elle dans ce regard vert pâle ? Que décelait-elle derrière cette façade impassible ? Etait-il toujours persuadé qu'elle avait été la maîtresse de son frère ?

— Vous avez été harcelée par les journalistes ?

Elle haussa les épaules.

— Pas trop, non. Ni par la police, d'ailleurs. Rien ne permet d'établir le moindre lien entre Peter et moi avant le jour de son assassinat.

Daniel ébaucha un sourire.

— Vous continuez à vous justifier devant moi, Laura ?

Elle serra son carnet à dessin contre sa poitrine.

— Je n'aime pas l'idée que vous ne me croyiez pas. Surtout maintenant. Je vais passer beaucoup de temps sous votre toit...

— Celui d'Amélia, l'interrompit-il. Tant qu'elle sera en vie, nous serons ici chez Amélia. Par conséquent, en quoi mon avis peut-il avoir une quelconque importance ?

Elle le dévisagea, affolée par cette envie presque irrésistible qu'elle avait de se jeter dans ses bras. Elle n'avait pas peur de lui, elle était seulement sur ses gardes.

— Laura ? En quoi mon opinion peut-elle avoir une signification pour vous ?

— C'est comme ça, chuchota-t-elle.

— Pourquoi ?

Son cœur se mit à battre la chamade.

Le regard de Daniel avait changé. Elle y discernait une lueur de désir.

Qu'aurait fait ou dit Laura si Amélia n'avait pas surgi à cet instant précis ?

— Daniel, on te demande au téléphone, annonça la vieille dame de sa voix tranchante. Laura, le déjeuner est servi.

Laura cligna des paupières comme si elle venait de se réveiller d'un profond sommeil. Puis elle se tourna vers Daniel, redevenu énigmatique. Ai-je été le jouet de mon imagination ?

— Merci, Amélia, répondit-il poliment. Puis-je me joindre à vous pour le déjeuner ?

— Bien sûr, répondit Amélia avec une égale politesse.

— Dans ce cas, j'arrive tout de suite.

Il tourna les talons et partit, se déplaçant avec une grâce féline.

Laura ne put s'empêcher de le suivre des yeux.

— Vous avez faim ? s'enquit Amélia d'un ton enjoué.

Son carnet toujours serré contre sa poitrine, Laura acquiesça. Elle avait mal dans tout son corps, et ce n'était pas d'être restée assise trop longtemps. Soudain, la vieille dame lui agrippa le bras.

— Mon enfant, je dois vous mettre en garde.

Laura s'immobilisa.

— A quel sujet ?

Amélia jeta un coup d'œil nerveux autour d'elle, puis reprit, presque en chuchotant :

— Méfiez-vous de Daniel. C'est un homme dangereux. Terriblement dangereux.

Sur ce, elle relâcha le bras de Laura et se dirigea d'un pas pressé vers l'intérieur de la maison.

Laura demeura clouée sur place, le sang glacé.

5

Elle rattrapa Amélia à l'instant où elle pénétrait dans un boudoir, au bout du couloir. Elle ne put hélas lui parler de Daniel. Il y avait un tiers.

— Laura, déclara Amélia, de nouveau enjouée, je vous présente Kerry, la femme de Peter. Kerry, voici Laura Sutherland.

Le choc fut tel que Laura en oublia complètement Daniel. Kerry était jeune. Elle ne devait guère avoir plus de vingt-deux ou vingt-trois ans. Cependant, plus encore que sa jeunesse, ce fut son physique qui la stupéfia. Elle était terriblement ordinaire, avec un visage mince et pâle, aux traits mal définis. Ses cheveux étaient son plus bel atout, épais, soyeux, d'un blond cendré qui ne devait rien aux teintures. Elle les portait tirés vers l'arrière et attachés par un ruban dans la nuque. Elle était à peu près de la taille de Laura, mais son chemisier trop grand et sa jupe trop longue la faisaient paraître squelettique.

Laura parvint à dissimuler son sentiment de répulsion lorsque Kerry tourna la tête vers elle. De la pointe de son décolleté à la tempe, le côté gauche de son visage n'était qu'une horrible cicatrice, sans doute les séquelles d'une brûlure.

L'œil et la bouche avaient été épargnés, et lorsqu'elle esquissa un sourire, la partie abîmée de son visage se plissa, comme pour railler son effort.

— Enchantée, murmura-t-elle d'une voix d'enfant bien élevée.

— Moi aussi, madame Kilbourne. Je... Je suis désolée, pour votre mari.

Le sourire de Kerry était empreint de douceur, et rien, dans son regard noisette, ne trahissait ses pensées ou ses émotions concernant la présence de Laura en ces lieux.

— Merci.

— Il y a trop de Mme Kilbourne dans cette maison, Laura, décréta Amélia. Ce sera plus simple si vous appelez chacune d'entre nous par son prénom.

Kerry acquiesça imperceptiblement.

— Avec plaisir, Amélia.

— Parfait. Kerry, où est Madeleine ?

— Je ne l'ai pas vue.

— Et Anne ?

— Je ne pense pas qu'elle soit rentrée.

Amélia était manifestement agacée, mais elle n'en montra rien.

— Eh bien, nous allons commencer sans elles. Par ici, Laura.

Kerry se déplaçait avec une grâce étonnante, sa silhouette anguleuse prenant soudain une allure presque sensuelle. En la suivant dans le corridor, Laura ne put s'empêcher de se demander si c'était par désir de justice ou par cruauté pure que la fatalité avait tenté de compenser sa laideur par quelques traces de beauté.

Elle s'interrogea aussi sur ce couple pour le moins étrangement assorti qu'avaient formé Peter et Kerry. Ils n'avaient pas pu être mariés plus de quelques années, et, de toute évidence, Peter avait trompé sa femme à tour de bras. Pourquoi l'avait-il épousée ? L'avait-il aimée à sa façon, ou avait-il eu pitié d'elle ?

Et Kerry ? Unie pour le meilleur et pour le pire à un don Juan, quelle avait été sa vie ?

Laura se rappela les paroles de Cassidy : *«Je ne t'ai pas parlé de Kerry, l'épouse de Peter, et de son histoire avec le chauffeur.»*

Laura imaginait mal cette jeune femme flirtant avec le chauffeur de la famille, mais après tout... Peut-être avait-elle pris un amant à cause de son mari volage. Peut-être leur mariage était-il basé sur une certaine liberté réciproque. A moins qu'ils ne se soient mariés que pour des raisons financières et que l'amour n'ait jamais eu la moindre place dans leur relation.

Daniel se trouvait déjà dans la salle à manger. Il avait dû expédier son coup de fil.

— Vous pouvez poser votre carnet à dessin sur la desserte, Laura, dit-il.

Elle se rendit compte qu'elle le serrait toujours contre elle comme un bouclier. Sur un signe discret d'Amélia, elle alla à la place qui lui était réservée. Daniel s'empressa de lui tirer sa chaise.

— En général, c'est la place d'Alex, expliqua Amélia, qui attendait, impériale, que son petit-fils vînt l'aider à s'asseoir. Désormais, il prendra celle de Peter.

Kerry s'installa à la table, impassible.

— Cette demeure est celle des rites, Laura, dit Daniel, pince-sans-rire. Instaurés par Amélia, pour la plupart.

— La routine n'a rien de désagréable, rétorqua sa grand-mère. J'aime l'ordre.

Visiblement, chacun avait sa place attitrée à table. Entre Amélia et Kerry, il y avait un couvert sans convive. Daniel s'assit à deux places de Laura. Elle lui jeta un coup d'œil à la dérobée et, décelant une lueur amusée dans ses prunelles, pensa avec dépit que sa déception devait se lire sur son visage.

C'est un homme très dangereux.

Etait-ce vrai ? Ou n'était-ce qu'un mouvement parmi d'autres dans le jeu mystérieux auquel se livraient Amélia et Daniel ? La vieille dame se préoccupait-elle sincèrement du bien-être de son invitée, ou avait-elle décidé de faire d'elle *son* pion plutôt que celui de Daniel ?

— Où est Josie ? s'enquit Amélia.

— Elle arrive, répondit Daniel. Elle est au téléphone.

— Et Madeleine ?

— Elle dort. Le médecin m'a laissé des somnifères, et j'ai pensé qu'elle avait davantage besoin de se reposer que de se restaurer.

Amélia se raidit et le dévisagea comme s'il l'avait délibérément offensée.

— Je voulais lui présenter Laura.

Daniel sourit aimablement en dépliant sa serviette.

— Vous ne vouliez pas d'une scène, tout de même ? Maman est au bord de la dépression nerveuse, vous le savez comme moi. Dormir lui fera le plus grand bien. Elle verra Laura demain.

Josie apparut, l'air harassé.

— Excusez-moi, Amélia. C'était encore ce plombier de malheur qui devait venir aujourd'hui et qui remet le rendez-vous, une fois de plus. Il viendra demain et, cette fois, il le *jure*. Bonjour, Laura.

— Bonjour, Josie.

Laura eut de nouveau l'impression d'être attirée malgré elle au sein du clan. Kerry et Josie semblaient accepter sa présence sans ciller ; une seule personne semblait se comporter normalement face à la mort de Peter : Madeleine. La pauvre femme devait être bouleversée de savoir Laura sous le même toit, et Laura le comprenait parfaitement.

Une domestique poussa la porte battante et se mit à servir les convives. Le repas fut bon, sinon original, et la conversation, sporadique et inoffensive. Laura eut cependant du mal à se décontracter.

— Comment avance votre travail ? lui demanda Josie.

— Aussi bien que possible, je suppose.

— Manqueriez-vous de confiance en vous ?

— Je le crains.

— Ce doit être difficile de mener à bout ses talents artistiques. J'ai beaucoup d'admiration pour les gens créatifs. Je ne sais pas dessiner une ligne droite, et même mes photos ne ressemblent à rien.

— J'ai toujours rêvé de composer de la musique, intervint Kerry de sa petite voix. Mais j'ai tellement de plaisir à interpréter les œuvres des autres que je n'ai jamais tenté l'expérience. J'avais sans doute peur de ne pas être à la hauteur.

— De quel instrument jouez-vous ?

— Du piano.

— Kerry est une remarquable musicienne, dit Amélia.

— Quand on s'exerce suffisamment, on peut réussir à peu près n'importe quoi.

— A condition d'avoir un don au départ, lança Josie.

— Kerry joue parfois pour nous, le soir, expliqua Amélia à Laura. Si vous vous décidez à passer la nuit ici une fois ou deux, peut-être nous fera-t-elle l'honneur d'un petit récital.

— Avec plaisir, affirma Kerry de ce ton d'écolière sage qui ne trahissait rien de ses véritables sentiments.

Laura lui sourit.

— Pour le moment, dit-elle à Amélia, je préfère rentrer chez moi. Je ne veux pas m'imposer.

— Je vous rappelle que vous êtes la bienvenue, Laura. Je serais ravie que vous restiez ici même lorsque vous ne peignez pas.

Daniel intervint, sans passion :

— Amélia, cette commande exige un certain nombre d'heures de labeur, mais je suppose que Laura a une vie. Une famille. Des amis. Vous ne pouvez pas lui demander de renoncer à tout cela pour votre portrait.

Ignorant la critique sous-jacente, Amélia en profita pour changer de sujet :

— Vous avez de la famille à Atlanta, mon enfant ?

— Non.

Amélia ne se laissa pas démonter par le laconisme de la réponse.

— En Géorgie, peut-être ?

— Mes parents habitent une petite ville sur la côte, près de Savannah. J'y ai aussi une jeune sœur. Nous ne sommes pas très proches, ajouta-t-elle avec un léger haussement d'épaules.

— C'est dommage, murmura Amélia. La famille, c'est très important.

Pourtant, vous paraissez insensible à la mort de

votre petit-fils. Ce lien-là ne comptait-il donc pas ? Pourquoi ?

— J'ai une autre philosophie, répliqua Laura avec un sourire. Dans certains cas, il est inutile de chercher à tout prix à se rapprocher. On se ressemble trop, ou on est trop différents, ou encore, la famille en question n'aurait jamais dû se former au départ.

— On peut choisir ses ennemis ou ses amis, déclara Daniel. Pas sa famille, hélas !

— Vous n'êtes pas complètement seule, tout de même, Laura ? reprit Amélia.

— J'ai des amis. Des collègues. Je ne suis pas seule, Amélia, je suis simplement... sans famille. Ce qui me convient à merveille.

— Vous avez un homme dans votre vie ? s'enquit Josie, qui regretta visiblement aussitôt sa question.

— Personne en particulier, répliqua Laura avec calme. Je sors de temps en temps, mais le plus souvent, en bande. Pour tout vous dire, j'ai une vie sociale incroyablement ennuyeuse.

Josie lui sourit, reconnaissante de la façon dont Laura avait rattrapé sa maladresse.

— Vous est-il déjà arrivé de toucher le fond et de rêver par exemple d'une réunion d'anciens élèves du lycée ? J'ai ressenti cela il y a environ deux ans.

— Non, mais quand un de mes camarades d'enfance s'est installé à Atlanta voilà quelques mois, j'ai sérieusement envisagé de sortir avec lui, alors que, petit garçon, il était odieux.

— Peut-être s'est-il amélioré avec l'âge ?

— Pensez-vous ! Il débute dans la politique et, selon une de mes amies qui a entendu un de ses discours, les Etats du Sud régresseraient d'une bonne vingtaine d'années s'il avait une plus large audience. J'espère que j'ai mieux évolué que lui et que le destin veille sur moi.

— En ce qui me concerne, je suis intimement persuadée que les choses arrivent à leur heure.

— Le problème, c'est de les reconnaître. Quand on pense à toutes les décisions que l'on prend au cours d'une vie, comment savoir si on n'a pas tourné à gauche alors que le destin voulait qu'on tourne à droite ?

Daniel posa sur Laura un regard pensif.

— Vous croyez-vous maîtresse de votre destin ? Pensez-vous que vos décisions déterminent seules votre existence ?

Elle le dévisagea à son tour, troublée par l'effet que sa voix produisait sur elle. Quant à sa question, Laura n'y avait jamais beaucoup réfléchi, aussi fut-elle surprise de découvrir qu'elle avait un avis bien défini sur le sujet.

— Non, pas uniquement. Si quelqu'un d'autre prend une initiative qui m'affecte, cela aura une influence sur ma vie. Personne ne peut être totalement maître de son destin.

— Vous croyez au destin ?

De nouveau, elle s'étonna elle-même.

— Oui... Comme Josie, je crois que certains événements sont inscrits, et qu'ils se produisent à un moment donné. (Elle s'efforça d'adopter un ton léger avant d'enchaîner :) Surtout à court terme. Il suffit d'un catalyseur pour qu'une série de faits se succèdent, et parfois, ceux-ci paraissent inévitables. C'est un peu cela, le destin, non ?

— Je suis d'accord, dit Josie. J'avoue avoir du mal à admettre que mon existence tout entière aurait été planifiée à mon insu avant ma naissance.

Laura opina.

— Moi aussi. Cependant, j'ai l'impression que certains événements sont prédestinés, parce qu'ils sont inscrits dans nos gènes. Prenez mes qualités artistiques, par exemple. J'ai toujours voulu peindre, depuis ma plus tendre enfance. Pourtant, jamais je n'ai été en contact avec l'art au cours de ma jeunesse. Et, d'après ce que je sais, il n'y a aucun peintre dans ma famille. J'en conclus donc que j'étais génétiquement prédisposée. De fait, mon destin a été de devenir artiste.

Amélia, qui jusqu'ici avait écouté la conversation avec une grande attention, intervint :

— Supposez que vous n'ayez pas pu suivre d'études dans ce domaine, qu'on vous ait forcée à choisir un tout autre métier dans le seul but de ne pas mourir de faim...

Laura acquiesça :

— Cette circonstance aurait modifié mon destin. Ou l'aurait retardé.

Amélia hocha la tête à son tour, les yeux pensifs.

— C'est intéressant. Ainsi, vous nourrissez à l'égard du destin une croyance nuancée. Certaines choses doivent se faire, mais notre environnement et nos décisions peuvent en altérer le cours.

Laura ne put s'empêcher de rire.

— Une fois de plus, je constate que mon cœur balance.

Amélia lui sourit.

— Si j'ai appris une chose dans ma vie, mon enfant, c'est qu'on ne peut être absolument sûr de rien.

A la fin du déjeuner, Amélia se leva.

— Laura, dit-elle, je me repose toujours deux heures en début d'après-midi. Pendant ma sieste, je vous propose d'explorer la maison et le parc.

— Je serais heureuse de servir de cicérone à

Laura, s'empressa de déclarer Josie. J'ai expédié toutes mes tâches du jour.

Laura vit Daniel pincer les lèvres et se demanda s'il n'avait pas eu l'intention de prendre avantage de la sieste d'Amélia pour... pour quoi ?

— Vous serez en de bonnes mains avec Josie, mon enfant. Elle connaît les lieux et la famille comme personne. A tout à l'heure.

Daniel ne s'attarda pas. Kerry adressa un sourire aux deux femmes et s'éclipsa à son tour.

— J'irais volontiers me promener dans le jardin, dit Josie. Et vous ?

Laura, songeant qu'un peu d'air frais ne lui ferait pas de mal, accepta avec enthousiasme et prit son carnet à dessin.

Elles traversèrent l'aile est, puis la partie centrale, pour atteindre la serre. Laura commençait à se repérer.

La demeure était impressionnante. On n'avait pas regardé à la dépense, au fil des ans, pour parfaire les boiseries, choisir avec soin tapis, rideaux et meubles. Pourtant, une certaine mélancolie transparaissait à travers ce décor. Les couleurs foncées rétrécissaient les pièces, leur ôtant de la luminosité, les tentures lourdes et les papiers peints aux motifs chargés donnaient une impression d'enfermement.

— C'est assez lugubre, murmura Josie par-dessus son épaule. Tout le monde éprouve cette sensation, au début. Amélia a un faible pour les couleurs sombres, et l'effet produit n'est pas forcément positif.

— C'est une maison magnifique, dit Laura. Un peu oppressante, mais magnifique.

Laura fut soulagée lorsqu'elles traversèrent la serre, et ravie d'accéder à la terrasse. La journée était fraîche, en cette fin de mois de septembre. L'automne approchait. Déjà, certains arbres sur les pelouses se teintaient de rouge et d'or. Ici et là, dans un éclat de bleu, de mauve ou de jaune, les dernières fleurs de l'été s'épanouissaient.

— C'est superbe, souffla Laura.

— C'est l'endroit que je préfère, avoua Josie. Il a fallu cinquante ans pour arriver à ce résultat, mais, à mon avis, l'effort en valait la peine. Le chef jardinier est ici depuis trente ans. C'est un véritable artiste.

— C'est un labyrinthe que j'aperçois là-bas?

Josie acquiesça avec bonheur.

— Oui. Il est formidable. C'est David, le mari d'Amélia, qui l'a conçu dans les années cinquante. Il paraît que c'était un amateur de casse-tête. Ce labyrinthe est absolument diabolique. J'ai mis presque un an à en découvrir la clé. Aujourd'hui, je sais me rendre directement en son centre, où se trouve une ravissante gloriette, et en ressortir sans me tromper. Vous ne pouvez pas vous imaginer combien de fois je me suis perdue avant d'y arriver.

— Surtout, ne me dites rien! J'aurai peut-être le temps d'en explorer les allées.

— Sûr que vous l'aurez. Amélia se repose chaque jour après le déjeuner.

— Vous voulez dire que vous n'allez plus jouer les chaperons? répliqua Laura avec un sourire destiné à atténuer la causticité de sa remarque.

Josie s'esclaffa.

— Nous n'en sommes pas là, je vous assure. Amélia m'a demandé de m'occuper de vous aujourd'hui, parce qu'elle tient à ce que vous vous sentiez à l'aise. De plus, je peux répondre à de nombreuses questions que vous devez vous poser au sujet de la famille. Venez, nous allons emprunter le chemin qui mène au labyrinthe.

Tandis qu'elles foulaient une vaste étendue de pelouse impeccablement tondue, Laura demanda :

— Il n'y a pas de piscine ?

— Vous marchez dessus, au sens littéral du terme, répondit Josie. Amélia l'a fait combler, il y a quarante ans, après que David s'y fut noyé.

— Il ne savait pas nager ?

— Au contraire, c'était un excellent nageur. Il semble qu'il ait glissé sur le carrelage et que sa tête ait heurté le bord. C'est du moins la conclusion des enquêteurs. Il n'y avait pas de témoins. Vous savez, les Kilbourne ont eu leur lot de malheurs. Ah, voici l'allée qui conduit au labyrinthe !

Recouverte de gravier, elle sinuait paresseusement entre des touffes d'azalées et des massifs de rosiers. Un petit pont en bois enjambait un ruisseau babillard.

— Ainsi, Amélia s'attend que je vous interroge sur la famille ?

— Elle ne l'a pas formulé de façon aussi explicite, répondit franchement Josie, mais je trouve ça normal. Je ne vois aucune raison de jouer les saintes-nitouches avec vous, Laura. J'espère que vous êtes d'accord.

— Absolument.

— Tant mieux. Nous savons toutes deux que la police vous a soupçonnée dans l'assassinat de Peter, du moins pour un temps, et que les journaux sous-entendent sans grande subtilité que vous étiez sa maîtresse.

— Je ne l'étais pas, déclara fermement Laura. Je l'ai rencontré une seule fois, le jour de sa mort, quand il est venu chez moi pour récupérer une glace achetée ici le matin même.

Josie la dévisagea, intriguée.

— C'est ce qu'affirme Amélia. C'est curieux, cette histoire de glace.

Le cœur de Laura s'emballa.

— Vous savez quelque chose ?

— Sur la glace ? Non. Je ne me rappelle même pas l'avoir vue. Je comprends donc mal pourquoi Peter voulait vous la racheter. Après tout, si cet objet avait eu une importance quelconque, je l'aurais su.

— C'est pourtant la raison de sa visite, insista Laura, sur la défensive.

Josie sourit.

— Je vous crois. En tout cas, je crois que c'est le prétexte qu'il a choisi.

Laura fronça les sourcils.

— Le prétexte ?

— Peter était un coureur de jupons. Une femme après l'autre, une conquête après l'autre. Histoire de satisfaire son ego, j'imagine. S'il vous a aperçue lors de la vente aux enchères, et c'est fort probable, je ne suis pas étonnée qu'il ait tenté de vous revoir par n'importe quel moyen. La glace était une excuse idéale.

Laura réfléchit quelques instants, puis secoua la tête.

— Non. Il voulait vraiment la récupérer.

— Il ne vous a pas fait d'avances ?

Laura hésita.

— Verbalement, si. Mais je reste persuadée qu'il voulait la glace.

— Dans ce cas, je suis perplexe, dit Josie en plissant le front. J'ai vu l'inventaire, et la glace n'y figurait pas.

— C'est Peter qui était chargé de le rédiger ?

Josie acquiesça.

— Amélia lui a confié cette responsabilité quand elle a décidé de procéder à la vente... avant le retour de Daniel. Peter devait examiner chacun des objets et vérifier que nous voulions bien nous en séparer. Ce ne devait pas être très difficile, puisque tout était entreposé au grenier et à la cave depuis des années. Il lui suffisait de les faire évaluer. Tout ce qui avait de la valeur a été étiqueté avec un prix de base, le reste devait être cédé au plus offrant.

— Daniel n'a donc pas eu son mot à dire dans l'affaire ? s'étonna Laura.

— Oui et non. Lorsqu'il en a eu vent et qu'il est revenu, la plupart des détails étaient réglés. Il s'est assuré que Peter s'était adressé à un bon commissaire-priseur, et je sais qu'il a révisé avec ce dernier la liste des objets de valeur. (Elle marqua une pause, puis ajouta :) En fait, il n'a eu l'inventaire complet en main qu'après la vente. Je me rappelle qu'il l'a demandé à Peter.

— Vous ne les avez pas entendus en discuter ?

— Non. J'ai quitté la bibliothèque quelques minutes. Quand je suis revenue, ils n'étaient plus là.

Etait-ce Daniel qui avait demandé à Peter de récupérer la glace ? Mais pourquoi, alors, refuserait-il de la croire, s'il savait que c'était la vérité ? Pour quelle raison feignait-il de ne rien savoir au sujet de cette glace ?

Les deux jeunes femmes parvinrent au sommet d'une colline dominant l'immense labyrinthe.

— En vous concentrant bien, vous trouverez la clé. Voulez-vous vous asseoir sur ce banc quelques minutes ?

— Excellente idée.

Laura fut heureuse de pouvoir admirer les haies

parfaitement taillées. Elle n'essaya pas de percer le mystère du labyrinthe, préférant en savourer la beauté. Au centre se dressait une gloriette en forme de pagode, objectif visible, mais aléatoire.

Laura ouvrit son carnet à dessin et sortit un fusain de son sac.

— Cela ne vous ennuie pas ? Il faut que je m'exerce.

Josie parut surprise, puis haussa les épaules.

— Je vous en prie. Vous préférez que je prenne une autre pose ?

— Non, non, détendez-vous. Et continuez de parler. Dites-moi tout ce que vous savez sur Amélia.

— Amélia... Que vous raconter ? Elle m'a accueillie chez elle et donné un emploi alors que j'étais au désespoir. Elle a toujours été très bonne avec moi. Jamais je n'ai eu l'impression d'être... une parente pauvre vivant de sa charité. Elle a l'esprit vif, et une mémoire prodigieuse.

Laura leva brièvement les yeux.

— Elle a eu sa part de tragédies.

Josie hocha la tête et regarda le labyrinthe sans le voir.

— Oui. Elle a vécu vingt ans avec David. Il est mort si subitement... Elle le pleure encore, vous savez. Son couvert est toujours mis, à table, et elle continue à s'habiller de noir.

Josie fronça les sourcils.

— Quarante ans de deuil, c'est long.

— Oui, répondit Josie en chassant de son esprit une pensée aussi troublante que déplaisante. Mais elle a perdu d'autres êtres chers au cours de ces années. Son fils John, le père de Peter et de Daniel, est décédé en 1976 dans un accident de chasse. Il était en forêt avec des amis et quelqu'un a tiré sur lui par mégarde.

— C'est épouvantable !

— Mais banal chez les Kilbourne. Prenez la fille d'Amélia, par exemple, Julia, la mère d'Anne... dont vous ferez la connaissance un peu plus tard. Bref, Julia a été tuée en 1986, par balle, elle aussi. Croyant avoir entendu un rôdeur en pleine nuit, son mari Philip s'est levé et a pris son fusil. Au lieu de rester dans son lit, Julia a voulu le suivre. Si elle l'avait prévenu... apparemment, elle n'a rien dit, et il l'a prise pour un voleur.

— Mon Dieu ! s'exclama Laura, atterrée.

— Comme vous dites. A l'époque, les rumeurs sont allées bon train, mais les enquêteurs ont été formels. Il s'agissait bel et bien d'un accident. D'après ce que j'ai su, Philip a craqué, et a fini par aller s'installer en Europe. Il n'a jamais revu sa famille, ni sa fille Anne, depuis.

— Décidément, les armes et les Kilbourne ne font pas bon ménage.

Le sourire de Josie se figea.

— Mon mari Jeremy est mort il y a cinq ans. Il se trouvait dans une épicerie ouverte tard le soir, quand on a braqué la caisse. Un policier en repos était présent, il a abattu le voleur. Malheureusement, sans que personne ait jamais pu s'expliquer comment, l'une de ses balles a ricoché sur un poteau métallique et a frappé Jeremy en plein cœur.

— Mon Dieu ! s'exclama Laura derechef.

— Encore un chapitre mystérieux dans l'histoire du clan Kilbourne, reprit Josie, plus détendue. Il y a quelques années, par curiosité, j'ai examiné l'arbre généalogique. J'y ai découvert qu'en près de cent cinquante ans pas un seul Kilbourne n'était mort dans son lit. Tous ont péri de mort violente ou accidentelle. Le père de Jeremy a disparu à bord de son bateau, et son oncle a succombé à une chute.

— Et maintenant, Peter...

— Peter, oui. J'ai demandé un jour à Daniel s'il ne redoutait pas cette espèce de malédiction qui semble peser sur la famille. Il m'a répondu qu'il n'y pouvait rien, et que vivre dans un cocon l'ennuyait terriblement.

Laura ajouta une ombre sur la mâchoire de Josie. L'esquisse était étonnamment bonne, et Laura se dit qu'elle ferait mieux de cesser de s'interroger sur ses capacités et de se contenter de travailler. Ses mains semblaient plus habiles lorsqu'elle pensait à autre chose.

— Croyez-vous à cette théorie du mauvais sort ?

Josie prit un air pensif.

— Ma raison me dit que ça n'existe pas. Cependant, il est indéniable qu'un certain nombre d'événements étranges se sont produits dans l'histoire de la famille. Je ne sais pas, Laura. Peut-être est-ce seulement de la malchance.

— Qu'en pensait Peter ?

— Pour être franche, je doute qu'il y ait jamais pensé. Peter n'était pas un philosophe. Il était nettement plus préoccupé par le temporel que par le spirituel. Je ne parle pas uniquement des femmes, bien qu'il y en ait eu beaucoup. Il avait d'autres appétits : il appréciait la bonne chère, le bon vin, et s'il était paresseux pour beaucoup de choses, il n'hésitait jamais à se dépenser. C'était un remarquable joueur de tennis et de squash, il a même couru quelques marathons. En revanche, parler de choses abstraites ne l'intéressait pas.

— Et Kerry ?

Josie soupira.

— Je ne sais pas. Je n'ai jamais été témoin du moindre geste d'affection entre eux. Ils vivaient pourtant dans cette maison depuis quatre ans — depuis leur mariage, en fait. Kerry est tellement douce et gentille... Peter paraissait toujours distant avec elle, bien que courtois. Je ne sais même pas comment ils se sont rencontrés, ni pourquoi ils se sont mariés. J'habitais déjà là quand Peter l'a ramenée. J'étais encore sous le choc de la mort de Jeremy, et j'avoue ne pas m'être vraiment intéressée à ce qui se passait autour de moi.

— Ils se sont mariés avant qu'il ne la présente à la famille ?

— Oui. Je ne crois pas que cela ait plu à Amélia. Remarquez, elle aime bien Kerry, mais je me rappelle qu'elle s'est mise en colère contre Peter. Je ne me souviens pas de ce qui a été dit précisément, sinon qu'Amélia trouvait que Peter avait eu tort de ne pas la tenir au courant de la situation.

— Quelle situation ?

Josie fronça les sourcils.

— Eh bien, qu'il ait rencontré et épousé Kerry, je suppose.

— Kerry sortait-elle avec lui de temps en temps ?

— Pas que je sache. C'était un peu comme un mariage blanc. Ils faisaient chambre à part, et il n'y avait pas de porte de communication entre les deux pièces. Je loge dans la même aile, et je peux vous assurer que je n'ai jamais remarqué d'allées et venues. Il est vrai qu'au tout début j'ai aperçu Peter sortant de chez Kerry certains matins, mais pas depuis des années.

Laura songea au sourire et à la voix de Kerry, à son regard noisette indéchiffrable, à son visage abîmé. Ne ressentait-elle aucune colère, aucune amertume ? La colère d'une femme fragile, vulnérable, mariée à un homme indifférent qui trouvait son plaisir ailleurs. L'amertume contre un homme qui recherchait des créatures de rêve et qui avait épousé une femme n'osant pas se montrer en public. Au sein de ce couple étrange, n'y avait-il pas suffisamment de rage pour en arriver au meurtre ?

— Elle n'était pas là lorsqu'il a été tué, murmura Laura.

Josie la regarda. Elle avait saisi le fil de ses pensées.

— En effet. Mais, lorsqu'elle voyage, elle se camoufle derrière des foulards et des lunettes de soleil, et se maquille avec un fond de teint spécial qui masque ses cicatrices. Je suppose qu'elle aur...

— La police a vraisemblablement vérifié son alibi, l'interrompit Laura.

Josie rit brusquement.

— Oui, bien sûr. D'ailleurs, c'est absurde : Kerry ne ferait pas de mal à une mouche.

6

Préférant penser à autre chose, Laura tint son dessin à distance et l'examina. Pas mal, décida-t-elle.

— Je peux le voir ? demanda Josie.

Après une légère hésitation, Laura retourna son carnet pour que Josie puisse le contempler à son tour.

— Vous êtes très douée ! s'exclama-t-elle, les yeux écarquillés d'admiration.

— Ce n'est pas encore ça, protesta Laura avec un sourire. J'ai bien saisi la forme de votre visage, les courbes et les angles, les ombres. Mais pas la vie, pas cette étincelle qui lui donne tout son caractère. Je dois encore progresser.

Laura referma son cahier et rangea son fusain. Josie se leva.

— Je propose que nous empruntions un autre chemin pour regagner la maison. Nous verrons l'autre côté du parc.

— Avec plaisir. Dites-moi, si je voulais m'aventurer dans le labyrinthe...

— Prévenez quelqu'un que vous y allez. Toujours. Les haies étouffent les bruits, aussi une fois à l'intérieur, il ne servira à rien d'appeler au secours. Personne ne vous entendrait, à moins d'être tout près. Cela dit, ajouta-t-elle avec un petit rire, si jamais vous disparaissez, je saurai où vous chercher. Venez. Nous allons traverser le jardin japonais.

— C'est incroyable ! s'écria Laura. Jamais je n'aurais imaginé que des particuliers puissent posséder des jardins pareils.

— En effet. Avery, le chef jardinier, a un talent fou, mais cela ne suffit pas. L'entretien coûte une fortune. Les Kilbourne, en dépit de tous leurs malheurs, ont beaucoup d'argent. Surtout maintenant. Kilbourne Data est l'une des sociétés de conception informatique les plus réputées du pays. Elle fabrique même des composants électroniques destinés aux avions militaires et aux satellites. Et grâce à l'esprit novateur de Daniel, l'entreprise a créé une division entièrement consacrée à la recherche. Daniel est un véritable génie financier ; il a un flair infaillible.

— C'est ce que j'ai entendu dire. J'ai appris aussi qu'Amélia et lui n'étaient pas toujours d'accord sur les décisions à prendre.

Josie haussa les épaules.

— Je suis la secrétaire particulière d'Amélia, j'ai rarement accès aux dossiers de la famille. Ce que je sais, en revanche, c'est qu'Amélia jouit d'un droit de veto sur certaines questions, mais n'a pas son mot à dire sur d'autres. En tout cas, c'est l'impression que j'ai. Apparemment, David avait inventé un système si compliqué qu'il faudrait un bataillon d'avocats pour démêler les choses. Il y a parfois des tensions. Je suppose que c'est inévitable dans une famille comme celle-là. Ils ne peuvent pas être d'accord sur tout.

Josie avait raison. Les dissensions au sein des

familles, surtout les plus puissantes, étaient davantage la règle que l'exception. Mais le partage des pouvoirs n'avait-il pas conduit deux fortes personnalités à se dresser l'une contre l'autre chez les Kilbourne ?

— Et Peter ? De quoi s'occupait-il ? demanda Laura.

— De rien. Bien sûr, il avait quelques actions, mais sa voix ne comptait pas. Il rendait service à Amélia, surveillait ses investissements, car elle a de l'argent à elle.

Laura était surprise de la loquacité de Josie. Pourquoi Amélia tenait-elle à ce que toutes ses questions reçoivent une réponse ?

— J'aimerais bien qu'on trouve qui a tué Peter ! déclara soudain Josie d'un ton anxieux. C'est affreux, cette incertitude !

— Oui, répliqua Laura. Quant à moi, je ne supporte pas d'être soupçonnée indûment. C'est la raison pour laquelle je vous pose toutes ces questions indiscrètes à propos des Kilbourne. J'ai été mêlée à cette affaire, parce que j'avais acheté une glace et que Peter a ensuite voulu me la reprendre. Si la vérité n'éclate pas tôt ou tard, je resterai marquée à jamais.

Josie s'immobilisa et se tourna vers elle.

— Je n'y avais pas songé sous cet angle-là. Vous avez raison, bien sûr. Si la vérité n'éclate pas très vite... beaucoup de choses resteront dans l'ombre. Mais pensez-vous qu'en vous renseignant sur la famille vous découvrirez la vérité ?

Laura hésita.

— Il me semble que Peter a été assassiné à cause de sa personnalité. Quelque part sur sa route, il s'est fait un ennemi, et celui-ci l'a tué. Peut-être est-ce la rousse avec laquelle il est descendu dans ce motel. Tout porte à croire que c'était un crime passionnel. D'un autre côté, peut-être ne s'agissait-il que d'une mise en scène. Au fond, il se peut que nous nous trompions tous. Je n'en sais rien, je ne suis pas détective.

— Pourtant, vous ne faites pas confiance à la police ?

— En effet. C'est à moi de comprendre pourquoi Peter est mort. Pourquoi j'ai été l'une des dernières personnes à le voir vivant.

Josie acquiesça gravement.

— C'est légitime, mais soyez prudente, Laura. Dans les romans, le détective amateur finit souvent par se retrouver en mauvaise posture.

Voilà une mise en garde amicale, songea Laura. Du moins, l'espérait-elle.

Les deux femmes gravirent en silence les marches menant à la terrasse, puis firent halte en voyant un homme sortir de la serre et venir vers elles. Il était grand, blond, superbe, avec des yeux verts et un sourire nonchalant. Il devait être de l'âge de Laura. Dénouée, sa cravate aux couleurs vives représentant des personnages de bandes dessinées, gâchait l'élégante sobriété de son costume.

— Salut, Josie ! lança-t-il aimablement, avant de s'adresser à Laura. Vous êtes sûrement Laura. Je suis Alex Kilbourne.

L'avocat, se dit Laura en inclinant légèrement la tête.

— Vous êtes... le cousin d'Amélia ?

— Oui, mais à la mode de Bretagne. En fait, mon grand-père était le plus jeune frère du mari d'Amélia. Ils étaient trois. Tous ceux qui vivent dans cette demeure sont descendants de ces trois frères, ou de leurs épouses.

Laura soupira.

— Il me faudrait un arbre généalogique.

— Amélia en avait commencé un, il y a quelques années, dit Josie. Je vous le montrerai tout à l'heure, si vous me le rappelez.

Laura prit conscience tout d'un coup qu'il existait un autre courant sous-jacent chez les Kilbourne — cette fois entre Josie et Alex. Il paraissait très à l'aise, mais il lançait des regards implorants à Josie ; et si celle-ci restait impassible, Laura n'en percevait pas moins sa tension.

— Le parc vous a plu ? s'enquit Alex.

— Enormément. C'est magnifique.

— Il ne manque pas de charme... Amélia vient de descendre. Elle vous attend dans son boudoir.

— Je vous accompagne, proposa aussitôt Josie.

Laura fut tentée un instant de lui répliquer qu'elle pouvait se débrouiller toute seule, car elle avait la nette impression qu'Alex souhaitait rester en tête à tête avec elle.

Tandis qu'elles traversaient la serre, Laura jeta un coup d'œil vers Josie.

— Il semble très gentil. Il vit ici, lui aussi ?

— Oui, depuis qu'il est entré dans le cabinet d'avocats familial, il y a deux ans. Amélia aime être entourée de ses proches, et ce n'est pas la place qui manque.

Josie paraissait lointaine, soucieuse.

— Et comment Peter s'entendait-il avec lui ?

— Très mal, mais Alex était là le soir de l'assassinat, s'empressa-t-elle d'ajouter. Au reste, ils ne se haïssaient pas, ils s'évitaient, c'est tout.

— Je vois.

— Et c'est une femme qui a tué Peter. C'est bien ce que la police a dit, n'est-ce pas ?

— En effet.

Mais uniquement parce qu'on l'a vu avec elle

dans un motel. On ignore qui l'a assassiné. Ç'aurait tout aussi bien pu être un homme, venu plus tard dans sa chambre...

Comme si elle avait déchiffré ses pensées, Josie se renfrogna encore un peu plus.

— Voici le boudoir d'Amélia, dit-elle. A plus tard, Laura.

Elle s'éloigna à pas pressés.

Laura entra dans le boudoir. La pièce reflétait bien la personnalité et le style de la vieille dame. Meublé d'antiquités, il était encombré de guéridons et de consoles où trônaient photos et bibelots. Une atmosphère un peu étouffante y régnait, renforcée par les tentures de velours, le papier mural sombre et un tapis de couleur foncée.

D'où lui venait ce goût pour les étoffes lourdes et les couleurs sombres ? Une existence parsemée de tragédies avait-elle donné à Amélia une vision lugubre du monde extérieur ?

La vieille dame était assise sur une ravissante chaise en bois. Son visage s'éclaira d'un sourire.

— J'espère que Josie s'est bien occupée de vous, mon enfant.

— On ne peut mieux, merci. Nous nous sommes promenées dans le parc.

— Parfait. Si nous nous remettions au travail ? J'ai pensé que vous pourriez me dessiner ici. J'y passe beaucoup de mon temps.

Laura contempla Amélia, vêtue de noir, entourée de son bric-à-brac. Oui, le décor était idéal.

Alex entra dans la bibliothèque et ferma la porte derrière lui. Josie leva les yeux et se contracta.

— Daniel ne va pas tarder à rev...

— Il ne sera pas là avant une bonne demi-heure, interrompit Alex. Je l'ai prié de nous laisser seuls un moment.

Elle repoussa sa chaise et le fusilla du regard.

— Tu n'avais pas le droit de... Alex, franchement, je...

— Josie, depuis samedi soir, tu m'évites soigneusement. Si je m'approche, tu détales, si j'entre dans une pièce, tu en sors aussitôt et tu t'enfermes dans ta chambre tout de suite après le dîner.

— Eh bien, tu as compris le message ?

Il ébaucha un sourire.

— Je ne suis pas idiot. O.K. Parlons-en.

— Il n'y a rien à dire.

— Il me semble que si, justement. Ecoute, je sais que je t'ai blessée...

— Blessée ? Tu commences par me convaincre de rester toute la nuit avec toi, et ensuite, tu me provoques jusqu'à ce que je change d'avis. Voyons, en quoi cela pourrait-il me blesser ?

— Josie...

Elle lui coupa la parole d'un geste rageur.

— Si tu veux rompre, Alex, dis-le. Peut-être ces petits jeux t'amusent-ils, moi j'ai passé l'âge. Finissons-en proprement, d'accord ?

Il soupira et croisa les bras.

— L'âge n'a rien à voir là-dedans, Josie. Ni le tien, ni le mien. Je ne te laisserai pas t'en servir comme prétexte.

— Quoi ? Mais c'est toi qui m'as poussée à partir, samedi soir, Alex. N'essaie pas de le nier.

— Bon.

Cette réponse laconique prit Josie de court.

— Eh bien... pourquoi ? souffla-t-elle.

Il haussa les épaules.

— Parce que... tu n'avais pas vraiment envie

de rester. Tu as accepté, mais uniquement parce que je t'y avais plus ou moins forcée. Je me suis rendu compte alors que ce n'était pas ce que je souhaitais. Je ne voulais pas me réveiller le lendemain matin et constater que tu avais des regrets.

Elle fronça les sourcils.

— Pourquoi ne pas l'avoir dit, au lieu de me rejeter avec une telle cruauté?

— J'ai été cruel? Non, Josie... à moins que la vérité ne le soit. Je sais que j'ai pu te paraître dur, mais il est grand temps pour toi de dire adieu à Jeremy. Sauf si tu souhaites finir comme Amélia et vivre dans un mausolée. Est-ce cela que tu veux?

Non! Elle aurait voulu le crier, mais quelque chose l'en empêchait.

— Mes sentiments pour Jeremy ne te concernent en rien.

— Ils me concernent dans la mesure où il dort entre nous dans mon lit, riposta Alex. Je n'avais pas prévu un ménage à trois.

Les larmes lui piquaient les yeux, mais elle ne savait pas pourquoi.

— Tu ne t'en plaignais pas, au début, protesta-t-elle. Pourquoi maintenant?

Il hésita, puis:

— Peut-être mon sens inné de la justice s'offense-t-il de voir une ravissante jeune femme s'enterrer avec un mort. Peut-être suis-je persuadé que Jeremy ne t'aurait jamais demandé de lui sacrifier ta vie. Peut-être, plus simplement, ai-je horreur d'avoir un fantôme dans mon lit. A toi de choisir, Josie. Au fond, ça n'a aucune importance.

— Pour moi, si.

— Vraiment? Très bien. Moi, ça me déplaît, mon cœur. Chaque fois que je te serre dans mes bras, je sais que tu te reproches de tromper Jeremy. C'est désagréable. Je l'ai supporté jusqu'ici, mais la coupe est pleine.

Josie inspira à fond.

— C'est plus fort que moi.

Il se pencha vers elle, posa les mains sur le bureau et la dévisagea attentivement.

— Ne te méprends pas, Josie : je veux que tu me reviennes. Mais seule. Laisse Jeremy dans ton sanctuaire s'il le faut, sa photo sur ta table de chevet. Supplie-le de te pardonner si cela te rassure, fais pénitence s'il te le demande, ou si tu te l'imposes. Mais la prochaine fois que tu me rejoindras dans ma chambre, je veux que ce soit sans lui.

— Voilà donc Amélia Kilbourne ! dit Cassidy en examinant le dessin. On la dirait sortie tout droit du XIXe siècle !

Lovée dans son fauteuil, Laura but une gorgée de chocolat chaud et opina.

— C'est tout à fait ça. Dans son langage, aussi. J'ai l'impression qu'elle regrette une époque plus élégante. Ce qui est sûr, c'est qu'elle sait combien ce décor lui sied.

Cassidy posa le carnet et dévisagea longuement son amie.

— Cela trahirait une attitude très calculatrice.

Tout d'abord surprise, Laura finit par hocher la tête.

— Sans doute. Amélia est très consciente des apparences et de ce qui se dissimule derrière. C'est une femme intéressante...

— Mmmm. Et les autres ? A propos, cette esquisse de Josie est remarquable. Jamais tu n'as fait aussi bien.

Laura sourit, mais éluda le compliment.

— J'aime bien Josie. Je suis prête à parier qu'elle n'a eu aucune liaison avec Peter, parce qu'elle en a une avec Alex Kilbourne. C'est seulement une impression, rien ne me permet de l'affirmer. Cependant, j'ai senti entre eux une grande tension, de celles que vivent deux amants. Le problème, d'après moi, c'est que Josie a compris aujourd'hui seulement que le crime n'avait pas été nécessairement commis par une femme. Elle est inquiète. Je ne sais pas si quelque chose en particulier la dérange, ou si elle se laisse influencer par l'ambiance générale, mais je l'ai trouvée terriblement anxieuse.

— Tu crois qu'elle soupçonne Alex ?

— Peut-être. Elle m'a dit qu'il était à la maison, ce fameux samedi soir. Elle s'est empressée de prendre sa défense. Elle a affirmé que Peter et lui s'entendaient très mal, mais a pris bien garde d'ajouter qu'ils ne se haïssaient pas. CQFD : Alex ne pouvait pas l'avoir assassiné. Peut-être le soupçonne-t-elle de ne pas être complètement étranger à l'affaire.

— Quel est ton avis ?

Laura fronça les sourcils.

— Je l'ai trouvé charmant, très gentil. A en juger par sa cravate, il se rebelle contre le style conservateur des avocats. Je vois mal un juriste assermenté poignardant un homme dans une chambre de motel.

— Et Daniel ?

Non ! Non, pas Daniel ! Il n'avait pas tué Peter.

— Laura ? Qu'est-ce qui ne va pas ?

— Il fait froid, ici, s'entendit-elle murmurer.

— Tu es blanche comme un linge. Qu'y a-t-il ?

Au bout de quelques secondes, Laura avoua :

— J'oublie sans cesse la réalité de l'événement : un homme a été assassiné.

Cassidy acquiesça, compréhensive, mais insista :

— Qu'est-ce qui a provoqué ta réaction ? Ma question au sujet de Daniel ?

— Non, simplement, une image m'est venue à l'esprit. Je voyais presque la scène...

— Pardonne-moi de répéter ma question, mais...

— Daniel ?

Laura s'efforça de réfléchir en toute objectivité, mais s'en découvrant incapable, décida au moins de rassurer son amie.

— Je ne sais pas, Cass. Il paraît si calme, si parfaitement maître de lui. Beaucoup trop intelligent, aussi, pour agir sur un coup de tête. Je ne peux pas croire qu'il se soit rendu dans un motel sordide pour poignarder son frère.

— Quelle que soit la provocation ?

— Je ne sais pas s'il y en a eu. Apparemment, Peter ne s'occupait guère des affaires familiales. Je doute qu'il ait été impliqué dans le jeu de pouvoir qui oppose Daniel et Amélia.

— Et Kerry Kilbourne la veuve ? Tu l'as rencontrée, non ?

— Sais-tu que toutes les femmes, dans cette demeure, ont perdu leur mari ? dit Laura, qui venait d'en prendre conscience. Amélia et Josie, Madeleine et maintenant... Kerry. Elles sont toutes veuves.

— La longévité n'est pas le fort des messieurs, murmura Cassidy.

Laura envisagea un instant de rapporter sa conversation avec Josie sur l'histoire de la famille, puis se ravisa.

— C'est Kerry qui t'intrigue, n'est-ce pas ?

— Oui.

— Elle était en Californie le soir du meurtre. Rien ne permet de penser le contraire, Josie dit qu'elle voyage toujours très maquillée, dissimulée sous des écharpes, mais...

— Attends une minute. Très maquillée ? Dissimulée sous des écharpes ?

— Tes journaux n'en ont jamais parlé, mais Kerry est à demi défigurée.

Cassidy parut ahurie.

— La femme de Peter ? Comment cela ?

— Je ne sais pas ce qui s'est passé. Je n'ai pas osé interroger Josie à ce sujet. Quant à Amélia, ce n'est sûrement pas à elle que je pourrais poser la question. Les cicatrices ne paraissent pas récentes.

— Crois-tu qu'il y ait un rapport avec la mort de Peter ?

— Dieu seul le sait, soupira Laura, soudain très lasse. J'ai passé une journée entière dans cette demeure, et je suis plus perplexe que jamais. Personne ne semble pleurer la mort de Peter, sauf sa mère, bien sûr. Je ne l'ai pas encore rencontrée. Je ne peux tout de même pas leur demander ce qu'ils faisaient, les uns ou les autres, le soir du crime. D'ailleurs, la police les a déjà interrogés. Je ne peux que continuer à dessiner Amélia et à glaner des informations.

— Et la glace ? Tu as découvert quelque chose ?

— Là encore, j'ai davantage de questions que de réponses. D'après Josie, elle n'avait aucune valeur pour la famille, sinon elle l'aurait su. Je la crois volontiers. Cependant, elle a précisé que Peter était chargé de dresser l'inventaire avant la vente, et que Daniel ne l'a vu qu'après. Un peu avant que Peter ne vienne me rendre visite.

— Tu as donc l'impression que c'est Daniel qui

voulait la récupérer ? Je croyais qu'il ne savait rien de spécial à ce sujet.

— En effet, c'est ce qu'il a dit. J'ai pourtant eu le sentiment très net qu'il mentait. Il sait quelque chose concernant cette glace. Pourquoi ment-il ? Je ne sais toujours pas pourquoi Peter voulait récupérer cet objet. Etait-ce son idée, ou celle de quelqu'un d'autre ?

Cassidy eut une moue songeuse.

— Plus ça va, moins cette glace semble avoir le moindre lien avec le meurtre. Pourtant, tu es convaincue qu'il y en a un ?

— C'est ce que je cherche à savoir.

— Mmmm. Donc, tu vas retourner dans ce manoir lugubre et étouffant ?

— Demain matin à neuf heures.

Inhabituellement grave, Cassidy crut bon de la mettre en garde :

— Fais attention à toi, d'accord ? J'ignore si l'un d'entre eux a tué Peter, mais apparemment ils ont tous quelque chose à cacher. Et les gens sont généralement prêts à tout pour protéger leurs secrets.

— Ainsi, vous êtes Laura. Je suis Anne Ralston, la petite-fille d'Amélia, annonça la jeune femme.

— Vous lui ressemblez beaucoup.

Anne ne parut guère enchantée par ce compliment.

— Il paraît, oui. Quant à vous, ajouta-t-elle en observant Laura, paupières plissées, vous êtes bien du genre à avoir séduit Peter.

Laura demeura un instant interdite. Elle contempla le dessin sur lequel elle travaillait, puis soutint le regard empli de défi.

— Ah, oui ?

Anne se laissa tomber sur une chaise.

— Absolument. Il avait un faible pour les rousses. Mais vous le savez déjà, n'est-ce pas ?

— On me l'a dit, oui. En vérité, j'ai surtout entendu dire que c'était un coureur de jupons.

Elle tourna la page de son carnet et se mit à esquisser un portrait d'Anne. Celle-ci pinça les lèvres.

— Vous parlez comme les journalistes, vous le décrivez comme un monstre qui aurait passé son temps à déboutonner sa braguette.

Elle ne semblait pas avoir conscience du fait que Laura était en train de la dessiner.

— Etait-ce le cas ?

Pour les cheveux, songea Laura distraitement, c'est facile. Courts, presque en brosse. Une coiffure parfaitement adaptée à son visage étroit aux traits anguleux.

— C'était un type bien, reprit Anne. Il aimait les femmes, et après ? Il était beaucoup plus intelligent que ne le croient la plupart des gens.

— De quelle manière ?

— Il avait des projets. Il allait obliger les autres à le remarquer. Peut-être que Daniel se croit seul capable de gagner de l'argent dans cette famille, mais...

— Anne, il me semblait que tu avais rendez-vous chez les Moreton, ce matin, lança Amélia en entrant dans la pièce.

— C'est annulé.

Anne haussa les épaules et afficha une expression boudeuse qui lui donnait l'air d'une adolescente rebelle.

— Tu devrais en profiter pour trier tes vêtements. Le froid ne va pas tarder à arriver.

— Faut-il vraiment subir ce supplice deux fois par an ? s'exclama Anne en levant les yeux au ciel. Au printemps, on range les habits d'hiver, en automne, ceux d'été. Mon armoire est assez grande pour tout contenir, je ne vois donc pas...

— Il n'y a rien à voir, Anne. Il te suffit d'accepter les règles de cette maison.

— J'en ai par-dessus la tête de tout faire selon certaines normes dans cette maison ! C'est étouffant, à la fin. Et dangereux, Amélia. Si Peter est mort, c'est justement à cause de la façon dont cette famille fonctionne !

— Anne, déclara sa grand-mère d'un ton glacial, Peter est mort parce qu'il avait une liaison, et cela n'avait aucun rapport avec les affaires familiales. A présent, si cela ne t'ennuie pas...

Anne, les joues écarlates, s'éclipsa. Amélia soupira et ébaucha un sourire triste.

— Je suis désolée que vous ayez assisté à cette scène. J'essaie d'être indulgente avec cette petite... Josie vous a raconté ce qui était arrivé à sa mère ?

— Oui. C'est abominable.

— Elle était déjà adulte quand ça s'est produit, mais le choc a été terrible. Je m'efforce de ne pas l'oublier. Cependant, elle est difficile, terriblement rebelle, et aujourd'hui encore, bien qu'elle ait fêté ses trente et un ans, elle se comporte comme une enfant. Tout est toujours ma faute, bien sûr.

— Elle semble très en colère, en effet, murmura Laura.

— Elle n'a pas été odieuse avec vous, j'espère ?

— Non, non, pas du tout.

Il avait des projets. Qu'avait voulu dire Anne ?

Pourquoi était-elle persuadée que Peter était mort à cause de la façon dont étaient menées les affaires de la famille ?

— Tant mieux. Elle s'exprime souvent sans réfléchir, vous comprenez. Prenez cette remarque concernant Peter et les affaires familiales. Elle sait parfaitement que Peter ne s'en mêlait pas, mais elle refuse d'admettre qu'il soit mort à cause de sa conduite immorale. Ils étaient très proches.

Laura se contenta de hocher la tête et se concentra sur son ouvrage. Mais elle avait l'esprit ailleurs. Anne était certainement traumatisée par le fait que son père ait tué accidentellement sa mère. Qui ne le serait pas ? Cependant, si cela pouvait expliquer ses airs boudeurs, cela n'expliquait pas ses remarques sur les méthodes de la famille. Anne savait-elle quelque chose, ou se contentait-elle de spéculer ? En quoi un crime passionnel pouvait-il avoir un rapport avec les affaires de la famille ? Amélia était-elle convaincue que Peter avait succombé aux coups de poignard d'une maîtresse ? Ou bien le clan Kilbourne cachait-il quelque chose ?

Comme chaque jour, Amélia quitta Laura un peu avant midi pour voir où en étaient les préparatifs du déjeuner.

La jeune femme referma son carnet, puis leva la tête, surprise d'entendre des accords de piano. La salle de musique était en face. Kerry devait être en train de s'exercer.

Laissant son carnet sur une chaise, Laura s'aventura dans le corridor. La mélodie qui s'égrenait était terriblement mélancolique. En entrant, Laura s'aperçut que ce n'était pas Kerry sur le tabouret.

C'était... ce ne pouvait être que Madeleine Kilbourne.

Les grands yeux bleu pâle qui se posèrent sur Laura étaient rougis par les larmes et un peu vagues, sous l'effet des sédatifs. Madeleine était vêtue d'un élégant tailleur noir, et ses cheveux gris étaient impeccablement coiffés, son maquillage, irréprochable.

— Oh, pardon, murmura Laura, en se figeant sur place. Je croyais que c'était Kerry qui jouait.

— Vous êtes Laura.

Les longs doigts fins abandonnèrent momentanément le clavier. Madeleine croisa les mains sur ses genoux et inclina la tête en l'examinant de bas en haut.

— Amélia tient à votre présence parmi nous.

— Oui. Je suis désolée, pour votre fils, bredouilla Laura, mal à l'aise.

— Mon bébé, dit Madeleine avec un trémolo dans la voix. Un si gentil garçon, au caractère charmeur. Il ressemblait à son père, vous savez. C'était tout ce qui me restait de John.

— Vous avez encore Daniel, dit Laura malgré elle.

Madeleine fronça les sourcils et parut légèrement troublée. Puis elle secoua la tête.

— Il n'est pas du tout comme John. Il n'a jamais été comme Peter. Il n'est jamais venu s'asseoir sur mon lit, le soir, pour me raconter sa journée. Peter le faisait chaque soir. Il me confiait tous ses secrets.

— Vous a-t-il parlé de la glace, madame ?

Madeleine plissa le front.

— C'est la raison pour laquelle il vous a rendu visite, paraît-il. Une histoire de glace.

— Oui. Je l'ai achetée ici, lors de la vente

aux enchères. Il voulait la récupérer. Savez-vous pourquoi ?

— Peter ne s'intéressait pas aux glaces. Il n'était pas vain.

— Il m'a dit que c'était un souvenir de famille. Une glace à main en cuivre. Vous rappelez-vous cet objet ?

— Je ne sais rien du tout à ce sujet, répondit Madeleine d'un ton monocorde. Avez-vous tué mon fils ? ajouta-t-elle après quelques instants, l'air presque suppliant.

— Non. Non, madame, je vous assure que je ne suis pour rien dans sa mort.

Le regard bleu demeura rivé sur Laura plusieurs secondes, puis, soudain, la dépassa et s'écarquilla.

— Maman, tu devrais te reposer.

Daniel se dirigea vers Madeleine et la prit par le bras. Elle se leva sans protester.

— Oui, oui. Bien sûr... Vous voulez bien m'excuser ? demanda-t-elle poliment à Laura.

Celle-ci se contenta de hocher la tête.

Ni Madeleine ni Daniel ne parurent au déjeuner.

7

— Ça devient vraiment très intéressant, s'enthousiasma Dena le mardi suivant. Pour ne pas dire tragique, ajouta-t-elle.

Laura ne put s'empêcher de tressaillir.

— Ne me dites pas que cette glace porte malheur ?

Dena s'installa sur le canapé.

— Je n'irais pas jusque-là, dit-elle en ouvrant son cahier. Quoique... Où en étions-nous restées ? Ah, oui. Faith Broderick et le fils de l'orfèvre.

Laura s'assit sur un fauteuil.

— Je suis tout ouïe.

— Parfait. Stuart Kenley, le fils de l'artisan, est né en 1833 ; Faith Broderick, en 1836. Tous deux vivaient à Philadelphie, mais c'est lorsqu'elle s'est présentée à la boutique du père qu'ils se sont connus.

— Vous en êtes certaine ?

— Absolument. Faith tenait un journal intime. Il est conservé dans les archives de la ville, mais une bibliothécaire serviable a bien voulu m'en recopier quelques pages et me les adresser par fax. D'après Faith, ce fut un coup de foudre réciproque. Elle en parle de façon plutôt poétique, évoquant les coups de théâtre du destin, etc. Je vous en ai apporté une photocopie, que vous pourrez lire tranquillement plus tard.

« Nous avons donc un jeune couple très amoureux. Le hic, c'est que Faith était déjà fiancée. Elle rompt ses fiançailles. Elle ne s'étend guère sur ce qui a dû être un terrible scandale. Elle note simplement qu'elle est triste de blesser un homme qui ne le mérite pas. Bref, Stuart et elle prévoient de se marier quelques semaines seulement après leur rencontre. La veille du grand jour, Faith reçoit un mot de son ex-fiancé, la priant de passer chez lui. Comme elle se sent encore coupable à son égard, elle accepte. Et elle le découvre pendu. Il a laissé un message dans lequel il l'accuse nommément d'être la cause de son suicide.

— Quelle élégance !

— Oui, c'est ce que j'ai pensé aussi. Il ne pouvait pas l'avoir, mais il s'est arrangé pour qu'elle ne l'oublie jamais. D'un autre côté, ajouta Dena en haussant les épaules, peut-être était-il vraiment désespéré et tenait-il à le lui faire savoir. Faith se contente de déclarer dans son journal qu'elle regrette pour lui qu'il n'ait pas eu d'autre raison d'exister.

— Elle a épousé Stuart ?

— Le lendemain, comme prévu, dans la plus stricte intimité. La cérémonie religieuse a été annulée. Ils ont aussitôt quitté Philadelphie pour Washington, où ils ont vécu jusqu'au début de la guerre de Sécession. Stuart a rejoint l'armée de l'Union. Il est mort au combat, à l'âge de trente ans, en 1863. Cinq mois plus tard, en 1864, Faith est décédée à son tour en mettant au monde leur enfant. Celui-ci n'a pas survécu.

— C'est à croire que cette glace est maudite.

C'est affreux, constata Laura après quelques instants de silence.

Dena acquiesça.

— Le seul point positif dans cette histoire, c'est l'amour qu'a éprouvé Faith pour Stuart, et inversement... Donc, après la disparition de Faith, la glace s'est retrouvée entre les mains de sa sœur, qui l'a apparemment gardée jusqu'à son décès, trente ans plus tard. L'héritage de la sœur a fini dans une vente aux enchères à New York, aux alentours de 1897, 1898. Je suis actuellement à la recherche d'informations complémentaires.

Laura prit le dossier que lui tendait Dena, mais ne l'ouvrit pas.

— Au risque de me répéter, je suis très impressionnée par votre travail, Dena.

— Merci, mais je persiste à dire que j'ai eu beaucoup de chance, car, jusqu'ici, tout le monde semble avoir gardé une trace écrite de ce qu'il advenait à la glace. Dans son testament, Faith la lègue expressément à sa sœur. Celle-ci n'ayant pas eu d'enfants, et étant une personnalité éminente, ses biens ont fait l'objet d'un inventaire public. C'est curieux, c'est un peu comme si...

— Comme si... ?

— Comme s'il vous appartenait de découvrir l'histoire de cette glace. Bien entendu, précisa Dena avec un sourire espiègle, je nierai avoir dit cela si la piste s'arrête à cette vente aux enchères de New York.

Laura sourit à son tour.

— J'ai confiance en vous, Dena. Je suis certaine que vous réussirez à suivre sa trace jusqu'en 1997 dans le grenier des Kilbourne.

Dena se leva en riant.

— Je ferai de mon mieux. En attendant, il faut

que je rentre bosser. J'ai un examen important demain. J'espère reprendre contact avec vous d'ici la fin de la semaine.

Restée seule, Laura ouvrit le dossier et lut attentivement le bref rapport de Dena. Comme la fois précédente, c'était une liste de faits et de dates. Un peu plus loin, elle tomba sur les photocopies des pages du journal intime. L'écriture fine lui sauta aux yeux.

« Je ne saurais me l'expliquer. C'est la glace qui m'a attirée, comme m'attirent toujours tous les miroirs. Mais lorsque je suis entrée pour en demander le prix et que je l'ai vu, j'ai eu l'impression que le destin avait arrangé notre rencontre. Pourquoi me trouvais-je à cet endroit ce jour-là, dans un quartier de la ville que je ne fréquentais jamais ? Pourquoi était-il dans la boutique, alors qu'en général il restait dans la salle du fond ? Nous avons tous deux eu le sentiment que nous étions faits l'un pour l'autre. »

Une autre page, un autre jour :

« Je devrais m'en vouloir d'avoir blessé un homme bon, et j'en suis désolée, mais qu'y pouvais-je ? C'est Stuart que j'aime. »

Enfin :

« Nous sommes deux moitiés de la même âme, heureux et en paix l'un avec l'autre. Notre passion est pareille aux braises qui couvent sous la cendre, elle réchauffe nos cœurs comme elle réchauffe notre lit. Dussions-nous ne passer ensemble qu'une nuit, qu'une semaine, qu'un hiver, nous nous en contenterons. »

Ces feuillets dataient de l'hiver 1859. Quelqu'un, la bibliothécaire serviable, sans doute, avait noté qu'il s'agissait des derniers. Soit Faith avait été trop occupée par la suite pour s'astreindre à cette discipline quotidienne, soit elle estimait avoir tout dit de son bonheur. Cinq ans plus tard, presque jour pour jour, elle mourait.

Laura referma le dossier et le laissa tomber sur la table basse. Encore un couple entre les mains duquel était passée la glace. Encore un couple dont l'amour réciproque avait été exceptionnel. Que fallait-il en conclure ?

Elle rumina ces pensées pendant toute la soirée. Quand elle se mit au lit, elle fut incapable de trouver le sommeil. L'amertume et la colère d'Anne la hantaient, de même que le chagrin de Madeleine. Et toutes ces questions ! Dès qu'elle fermait les yeux, elle se remémorait ses visites au manoir, se rappelait chaque nuance d'expression, chaque inflexion de voix, comme si son subconscient avait enregistré les moindres détails dans un but bien précis.

Laura avait beau essayer de comprendre, c'était peine perdue. Aujourd'hui, elle avait rencontré une jeune femme de trente ans pleine de colère et d'amertume, dont les manières boudeuses lui donnaient un air d'adolescente attardée. Elle avait également fait la connaissance d'une mère anéantie par la perte de son fils cadet, son « bébé », son préféré, et qui ne manifestait qu'indifférence à l'aîné.

Toutes deux avaient prononcé une phrase qui l'avait frappée. Anne avait parlé des « projets » de Peter et de sa certitude qu'il était mort à cause de la façon dont la famille conduisait ses affaires. Quant à Madeleine, elle avait dit que Peter lui confiait tous ses secrets. L'une des deux savait-elle quelque chose qui pût expliquer son meurtre ?

Ou bien Laura cherchait-elle des complications dans ce qui n'était qu'un simple crime passionnel ?

La journée du mercredi fut maussade. Après déjeuner, Laura décida qu'elle avait besoin d'air frais.

Avant qu'Amélia ne la confie à Josie, comme les deux fois précédentes, elle annonça qu'elle avait envie de se promener seule dans le parc.

Amélia marqua une hésitation imperceptible.

— Bien sûr, mon enfant. Cependant, il va pleuvoir d'une minute à l'autre. Ne vous éloignez pas trop.

Laura acquiesça, et dès qu'Amélia fut sortie de la pièce, elle se tourna vers Josie.

— Je meurs d'envie d'explorer le labyrinthe.

Josie lui adressa un sourire.

— Je m'en doutais. N'oubliez pas que le seul abri dans le coin est la gloriette. Je vous propose de vous munir d'un parapluie, au cas où. Vous en trouverez un dans le vestibule.

Laura laissa son carnet à dessin sur un banc de la serre en partant. La maison était paisible et silencieuse. Où étaient-ils, tous ?

Il ne pleuvait pas encore, mais l'air était chargé d'humidité et la température fraîche. Laura regretta de ne pas s'être habillée plus chaudement. Son bras gauche lui faisait mal, comme chaque fois qu'il allait pleuvoir. Sa mère l'avait surnommée « le baromètre de la famille » et avait évoqué le souvenir d'un grand-père, capable lui aussi d'annoncer le temps en fonction de ses douleurs.

Elle se dirigea d'un pas vif vers le labyrinthe. Elle ne disposait que de deux heures. Largement le temps de se perdre...

Elle ne rencontra personne dans le parc, et le silence était tel qu'elle se surprit à regarder autour d'elle avec malaise. Même les oiseaux s'étaient tus. Elle s'immobilisa au sommet de la colline dominant le labyrinthe et le contempla un long moment, non pour en découvrir la clé, mais pour essayer de s'imprégner de son dessin. Puis elle s'avança jusqu'à l'entrée.

Elle ne s'était pas attendue à une telle sensation d'oppression. Les haies qui le formaient étaient hautes de deux mètres et impeccablement taillées. L'allée de gravier cédait la place à un ruban de pelouse large d'environ un mètre.

Laura n'était pas claustrophobe, et elle s'en félicita. En dépit de la grisaille, la lumière était suffisante, mais l'épais tapis de verdure étouffait le bruit de ses pas et, dans cette atmosphère trop calme, on avait vite la sensation d'être pris au piège.

Chassant ses craintes, Laura se fia à son sens de l'orientation... et se retrouva bientôt dans un cul-de-sac. Le mur de feuillage qui lui barrait la route était artistiquement taillé en forme de chien. Elle sourit, fit demi-tour et choisit une autre allée.

Pendant un moment, l'exercice l'amusa. Puis, tandis qu'elle s'enfonçait plus avant dans le labyrinthe, la sensation d'isolement fit resurgir sa panique. Elle se surprit à examiner le ciel à plus d'une reprise, comme pour s'assurer qu'elle n'était pas prisonnière du dédale végétal.

Les nuages étaient de plus en plus menaçants. Laura jeta un coup d'œil sur sa montre. Elle déambulait déjà depuis plus d'une heure. Elle n'avait pas la moindre idée de l'endroit où elle se trouvait. Elle fit halte en parvenant à une fourche, complètement désorientée, à présent, et sursauta quand un éclat de lumière lui illumina soudain le visage.

La première surprise passée, Laura eut un petit rire tremblant. Ce n'était pas un éclat de lumière, mais de la lumière, tout simplement. Dissimulés dans les haies, des projecteurs éclairaient le labyrinthe sans pour autant en atténuer le mystère, apparemment reliés à un capteur optique. L'assombrissement du ciel avait suffi à les mettre en marche.

Et maintenant, que faire ? Ravaler mon orgueil et appeler au secours, ou continuer d'errer jusqu'à ce que Josie vienne à ma rescousse ?

Elle marcha encore un peu et tomba sur une intersection, d'où partaient trois allées.

— Zut ! murmura-t-elle.

— Laura ?

La voix était si proche qu'elle tressaillit violemment, le souffle coupé. Elle s'éclaircit la gorge.

— Daniel ?

— Restez où vous êtes. Je viens vous chercher.

Il était tout près, car il apparut au bout de quelques secondes à peine au détour d'un virage. Vêtu d'un pantalon sombre, d'une chemise blanche au col ouvert et d'un blouson de cuir noir, la mine indéchiffrable, il avait une apparence si peu engageante que Laura faillit s'enfuir à toutes jambes. Depuis combien de temps étaient-ils ensemble dans ce labyrinthe, lui foulant des chemins qu'il connaissait par cœur, tandis qu'elle cherchait désespérément la clé ? Savait-il qu'elle se trouvait là ? L'avait-il suivie ?

C'est un homme dangereux, Laura. Très dangereux.

Etait-ce cela, le problème ? Croyait-elle Amélia ? Etait-ce simplement ce lieu, trop étrange et trop silencieux ou bien le fait d'avoir rencontré un homme qui la troublait ? Au loin, le tonnerre gronda. Tout à coup, elle eut du mal à respirer.

Il plissa les paupières en s'approchant d'elle, mais son ton fut cordial.

— J'ai aperçu votre carnet à dessin dans la serre, et j'ai pensé que vous étiez venue jusqu'ici.

Elle hocha la tête.

— Je voulais tenter ma chance.

— Vous êtes tout près du centre. Le saviez-vous ?

— Non, j'étais plus ou moins perdue, confessa-t-elle.

— Ce labyrinthe est coton, dit Daniel, avant de lever les yeux vers le ciel. La pluie ne va pas tarder. Allons nous mettre à l'abri dans la gloriette.

Il lui tendit la main. Laura hésita, mais en rencontrant son regard, elle comprit qu'il était aussi ému qu'elle. Son geste avait été délibéré. Il attendait patiemment, comme s'il était prêt à rester là le temps qu'il faudrait jusqu'à ce qu'elle accepte.

Serrant son parapluie sous le coude, elle leva sa main libre et la plaça dans celle de Daniel. Elle eut l'impression de recevoir une décharge électrique et de ne plus pouvoir rompre le contact, sa vie en eût-elle dépendu.

Il referma les doigts autour des siens, en une étreinte à la fois ferme et douce, et esquissa un sourire.

— Par ici, murmura-t-il.

Laura lui emboîta le pas en silence. L'envie de s'enfuir était toujours présente, mais en même temps, elle s'abandonnait à ce qui lui paraissait une sorte de fatalité.

Ils marchèrent sans échanger un mot, puis arrivèrent au cœur du labyrinthe.

— Voici le joyau.

Un joyau, en effet. Un vaste espace ouvert, planté de massifs d'arbustes bas et de fleurs à floraison tardive, et égayé par une fontaine, autour de laquelle étaient disposés d'élégants bancs en fer forgé.

La gloriette, d'un style original, était aussi mystérieuse qu'attirante. Coiffée d'un toit pointu en cèdre, elle était peinte en blanc. Un demi-mur s'élevait sur sept côtés, relié au plafond par de délicates colonnes auxquelles étaient fixés des rideaux diaphanes, comme sur un lit à baldaquin. Par le huitième côté, ouvert, on apercevait des meubles en fer forgé blanc.

Il y avait un bouquet de fleurs sur chacune des deux tables et de gros coussins blancs et bleus garnissaient les fauteuils et la chaise longue.

L'intérieur baignait dans une lumière douce. Laura fut immédiatement sous le charme.

— Vous avez raison. C'est un véritable bijou.

Daniel resserra brièvement son étreinte sur ses doigts et l'entraîna.

— Venez, nous allons nous faire tremper.

Il la relâcha seulement lorsqu'ils eurent gravi les marches. Elle se sentit aussitôt abandonnée, mais s'efforça de cacher sa déception en posant son parapluie contre l'une des parois pour s'aventurer dans ce lieu magique. Daniel demeura sur le seuil, adossé contre une colonne. Les premières gouttes de pluie résonnèrent sur le toit alors qu'elle s'asseyait sur le bout de la chaise longue.

— Qui s'occupe de cet endroit ? demanda-t-elle.

— Les jardiniers se chargent des plantes et des fleurs, bien sûr. Pour le reste, c'est l'œuvre de Kerry.

Laura l'imagina dans cette gloriette isolée qu'elle avait su rendre si confortable, entourée de beauté et de silence, et, l'espace d'un instant, elle eut l'impression d'être de trop.

— Elle ne vous en voudra pas, déclara Daniel, qui avait deviné ses pensées. Kerry n'est pas aussi fragile qu'elle en a l'air.

Il n'y avait rien de méchant dans la remarque, mais Laura fronça les sourcils, éprouvant la curieuse sensation qu'il cherchait à lui dire quelque chose.

— Ah, non ?

Daniel secoua la tête.

— Elle a survécu à un accident qui aurait tué n'importe qui d'autre. Si elle a conservé des cicatrices, l'épreuve l'a aussi endurcie.

— Que s'est-il passé ?

— Kerry avait à peu près dix ans. Elle était sur la banquette arrière dans la voiture de sa mère. Un chauffard a grillé un stop et les a heurtées de plein fouet. Elles ont fini leur course dans un arbre. Le feu a pris avant l'arrivée des secouristes. Kerry a été sortie juste à temps, sa mère a eu moins de chance.

Laura aurait aimé interroger Daniel sur le mariage de Kerry et de Peter. Elle craignit de paraître trop indiscrète.

— Vous aimez bien Kerry.

— Cela vous étonne ? C'est ma belle-sœur.

De nouveau, Laura hésita.

— Mais la femme d'un frère que vous n'appréciiez guère.

— En effet, confirma-t-il avec un léger sourire. Je vous choque ?

— Pas spécialement. Je m'en doutais. Simplement, je ne pensais pas que vous l'avoueriez.

— Parce que nous sommes supposés aimer notre famille sans restriction ? Dites-moi, Laura, aimez-vous vos proches ?

La question la prit de court.

— Certains, oui. D'autres, non.

— Vous en éprouvez un sentiment de culpabilité.

— Parfois.

— Vous avez tort, déclara-t-il en haussant les épaules. Rappelez-vous notre discussion au cours du déjeuner, l'autre jour. Nous ne les choisissons pas, et ils sont quelquefois si différents de nous que nous avons du mal à les supporter.

— Etait-ce ainsi entre vous et Peter ?

— Un peu.

— Où étiez-vous lorsqu'il a été assassiné ? s'enquit-elle brusquement.

L'expression de Daniel se modifia imperceptiblement.

— J'assistais à un gala de bienfaisance. J'ai une centaine de témoins au minimum.

— Excusez-moi.

— De quoi, Laura ? De m'avoir soupçonné d'avoir tué mon propre frère ?

Sans le quitter des yeux, elle riposta :

— Après tout, les incertitudes peuvent aller dans les deux sens. Vous ne m'avez jamais dit que vous étiez persuadé de mon innocence.

— Non ?

— Non.

— D'accord. Je ne crois pas que vous ayez

tué Peter. Je doute même que vous ayez été sa maîtresse.

Au lieu de la soulager, cet aveu la rendit méfiante.

— A quoi est dû ce revirement ?

— Je ne crois pas que vous l'ayez tué, parce que vous n'avez pas de haine en vous. Une personne capable de dessiner Kerry et Anne avec autant de subtilité, ou Amélia avec une telle naïveté ne peut commettre un crime pareil.

— Vous avez regardé mes dessins ?

Il opina et ne s'en excusa pas.

Laura se sentit rougir en songeant à l'esquisse qu'elle avait faite de lui, à la dernière page. Il n'y avait pas fait allusion, aussi espérait-elle qu'il ne l'avait pas vue.

— J'ai dessiné Kerry de mémoire, avoua-t-elle.

— Et avec beaucoup de compassion. C'est pourquoi je doute que vous ayez couché avec son mari.

Elle prêta une oreille distraite à la pluie et au tonnerre tout en s'imprégnant de ses remarques. *Vous avez dessiné Amélia avec une telle naïveté...* que voulait-il dire ?

— En revanche, si l'on m'y pousse, je suis tout à fait capable de tuer, reprit-il soudain.

Laura le dévisagea, mal à l'aise. Il sourit et ajouta gentiment :

— Je n'ai pas tué Peter.

— Connaissez-vous l'assassin ?

— La mystérieuse rousse, je présume.

Il ment. Laura en fut aussi sûre que la première fois, lorsqu'il avait nié connaître les raisons pour lesquelles Peter avait tenté de récupérer la glace. Elle se renfrogna.

— Vous froncez les sourcils.

— J'étais en train de me dire qu'Amélia doit m'attendre.

— J'ai prévenu Josie que je venais à votre recherche. Je suis sûr qu'elle dira à Amélia où nous sommes.

C'est ce que vous vouliez, n'est-ce pas, Daniel? Qu'Amélia vous sache ici, seul avec moi. Mais pourquoi? Ne suis-je qu'un pion que vous manipulez sur votre échiquier, contre Amélia?

Laura contempla ce visage dur et ce regard énigmatique en se demandant comment elle pouvait se sentir si proche de cet homme alors qu'elle ne savait rien de lui. Elle le connaissait... sa démarche, sa façon de tenir un verre, d'incliner la tête, l'air un peu moqueur. Elle connaissait le rythme de sa voix, sa présence, et même, le toucher de sa main.

En même temps, elle n'avait pas la moindre idée de la manière dont il fonctionnait. Etait-il méfiant ou confiant? Avait-il le sens de l'humour? Savait-il que son frère avait été le fils préféré? Y était-il sensible? Que lisait-il? Quel genre de musique préférait-il? Quelle sorte de femme? Etait-il bon, ou cachait-il comme Peter une âme diabolique derrière une façade charmeuse?

Curieusement, elle avait l'impression qu'elle aurait dû savoir tout cela. Elle n'y comprenait plus rien.

— Laura?

Elle cligna des paupières et se rendit compte qu'elle le fixait depuis plusieurs minutes.

— Euh... pardon... J'étais dans la lune.

— Vous pensiez à moi.

Passé le premier choc, Laura parvint à bredouiller :

— Quelle outrecuidance!

— Vous pensiez à moi, insista-t-il d'un ton calme.

Le nier aurait sonné faux, mais Laura ne trouva pas la force d'avouer.

— Euh... possible, en effet. Amélia m'a mise en garde contre vous, et j'étais en train de me demander si je devais suivre son conseil ou pas.

— Que vous a-t-elle dit ?

— Que vous étiez un homme dangereux. L'êtes-vous ?

— Uniquement pour mes ennemis. Pourquoi a-t-elle jugé bon de vous mettre en garde ?

— Je n'en sais rien. N'allez-vous pas lui rendre la pareille en me mettant en garde contre elle ? Que se passe-t-il, entre vous deux ?

— Pourquoi le ferais-je ?

— Je ne sais pas. D'après les rumeurs, elle a tué son mari, votre grand-père. Est-ce vrai ?

— Je l'ai toujours cru.

Laura se redressa, ahurie.

— Vous plaisantez ?

— Non. Il n'y avait aucun témoin. De toute évidence, quelque chose lui a fracassé le crâne, mais on n'a découvert aucun objet taché de sang. D'après mon père, qui m'a raconté cette histoire puisqu'elle a eu lieu avant ma naissance, la police a toujours soupçonné Amélia. Mon père aussi.

— Vous dites cela parce que je vous ai lancé un défi, n'est-ce pas ?

— Vous croyez ? Le décès de mon père a eu lieu dans des conditions tout aussi mystérieuses. Il semble qu'il ait été abattu accidentellement par un de ses amis au cours d'une partie de chasse. En fait, ces *amis* étaient ceux d'Amélia.

— Vous sous-entendez que...

— Rien du tout. Je me contente de noter l'étrangeté des circonstances.

Laura, frissonnante, resserra machinalement sa veste autour d'elle.

— Vous essayez de m'effrayer.

— Si c'est le cas, j'en suis désolé. Vous n'avez rien à craindre d'Amélia, Laura. Il y a peu de chances pour que vous vous trouviez... en travers de son chemin.

— Voilà qui ne me rassure pas du tout... Peter, ajouta-t-elle subitement... Vous ne pensez pas qu'elle...

Daniel secoua la tête avec vigueur.

— Elle a quatre-vingts ans. Elle est frêle. Je ne vois pas comment elle aurait pu l'assassiner.

— Elle a un alibi ?

— Elle était au téléphone avec une de ses amies de la côte Ouest jusqu'à minuit. Alibi confirmé par l'amie en question et par la compagnie du téléphone.

— Vous semblez déçu.

— Ç'aurait été plus simple si elle avait commis le crime. Un assassin suffit, dans une famille... Vous avez quelque chose d'ensorcelant, Laura, ajouta-t-il après l'avoir observée un moment.

Elle ne l'entendit pas.

— Vous croyez qu'il s'agit d'un membre de la famille ?

Il consulta sa montre.

— Je crois surtout qu'Amélia vous attend. Rentrons. La pluie a presque cessé.

Elle se leva machinalement.

— Qui ? Pourquoi ?

— Je n'ai aucune preuve, trancha-t-il en ouvrant le parapluie et en prenant sa main.

— Je suppose que vous vous êtes bien gardé de confier vos soupçons à la police?

— En effet.

Devait-elle le croire? Sa proximité lui ôtait tout discernement.

— Laissez tomber, Laura. Peignez le portrait d'Amélia. La police poursuit son enquête.

— C'est facile pour vous de dire cela. Vous n'avez jamais été un suspect.

— A vos yeux, si.

— Non, pas vraiment, avoua-t-elle malgré elle.

Il resserra son étreinte.

— Vous avez vraiment quelque chose d'ensorcelant.

— Peut-être devrais-je en profiter? Parlez-moi de la glace, Daniel.

Cette fois, elle ne le regarda pas.

— Je n'ai rien à dire à ce propos, répliqua-t-il aussitôt, comme s'il attendait la question. C'est sans doute un manque de curiosité de ma part.

— Il y a pourtant de quoi s'interroger. Une parfaite inconnue se présente devant vous et vous explique que, quelques heures avant sa mort, votre frère a tenté de racheter une glace qu'elle avait acquise le matin même dans votre domaine. Vous n'avez jamais demandé à la voir.

— Et alors?

— Et alors, ce n'est pas... normal. Pourquoi n'avez-vous pas cherché à en savoir davantage?

— Je venais d'enterrer mon frère. Les glaces étaient le cadet de mes soucis. D'ailleurs, j'avais appris tout ce que j'avais besoin de savoir à son sujet en vérifiant l'inventaire. Cet objet n'appartenait pas à l'héritage des Kilbourne, il ne m'intéressait pas.

Vous venez de mentir une fois de plus, Daniel.

En silence, elle marcha à ses côtés, sans faire attention aux tournants qu'ils empruntaient. Aussi fut-elle sidérée d'émerger très rapidement du labyrinthe.

— Je devrais peut-être vous demander la clé. Mais je ne le ferai pas.

— Pourquoi ai-je l'impression que vous êtes une femme obstinée ?

— Pourquoi ai-je l'impression que c'est une question purement rhétorique ?

Levant les yeux, elle vit qu'il souriait. Elle regretta d'en éprouver une telle sensation de bonheur.

La pluie continuait de tomber, plus doucement. Lorsqu'ils s'approchèrent de la terrasse, en traversant la pelouse là où il y avait eu autrefois une piscine, elle ne put s'empêcher de demander :

— Vous ne pensez pas vraiment qu'elle a tué votre grand-père, n'est-ce pas ?

Au bout d'un moment, il répondit :

— Non. Bien sûr que non.

Il mentait.

Regrettant de lui avoir posé la question, Laura le suivit jusque dans la serre. Il lâcha sa main et secoua le parapluie.

— Amélia est sûrement dans son boudoir.

— Oui, murmura Laura en prenant son carnet à dessin. Merci d'être venu à ma rescousse. A plus tard.

Elle ouvrit le carnet et tourna rapidement les pages. Tout était tel qu'elle l'avait laissé. Sauf qu'il manquait une esquisse.

Celle de Daniel. On l'avait soigneusement arrachée.

Laura se demanda ce qui la perturbait le plus : que ce fût Daniel qui l'eût prise... ou quelqu'un d'autre.

8

Amélia ne souleva le sujet que plus tard dans l'après-midi, alors que Laura achevait de la dessiner devant l'élégante cheminée en marbre du salon.

— Avez-vous apprécié le labyrinthe, mon enfant ?

Laura, qui s'efforçait en vain de ne pas imaginer son modèle dans la peau d'un assassin, répondit sans préciser :

— Beaucoup. La gloriette est de toute beauté.

— Vous y êtes parvenue si vite ?

— A vrai dire, non. Je me suis perdue.

— C'est donc Daniel qui vous y a emmenée ?

La question, en apparence anodine, fut posée d'un ton qui trahissait sa désapprobation.

— Il allait pleuvoir, expliqua Laura. La gloriette était le plus proche refuge. Je vais devoir découvrir rapidement le secret du parcours, ajouta-t-elle, consciente d'avoir l'air de se justifier. J'ai beaucoup apprécié ma promenade, mais ce serait certainement très agréable de gagner directement le centre. C'est un labyrinthe superbe.

— Oui. David l'adorait. Je n'y suis pas allée depuis des années, malheureusement.

Le sous-entendu était clair : la vieille dame ne supportait pas de passer du temps en un lieu que son mari défunt avait tant aimé. Laura l'observa par-dessus son carnet à dessin. Visage encore beau malgré les rides, regard énigmatique, sourire un peu triste… Comment était-elle, quarante ans plus tôt ? Avait-elle éprouvé un peu de la colère qu'exprimait Anne aujourd'hui ? Avait-elle eu suffisamment de rage en elle pour frapper son époux avec un objet assez lourd pour le tuer ?

L'avait-elle ensuite pleuré jusqu'à aujourd'hui ?

Laura referma brusquement son carnet.

— Amélia, pourquoi m'avez-vous mise en garde contre Daniel ?

— Parce que je m'inquiète pour vous, mon enfant. Vous êtes très séduisante, et Daniel n'est pas de bois. Mais c'est un homme dur, Laura. Il n'hésite pas à se servir des gens. Je ne tiens pas à ce qu'il vous manipule.

Le discours semblait raisonnable : une vieille dame se souciant du cœur vulnérable d'une jeune amie. Pourtant, il sonnait faux. Sa première intervention avait été trop vive, son attitude trop nerveuse, comme si elle craignait davantage une menace physique qu'une éventuelle déception amoureuse.

Après un court silence, Laura reprit la parole.

— Je vous remercie de votre sollicitude, Amélia, mais j'ai vingt-huit ans, et non dix-huit. Je ne suis pas naïve.

Amélia parut encore plus agitée.

— Assurément, mon enfant, mais je doute que vous ayez déjà rencontré un homme comme Daniel. Il est dangereux, à sa façon. Il ne reculera devant rien pour arriver à ses fins, et peu importe qui il risque de blesser en cours de route. Je…

Soyez prudente, c'est tout ce que je veux vous dire. Peter usait et abusait de son charme pour obtenir ce qu'il voulait, Daniel, lui, est sans pitié. Il ne permet à personne de lui barrer le chemin.

Daniel avait eu des mots à peu près similaires concernant Amélia.

— Je ferai attention, Amélia. Cependant, je crois que vous exagérez mon pouvoir de séduction et l'intérêt que me porte Daniel, ajouta-t-elle en souriant. Je suis ici pour peindre votre portrait, rien de plus.

Amélia opina, mais elle n'était visiblement pas convaincue.

Laura s'apprêtait à annoncer son intention de rentrer chez elle, quand l'orage qui avait menacé toute la journée éclata. Ce fut un véritable assaut. Les murs et les vitres de la maison tremblèrent sous la violence du coup de tonnerre, et la pluie s'abattit brutalement contre les fenêtres, tandis qu'un éclair zébrait le ciel.

Amélia fronça les sourcils.

— Vous ne pouvez pas prendre le volant par un temps pareil. Ce serait imprudent. Pourquoi ne pas passer la nuit ici ? Nous avons une chambre toute prête pour vous.

— Merci, Amélia, mais je suis sûre que cela va se calmer d'ici quelques minutes...

— D'après la météo, la tempête risque de durer toute la nuit. Restez, Laura, je vous en prie. Cela me rassurerait.

Laura n'aimait pas beaucoup conduire par temps d'orage. Et puis, il lui était difficile de refuser une invitation aussi courtoise, sous peine de paraître grossière. Elle hocha la tête.

— Très bien, c'est d'accord. Je vous remercie, Amélia.

La vieille dame se mit debout, avec un peu plus de vivacité que de coutume. Elle ne semblait pas souffrir de la moindre courbature, même après une longue séance de pose.

— Venez, je vais vous montrer votre chambre. Si vous le souhaitez, vous pourrez vous y reposer un moment. Nous dînerons à dix-neuf heures.

Laura contempla son pantalon, son polo et son blazer de sport. Elle n'était pas habillée pour un dîner chez les Kilbourne.

— Vous êtes plus ou moins de la taille de Kerry, déclara Amélia. Nous vous trouverons un vêtement pour dormir. Quant au dîner, j'exige que l'on soit habillé. Kerry vous prêtera une jupe ou une robe.

La perspective de mettre les affaires de Kerry troubla Laura.

— Ça ne l'ennuiera pas ?

— Pas du tout, elle est adorable. J'irai la voir après vous avoir montré votre chambre.

Laura emboîta docilement le pas à la vieille dame. Dix minutes plus tard, elle se retrouva seule dans la plus vaste des quatre suites destinées aux invités, au premier étage du corps principal. L'appartement se composait d'une chambre à coucher, d'un boudoir et d'une salle de bains, tous de belles proportions. Il y avait une ligne de téléphone privée et une télévision branchée sur le câble.

Les pièces étaient superbes, nettement moins sombres que les autres. Le papier peint était un peu chargé à son goût, et le baldaquin imprimé de motifs floraux tarabiscotés, mais les légers voilages des fenêtres laissaient passer toute la lumière, et les meubles étaient pleins d'une délicate élégance.

Secouant la tête, Laura se laissa attirer par la

glace au-dessus de la coiffeuse. Comme chaque fois, elle y chercha le reflet de la chambre derrière elle, par-dessus son épaule droite. Elle ne vit rien, sinon un lieu curieusement désert.

Elle regarda sa montre. Il était seize heures trente. Elle réfléchit un instant, puis décrocha l'appareil pour laisser un message sur le répondeur de Cassidy.

— Coucou, Cass, c'est moi. Devine où je dors ce soir ?

Vers dix-sept heures, on frappa discrètement à sa porte. Kerry, habillée d'un peignoir en éponge de couleur sombre, les bras chargés de vêtements ébaucha un sourire.

Laura s'effaça pour la laisser entrer.

— J'espère que cela ne vous ennuie pas, mais Amélia...

— Bien sûr que non, interrompit Kerry en posant les habits sur le dossier d'un fauteuil. Je suppose qu'elle ne vous a guère laissé le choix... sur la question vestimentaire, j'entends. Elle est parfois un peu... autoritaire.

— En effet.

— Elle est terriblement exigeante, comme vous avez pu le remarquer. La vie est plus... paisible... quand nous nous soumettons à ses désirs.

Laura observa le visage abîmé de Kerry, ses grands yeux noisette, et regretta soudain de ne pas pouvoir passer davantage de temps avec la jeune femme. Elle avait l'impression que, de toutes celles qui vivaient sous ce toit, Kerry était la personnalité la plus complexe. La plus intéressante, aussi.

— Nous nous retrouverons au salon à dix-neuf heures, annonça-t-elle. Le repas est servi à la demie. Amélia aime bien nous interroger sur notre journée avant que nous ne passions à table. Elle tient beaucoup à ce que nous soyons en tenue correcte.

— Je vois. Merci.

Laura se demanda comment Kerry aurait préféré s'habiller si elle avait eu son mot à dire.

— Je vous ai sélectionné deux ou trois choses. Des jupes longues, qui s'harmoniseront mieux avec vos chaussures. Les miennes seraient trop grandes.

Laura ne put s'empêcher de baisser les yeux pour comparer leurs pointures.

— C'est gentil. Mes mocassins manquent singulièrement de chic.

Kerry sourit.

— Aucune importance. Surtout, ne soyez pas mal à l'aise. Amélia essaie depuis des années de m'habiller convenablement, mais rien ne semble la satisfaire.

Kerry s'exprimait d'une voix douce, sans amertume. Elle semblait presque s'amuser de son incapacité à être à la hauteur des impératifs dictés par Amélia. De nouveau, Laura songea qu'elle aimerait avoir l'occasion de mieux la connaître. *Seulement voilà, on me soupçonne d'avoir assassiné son mari, ou tout au moins d'avoir été sa maîtresse.*

— J'imagine que la plupart des gens déçoivent son attente.

— Tôt ou tard, acquiesça Kerry avec une pointe d'ironie. A présent, je vais aller me préparer. Si vous avez besoin de quoi que ce soit, n'hésitez pas à me le demander, Laura. Je loge dans l'aile ouest. C'est la première à droite. A tout à l'heure.

Laura inspecta les vêtements de Kerry: une ravissante chemise de nuit longue avec négligé assorti, une robe noire, toute simple, longue ; une jupe et un chemisier vert foncé, une robe bleue. Tout était d'un goût exquis. Elle constata immédiatement que ces tenues avaient été choisies avec soin, en fonction de son teint, de la couleur de ses cheveux et de son style.

Intéressant, songea Laura. Kerry avait sorti de son armoire des vêtements qui siéraient à merveille à son invitée, mais qui n'étaient pas du tout en accord avec sa propre silhouette, si anguleuse, et sa figure trop pâle.

Laura soupçonna Kerry de se montrer incapable de s'habiller « correctement » aux yeux d'Amélia, moins par inaptitude que par rébellion. Oui, décidément, cette femme l'intriguait de plus en plus.

Laura alla prendre une douche, puis fixa son choix sur la robe noire parce que ses mocassins l'étaient aussi, et parce que cette couleur lui allait bien.

Elle dénoua ses longs et épais cheveux, les démêla longuement et les laissa retomber librement sur le dos. Cette coiffure s'harmonisait mieux avec le style oriental de la robe. Elle se maquilla légèrement.

A sept heures moins dix, elle rassembla tout son courage et descendit. Le silence la frappa. Ce calme presque oppressant était-il encore une exigence d'Amélia ?

Elle traversa le vestibule pour rejoindre le salon, qui se trouvait en face de la bibliothèque. Elle s'attendait à y trouver la famille au grand complet. Elle ne vit que Daniel.

Il se tenait devant la cheminée, dans laquelle crépitait une joyeuse flambée. Il ne l'avait pas entendue arriver, aussi profita-t-elle de ce bref instant de répit pour l'examiner à son insu.

Son costume foncé était sobre, sa cravate, simple et de bon goût. Ni l'un ni l'autre, cependant, n'atténuait l'impression de puissance qui émanait de son corps.

Il contemplait les flammes, dont les reflets dansaient sur son visage impassible. Pourtant, pour la première fois, elle lui trouva l'air moins mystérieux que de coutume. Sourcils froncés, lèvres pincées, il paraissait préoccupé.

Il leva les yeux, alors, et, comme un peu plus tôt dans le labyrinthe, Laura eut soudain du mal à respirer. Incapable de détourner son regard, elle entendit les battements affolés de son cœur et éprouva une douleur presque physique, une sensation de déchirure intérieure. Une lueur vacilla dans les prunelles de Daniel. Il semblait avoir envie de lui tendre la main.

Il inclina légèrement la tête, et tout se volatilisa.

— Bonsoir, Laura.

L'accueil était courtois, la voix cordiale.

Il faut que je cesse de m'imaginer des choses. Je dois absolument...

— Bonsoir, répondit-elle d'un ton calme.

— Les autres ne devraient pas tarder. Puis-je vous offrir à boire ?

Il désigna le bar près de la porte.

— Non, merci.

Elle alla s'installer sur un divan proche de la fenêtre. Elle se rendit compte tout d'un coup combien elle était sur ses gardes.

Daniel ne parut pas s'en apercevoir.

— Vous avez été bien avisée de rester, commença-t-il, alors qu'un grondement de tonnerre faisait vibrer toute la maison.

Laura se demanda si Amélia lui avait annoncé

la nouvelle, ou s'il était parvenu tout seul à cette conclusion en la voyant habillée pour le dîner.

— Je déteste conduire par ce temps.

— Comme la plupart des gens.

Il continua de la dévisager.

Allait-il se contenter de débiter des banalités ? pensa-t-elle, soudain irritée.

— Tiens ! Je pensais être le dernier ! Où sont-ils, tous ?

Alex apparut, en tenue sévère rehaussée d'une cravate parsemée de grenouilles. Il salua Laura d'un signe de tête.

— Tu veux jouer les barmen ? dit Daniel.

— Volontiers. Que veux-tu ?

— Un whisky.

— Et vous, Laura ?

— Rien, merci.

Alex s'activa avec les verres et les bouteilles. Il venait de tendre sa boisson à Daniel et de regagner le bar, quand Josie et Kerry entrèrent.

— Mesdames ? proposa-t-il.

Josie refusa ; Kerry demanda un whisky. Lorsque Anne apparut à son tour, quelques instants plus tard, elle en réclama un, elle aussi.

— Ta mère va descendre ? demanda Alex à Daniel.

— Je pense que oui. Elle semblait aller mieux, aujourd'hui.

Josie vint s'asseoir près de Laura. Kerry les rejoignit bientôt, tandis qu'Anne s'affalait sur le canapé d'en face.

— Je me disais bien que cette robe vous irait, murmura Kerry.

— Merci encore, Kerry.

— Alors ? Qu'avez-vous pensé du labyrinthe ? voulut savoir Josie.

— Il est diabolique, répliqua Laura en s'efforçant de ne pas regarder Daniel. Mais fascinant, ajouta-t-elle. Quant à la gloriette, c'est une pure merveille.

Visiblement flattée, Kerry rosit.

— Je modifie le décor au printemps et à l'automne. Le moment approche. Je préfère des couleurs plus chaudes, pour l'hiver.

— Ce labyrinthe n'est qu'un ramassis de haies, bougonna Anne en faisant tourner les glaçons dans son verre. Nous devrions le transformer en court de tennis.

Anne était-elle toujours aussi agressive, ou le meurtre de Peter l'avait-il affectée plus que les autres ? Elle était sur les nerfs, son corps mince tendu comme un arc, ses mouvements saccadés, sa voix mordante.

Madeleine fit irruption dans le silence et adressa un sourire vague à l'assemblée.

— Comme c'est sympathique ! Amélia n'est pas encore là ?

Son regard était plus clair que la veille, son attitude plus normale, moins influencée par l'effet des sédatifs. Ce fut Alex qui lui répondit, d'un ton enjoué.

— Je suis sûr qu'elle va arriver, maintenant que les spectateurs sont tous rassemblés. Je te sers quelque chose, Madeleine ?

— Non, merci. Le médecin m'interdit l'alcool, décréta-t-elle en allant s'asseoir au bout du canapé où Anne se tenait. Tu sais, Alex, enchaîna-t-elle avec douceur, tu as tort de parler ainsi d'Amélia. Ça ne lui plairait pas du tout.

— Ne t'inquiète pas, Madeleine. Amélia et moi nous nous comprenons.

La vieille dame surgit, élégante et impériale

comme à son habitude, s'appuyant sur sa canne à pommeau d'argent.

— Vraiment, Alex ? M'aurais-tu insultée, par hasard ?

Il afficha un air pitoyable.

— Jamais de la vie. Je ne peux que vous admirer, Amélia. Un porto ?

— Oui, merci.

Elle se dirigea vers un fauteuil devant la cheminée et s'assit en souriant.

— Vous êtes tous superbes, déclara-t-elle avec satisfaction. Kerry, ma chérie, cette veste n'est guère appropriée.

— Excusez-moi, Amélia, murmura Kerry.

Alex apporta son verre à Amélia. A ce moment, on sonna à la porte d'entrée.

— Qui cela peut-il être, par un temps pareil ? Voulez-vous que j'y aille, Amélia, ou préférez-vous faire la sourde oreille ?

Laura trouva la question étrange, mais apparemment, elle était la seule. Amélia, le front plissé, répondit d'un ton plus résigné que gracieux.

— S'ils ont passé le portail, nous n'avons guère le choix. Vas-y, Alex.

Tout le monde attendit en silence. Un bruit de voix, toutes deux masculines, leur parvint et, un instant plus tard, Alex revint, un homme sur ses talons.

— Je crains qu'il ne s'agisse pas d'une visite de courtoisie, annonça-t-il.

Le nouveau venu était grand, large d'épaules, mince, et ses cheveux brillaient de gouttes de pluie. Il était assez séduisant, avec ses traits aiguisés et ses yeux gris. Il ne semblait pas du tout intimidé de pénétrer dans un salon rempli de Kilbourne.

— Bonjour, Brent, dit Daniel.

— Daniel. Mesdames... Bonjour, mademoiselle Sutherland. Je ne sais pas si vous vous souvenez de moi, mais...

— Je me souviens parfaitement de vous, lieutenant Landry.

Comment aurait-elle pu l'oublier ? Elle lui avait parlé brièvement tout en essayant d'effacer l'encre qui avait servi à prendre ses empreintes, le lundi suivant le meurtre.

Amélia, qui avait le dos à la porte, ne prit pas la peine de se retourner.

— Je déteste cette manie que vous avez de déranger les gens à l'heure du repas sous prétexte que vous êtes plus sûrs de les trouver chez eux.

Personne ne parut surpris par cet éclat. Intriguée, Laura vit Brent Landry hausser les sourcils en direction de Daniel. Celui-ci l'invita d'un geste à s'avancer, avant d'aller lui-même se placer derrière Laura. Landry se posta devant la cheminée, d'où il pouvait voir tout le monde.

— Alors ? gronda Amélia, exaspérée.

— Je suis désolé, madame Kilbourne, dit-il poliment, mais les policiers sont parfois obligés d'enfreindre les règles élémentaires de courtoisie.

— Votre grand-mère doit se retourner dans sa tombe. Elle ne vous a jamais enseigné ces manières-là. Comment se porte votre mère ?

— Très bien. Comme l'a dit Alex, il ne s'agit malheureusement pas d'une visite de courtoisie.

Laura tira ses conclusions de ce bref échange : un, Amélia ne considérait pas Brent Landry comme un simple représentant de la police, mais plutôt comme un égal ; deux, Landry ne se laissait pas intimider par la vieille dame, même si elle avait bien connu sa grand-mère.

Son attitude parut forcer le respect d'Amélia. Elle s'exprima d'une voix moins tranchante :

— Très bien, puisque c'est une affaire officielle, allez-y.

— J'ai quelques questions à vous poser, madame. J'ai pensé qu'il valait mieux me déplacer pour cela. Nous serons plus tranquilles ici.

— C'est au sujet de la mort de Peter, je présume ?

Madeleine poussa un petit cri et fixa Landry d'un regard douloureux.

— Savez-vous qui... ?

Landry hésita presque imperceptiblement :

— Non, pas encore. Je veux seulement...

— Dépêchez-vous, s'impatienta Amélia. Auparavant, toutefois, j'aimerais que vous répondiez à une ou deux de mes questions.

Il haussa un sourcil intrigué.

— Pourquoi êtes-vous soudain chargé de l'affaire, Brent ? Depuis l'assassinat de Peter, plusieurs policiers ont défilé ici. C'est la première fois que nous vous voyons.

— On m'a confié l'enquête il y a deux jours. Pour en connaître la raison, il faudra vous adresser à mon supérieur.

Laura jeta un coup d'œil vers Amélia, qui esquissait son sourire de Joconde. Elle se demanda si son amitié avec le chef de la police avait quelque chose à voir avec la nomination de Landry. Amélia avait-elle jugé qu'il valait mieux pour la famille que l'enquête soit menée par un ami ? Espérait-elle pouvoir contrôler, ou du moins influencer Landry, dans le cas où il s'attaquerait à l'un des Kilbourne ?

S'attendait-elle, par conséquent, que l'un d'eux soit suspecté ?

— Très bien, dit-elle. Puisque vous êtes responsable de cette affaire, pourquoi n'êtes-vous pas en train de rechercher le meurtrier ?

— J'ai tout mis en œuvre pour cela, madame. J'ai du reste quelques indices.

Amélia serra les lèvres.

— Nous vous écoutons.

Landry scruta son auditoire rapidement, puis déclara d'une voix calme :

— Dans la chambre du motel où Peter a été tué, nous avons découvert quelques cheveux roux. Cela tiendrait donc à confirmer le témoignage du gérant qui affirme avoir vu Peter arriver en compagnie d'une rousse.

— Tu parles d'un scoop ! marmonna Daniel.

Landry secoua légèrement la tête.

— Je vous l'accorde. Cependant, l'analyse du laboratoire nous a fourni une information capitale. Il semble que ces cheveux proviennent d'une perruque.

Laura se sentit soulagée d'un grand poids.

— Poursuivez, dit Alex. Nous sommes suspendus à vos lèvres.

— Ces cheveux, reprit Landry qui n'aimait pas qu'on le presse, proviennent d'une perruque très coûteuse. On en vend peu de cette couleur, surtout à Atlanta. Il nous a fallu du temps, mais nous avons pu retrouver trois acquéreurs. Deux ont été éliminés d'office.

— Et le troisième ? s'enquit Daniel.

Landry marqua une pause délibérément.

— La troisième perruque a été vendue, il y a tout juste un mois, à Anne Ralston.

— Que... Qu'aurais-je fait d'une perruque ? protesta Anne en contemplant son verre.

— Vous l'avez achetée, Anne. Le gérant de la

boutique vous a identifiée formellement d'après photo.

Anne tenta de rire, sans succès.

— D'accord, j'ai acheté une perruque. Et alors ?

Sourcils froncés, Alex intervint :

— En tant qu'avocat de la famille, je tiens à prévenir Anne qu'elle n'est pas obligée de vous répondre. Je l'encourage même vivement à se taire. Vous n'avez pas prononcé l'avertissement d'usage.

— Anne n'est pas en état d'arrestation. Je lui pose simplement quelques questions pour essayer d'avancer dans mon enquête.

— C'est possible, Brent, mais vous savez que...

Landry dévisagea Alex, puis s'adressa à Amélia.

— Plus vite nous aurons éclairci ce problème, plus vite je pourrai passer à la suite.

Amélia se tourna vers Anne.

— Sais-tu quelque chose, Anne ? Réponds !

— Amélia... prévint Alex.

— Je veux qu'elle réponde immédiatement ! glapit la vieille dame. Anne, as-tu tué Peter ?

— Non ! s'exclama Anne. Non, Amélia, je vous assure que non !

— Où étiez-vous le soir du meurtre, Anne ? demanda Landry d'un ton un peu plus dur.

Recroquevillée sur elle-même, les mains serrées sur son verre, elle regarda autour d'elle, avec l'air d'un animal pris au piège.

— J'étais sortie, chuchota-t-elle. Je l'ai déjà dit à la police. J'étais... sortie. J'étais à une soirée.

— La soirée démarrait à vingt et une heures, l'interrompit Landry. Personne ne se rappelle vous y avoir vue avant minuit.

Peter a été tué aux alentours de minuit, songea Laura.

De grosses larmes roulèrent sur les joues blêmes d'Anne.

— Je ne l'ai pas tué! sanglota-t-elle. Je ne l'ai pas tué!

— Mais vous étiez avec lui ce soir-là, n'est-ce pas? insista Landry. C'était vous, dans sa voiture. Le gérant du motel vous a aperçue. Je lui ai montré votre photo, Anne. Qu'a-t-il dit, à votre avis?

Elle leva enfin le visage vers lui, effondrée. D'une voix tremblante, elle avoua:

— J'étais avec lui. D'accord, oui, je... j'étais avec lui. Mais je ne l'ai pas tué!

Laura retint sa respiration et observa Kerry à la dérobée. La veuve de Peter était parfaitement calme. Laura eut l'impression d'être une intruse. Sa place n'était pas ici.

Elle pensa un instant s'esquiver, mais, avant qu'elle ne puisse bouger, Daniel lui saisit le poignet. Elle sursauta, lui jeta un coup d'œil, mais il regardait Anne. Personne n'avait remarqué son geste. Laura n'osa pas attirer l'attention sur eux en se débattant.

— Tu veux dire que tu couchais avec ton cousin? demanda Amélia d'une voix coupante.

Anne devint cramoisie. Elle lança à Amélia un regard empli de ressentiment et de honte.

— Je ne l'ai pas violé, vous savez! Je ne l'ai même pas séduit. C'est lui qui m'a fait des avances. Les fruits interdits sont bien meilleurs, m'a-t-il dit. Pourquoi ne...

— Peter est mort, coupa Amélia.

— Depuis combien de temps durait cette liaison, Anne? demanda Landry.

— Il ne s'agissait pas d'une *liaison*! se défendit-elle avec véhémence. Ce n'était que la deuxième fois que nous nous voyions! Et quand je suis partie, à vingt-trois heures trente, Peter était encore vivant. Il venait de prendre une douche. Le chauffeur de taxi a dû le voir, puisqu'il m'a escortée jusqu'à la porte, seulement ceint d'une serviette.

— Vous avez appelé un taxi ?

Elle acquiesça.

— La première société figurant dans les Pages jaunes. Le chauffeur a sûrement remarqué Peter.

— Très bien, Anne, je vérifierai. En attendant, je pense avoir suffisamment retardé votre repas. Ne me raccompagnez pas, je connais le chemin.

Personne ne bougea avant d'avoir entendu la porte d'entrée se refermer sur lui.

— Je suis outrée ! s'exclama Amélia en fusillant Anne des yeux. Comment as-tu pu faire une chose pareille ?

Anne se trémoussa sur son siège, sachant pertinemment qu'aucune explication ne satisferait sa grand-mère.

— J'aimerais comprendre, intervint Alex. Pourquoi la perruque ?

— Pourquoi pas ? s'emporta Anne. C'était un déguisement comme un autre. C'était même plutôt excitant. Peter aimait les rousses.

— Doux Jésus ! souffla Josie.

Anne se mit debout.

— Vous me regardez tous comme si j'étais une... une...

— A ta place, je ne terminerais pas ma phrase, murmura Alex.

— Vous ne comprenez pas. Vous ne pouvez pas savoir ce que c'était. Peter me...

— Epargne-nous les détails, je t'en prie, déclara Amélia, d'un ton glacial. Aie au moins un minimum de respect pour Madeleine et Kerry.

Anne lança son verre contre le manteau de la cheminée et sortit en courant.

— Je vais chercher un balai, annonça Josie en se levant.

— Non, laissez cela, ordonna Amélia. Allons dîner.

La scène leur avait coupé l'appétit, mais Laura ne fut guère étonnée de voir tous les membres de la famille suivre docilement Amélia jusqu'à la salle à manger. Sauf Daniel. Il ne bougea pas et ne relâcha pas son poignet.

— Pourquoi ne me laissez-vous pas partir ?

Il la dévisagea, l'air tendu.

— Vous voulez savoir qui a tué Peter, n'est-ce pas ? Dans ce cas, vous ne pouvez pas vous en aller.

— Croyez-vous que c'est Anne ? Est-ce elle que vous soupçonniez ?

Il hésita, puis :

— Je savais qu'elle avait une liaison avec lui.

— Vous la pensiez capable de commettre un meurtre ?

— Peut-être.

— Mais cependant vous n'êtes pas soulagé de voir qu'elle est innocentée, ou qu'elle le sera dès que le chauffeur de taxi aura confirmé son alibi ? Pourquoi ?

— Parce que ce n'est pas fini.

Il lui serra brièvement la main, puis la libéra.

— Rejoignez les autres, Laura. Dites à Amélia que je ramasse le verre cassé.

— Daniel...

— Allez-y, Laura.

Après un instant d'hésitation, elle obéit. Sur le seuil, elle se retourna et découvrit qu'il l'observait comme un peu plus tôt dans le labyrinthe, avec patience. Une patience infinie.

Comprenant mal pourquoi cela la troublait, Laura quitta précipitamment le salon.

Un nouvel orage éclata en pleine nuit, tirant Laura d'un sommeil agité. Elle se leva et s'approcha de la fenêtre pour contempler le ciel zébré d'éclairs. Toutes les allées étaient éclairées, conférant au parc un aspect irréel. Les ombres bondissaient et rampaient comme des êtres vivants, vacillaient et tremblaient à chaque coup de tonnerre, à chaque rafale.

Laura, fascinée, s'accouda au rebord de sa fenêtre. La tempête ne dura pas.

Elle s'apprêtait à retourner dans son lit quand un mouvement attira son attention, juste devant l'entrée de la serre. Quelqu'un quittait la maison, traversait précipitamment la terrasse, se faufilait dans les jardins. Sans pouvoir en être certaine, Laura pensa qu'il s'agissait d'une femme.

La silhouette était drapée dans un vêtement long et informe. L'éclairage était insuffisant pour l'identifier, mais quelle que soit cette personne, elle se hâtait à un rendez-vous tardif. Qui était-ce ? Où allait-elle ? Mystère.

9

— Tu veux dire que la soirée s'est déroulée normalement ?

Cassidy paraissait incrédule.

— Comme si de rien n'était, confirma Laura en lui tendant une tasse de chocolat chaud avant de se lover dans un fauteuil en face de son amie. Personne n'en a parlé. A table, la conversation s'est résumée à quelques banalités aimables. Ensuite, Kerry nous a joué un peu de piano. C'est une musicienne remarquable, entre parenthèses. C'était comme si ce flic n'était jamais venu, comme si aucun d'entre nous ne savait qui s'était trouvé avec Peter dans cette chambre de motel juste avant sa mort. Anne n'est pas redescendue hier soir, et je ne l'ai pas vue de la journée.

— Et Daniel ?

Laura contempla sa tasse.

— Lui non plus. Au petit déjeuner, Josie a annoncé qu'il avait dû aller en ville avec Alex. Le seul élément positif, c'est que Madeleine a semblé accepter ma présence parmi eux. Elle s'est montrée polie, gentille, même. Elle m'a traitée un peu comme elle traite Josie.

— Après l'aveu d'Anne, elle a probablement eu

la certitude que tu n'avais eu aucune relation avec Peter.

— Reste la question à dix mille dollars : qui l'a assassiné ? Si Landry obtient la confirmation qu'Anne a quitté le motel à vingt-trois heures trente, et que Peter était bel et bien vivant, elle sera innocentée. Le corps a été découvert vers une heure du matin, et le médecin légiste établit l'heure du décès aux alentours de minuit. Anne s'était rendue à une soirée, où elle a été vue. Elle n'aurait jamais eu le temps de revenir. Donc... qui est entré dans cette chambre quelques minutes seulement après son départ ?

— Tu penses que c'est un membre de la famille ?

— Je... je n'en sais rien. Amélia et Daniel ont fourni des alibis inébranlables. Ce n'est pas Madeleine. Une mère ne tue pas son fils, surtout celle-là. Anne n'est sans doute pas coupable. Kerry était en Californie. Ça nous laisse Alex et Josie... or, celle-ci affirme qu'Alex était à la maison ce soir-là.

— Mais elle est inquiète, selon toi.

— Oui, je la trouve tendue, préoccupée. Soit elle sait, soit elle soupçonne quelque chose. Quant à Alex... mystère. Je l'imagine mal poignardant Peter, mais je le connais à peine.

Cassidy fronça les sourcils.

— Anne t'a dit que Peter était mort à cause de la façon dont la famille menait ses affaires. Quel est ton avis là-dessus ?

— Ça me turlupine. Peut-être a-t-elle dit ça comme ça, c'est son genre, mais elle paraissait très sûre d'elle. Elle a précisé aussi que Peter avait des projets, et que Daniel n'était pas le seul capable de gagner de l'argent dans la famille.

— Ce qui signifie... ?

— Je ne sais pas. Anne était dans cette chambre de motel le soir où Peter est mort. C'était leur deuxième rendez-vous. Elle était sa maîtresse, il a pu lui dire quelque chose. Peut-être était-il mouillé dans une histoire qui avait mal tourné ? Peut-être est-il resté à l'hôtel parce qu'il devait y rencontrer quelqu'un d'autre. Peut-être ce quelqu'un l'a-t-il assassiné.

— Ce qui tendrait à prouver qu'il trempait dans une affaire louche. Est-ce possible ? Il n'avait pas besoin d'argent, pourtant.

Laura réfléchit.

— Si j'ai bien compris, Peter était exclu du clan et ne récoltait que les miettes qu'Amélia daignait lui jeter. Cela confirme ce que racontent tes journaux : une fois Amélia morte, Daniel tiendra seul les rênes. Pour Peter, le temps commençait à presser. Peut-être avait-il besoin de montrer à ses proches de quoi il était capable. Pour cela, peut-être a-t-il été forcé d'œuvrer dans l'ombre.

— Comment comptes-tu trouver la vérité ?

— Comme je l'ai fait jusqu'ici, je suppose. En fouinant, en posant des questions, en écoutant attentivement les réponses.

Cassidy la dévisagea d'un air intrigué.

— Tu... ton attitude a changé, en as-tu conscience ?

— Comment ça ?

— La première fois que tu t'es rendue chez les Kilbourne, tu étais mal à l'aise. Tu les croyais abattus par la mort de Peter et on te soupçonnait de l'avoir tué. Tu te sentais l'âme d'une suspecte, et tu voulais savoir si la glace y était pour quelque chose. Ensuite, tu as découvert une sorte de jeu de pouvoir entre Amélia et Daniel, et tu as eu l'impression qu'ils se servaient de toi comme d'un pion.

— Oui. Et alors ?

— Aujourd'hui, tes priorités semblent s'être modifiées. Tu n'as plus la sensation qu'on te soupçonne. Tu parais presque éviter le sujet de la glace. Tu as interrogé Daniel à ce propos, mais tu n'as pas insisté. Tu ne lui as pas dit que tu savais qu'il mentait. Tu l'as laissé tout nier. Te rends-tu compte que tu as déjà choisi ton camp, dans ce jeu de pouvoir auquel tu prétends ne rien comprendre ?

Laura esquissa un vague sourire.

— Je ne cesse de me répéter qu'Amélia a sans doute raison. Daniel est un homme dangereux. Je ne sais rien de lui et, en sa présence, je suis tiraillée par des sentiments contradictoires. Je ne peux pas m'empêcher de penser que ses secrets ont un rapport avec moi. Je suis partagée entre l'envie de m'enfuir et celle de...

— De te jeter dans ses bras ?

Laura laissa échapper une sorte de rire.

— Exactement. Je ne sais pas ce qui me prend, Cass. Tu me connais bien. Depuis des années, tu te moques de ma méfiance à l'égard des hommes. Or celui-ci, que j'ai rencontré il y a une semaine à peine, je l'ai dans la peau. Dieu sait comment c'est arrivé. Il est énigmatique comme un sphinx. Il me ment régulièrement. Il a cru pendant un temps que j'avais été la maîtresse de son frère, et que j'étais probablement son assassin. Il n'a touché que ma main... Comment expliquer qu'il m'obsède ?

— Est-ce si important ?

Laura renversa la nuque et ferma brièvement les yeux. Puis elle les rouvrit et considéra son amie.

— Amélia m'a invitée à passer le week-end chez eux.

Cassidy parut mal à l'aise.

— Je sais que tu y as dormi la nuit dernière et qu'il ne s'est rien passé de grave, Laura, mais crois-tu que ce soit une bonne idée de recommencer ? Tu dis toi-même que tu trouves l'atmosphère de cette demeure oppressante et que tu es sans cesse sur tes gardes. Cela me paraît malsain. De plus, rien ne dit que le meurtrier n'est pas un Kilbourne. Après tout, Amélia n'a-t-elle pas tué son mari ? Daniel lui-même en est persuadé, apparemment.

— Là-dessus, il ne mentait pas. Mais soupçonner n'est pas prouver.

— Je te l'accorde. Peut-être la vieille dame n'est-elle pour rien dans cette affaire. Au bout de quarante ans, et au vu de sa réputation immaculée, nous pouvons lui accorder le bénéfice du doute. Il se peut que l'assassin ne soit pas un ami de la famille. Cependant, il reste ce jeu de pouvoir entre Daniel et Amélia. N'oublie pas que les pions sont toujours sacrifiés, Laura. Et, en ce qui concerne Daniel, tu me sembles très vulnérable. Tu ne sais pas cacher tes sentiments. Crois-tu que ce soit sage de coucher dans une chambre à quelques mètres de la sienne ?

Laura faillit rectifier : les appartements de Daniel étaient dans une autre aile. Josie lui avait fait visiter toute la maison dès le deuxième jour, elle savait donc où chacun était logé. Cependant, elle se dit qu'elle focalisait sur des détails pour éviter le problème, aussi se contenta-t-elle de répondre :

— Sans doute pas.

— Dans ce cas, pourquoi aller y passer le week-end ?

— Tu vas me croire complètement folle. J'ai l'étrange impression qu'il faut que j'y sois.

Cassidy écarquilla les yeux.

— Laura, s'agit-il d'un de ces trucs bizarres que tu ne t'expliques pas toi-même, comme ta déprime chronique au moment de Noël ou ton refus de te couper les cheveux ?

Cette dernière lubie l'avait prise vers l'âge de cinq ans. Sa mère économisait quelques dollars en coupant elle-même les cheveux de ses huit enfants. Un jour, Laura s'était mise à résister. Elle se rappelait encore ses sanglots, et la terrible sensation de douleur qui l'assaillait, mais qu'elle ne pouvait exprimer. Laura frisait la crise d'hystérie, jusqu'au jour où sa mère, exaspérée, avait cédé.

— Je les ai coupés court pour mes seize ans, par défi. J'en ai eu le cœur brisé. C'était un peu comme si j'avais trahi quelqu'un. J'étais bien incapable de dire qui, ou pourquoi.

— Je me souviens de cette histoire... Ainsi, ce désir de passer le week-end chez les Kilbourne est du même ordre ?

— Oui... non. Je n'en sais rien, Cass. Dès que je mets le pied dans cette maison, je suis submergée de sentiments divers, que j'ai du mal à analyser. Je... il faut que je sois là-bas ce week-end, c'est tout.

Cassidy posa sa tasse sur la table basse, puis souleva la glace, que Laura était en train d'examiner lorsqu'elle était arrivée.

— Tu l'emportes ?

— Oui.

— Pourquoi ? Tu affirmes qu'elle n'a rien à voir avec le meurtre de Peter. C'est la vérité, n'est-ce pas, Laura ? Cette glace est désormais une affaire entre Daniel et toi, non ?

— Il a menti à ce propos. Il sait quelque chose.

Cassidy replaça l'objet avec soin, l'air préoccupé.

— Je crois que je me suis trompée, tout à l'heure. Tu n'as jamais cessé de penser à cette glace. Tu y tiens encore plus qu'au début. Pourquoi ? Parce que Daniel t'a menti ?

— Cesse de me poser des questions auxquelles je suis incapable de répondre, Cass ! riposta Laura avec un sourire forcé.

— C'est une heure bien tardive pour venir ici, non ? dit Alex.

Josie sursauta, le dévisagea un instant, puis scruta la gloriette comme si elle s'attendait à y voir une pendule.

— Ah, oui ?

— Il est presque vingt-trois heures.

Comme elle, il s'était changé après le repas pour adopter une tenue plus décontractée. Josie se demanda s'il était venu ici à sa recherche, ou s'il s'agissait d'une de ses mystérieuses promenades nocturnes.

— Si Amélia a besoin de moi...

— Je ne suis pas son messager, trancha-t-il.

Il paraissait nerveux. Josie fronça les sourcils.

— Excuse-moi.

Alex fourra les mains dans les poches de son jean.

— Non, c'est moi. Je ne voulais pas t'agresser. Je t'ai aperçue de ma fenêtre, tandis que tu traversais la terrasse, et je me suis dit... (Il haussa les épaules.) Je me suis dit que j'en avais assez de cette danse des politesses que nous exécutons depuis le début de la semaine. J'ai eu envie de te retrouver dans l'espoir de... euh... changer la musique.

— Comment cela ?

Assise, elle se sentait en position d'infériorité, alors qu'Alex la dominait de toute sa taille. Cependant, elle ne se leva pas.

— Est-ce que tu veux bien me pardonner ?

Au prix d'un énorme effort, Josie demeura impavide.

— Tout dépend si tu es sincère.

Il ouvrit la bouche, puis secoua la tête.

— Non. Je persiste et je signe. Je refuse que nous soyons trois dans mon lit.

— Quant à moi, je ne peux pas m'empêcher d'éprouver certains sentiments. Je comprends mal pourquoi je n'arrive pas à... à me libérer de lui, Alex.

— Peut-être est-ce parce que tu l'aimais.

Josie hocha la tête, bien qu'elle ait pris conscience du contraire, depuis deux ou trois jours. Ce n'était pas parce qu'elle l'avait aimé qu'elle était incapable de l'oublier. Son souvenir, sans douleur aujourd'hui, la protégeait. Elle avait trop peur de souffrir encore.

— Josie ?

Elle le dévisagea et songea qu'au fond elle n'aurait peut-être pas le choix. Avec ou sans son consentement, la carapace derrière laquelle elle s'était toujours dissimulée cédait, remplacée par autre chose, d'une tout autre puissance.

— Josie...

Il s'agenouilla devant la chaise longue et posa les mains sur les siennes.

— J'ai agi bêtement, d'accord ? Je t'ai poussée dans tes retranchements, je n'aurais jamais dû. Je ne commettrai plus cette erreur.

Elle libéra une de ses mains pour lui caresser le visage.

— Tu m'as dit que tu avais un droit sur moi.

— J'avais tout faux, Josie. Nous pouvons recommencer comme avant, si tu veux. Cela me suffira.

Du bout du doigt, elle traça le contour de sa lèvre inférieure.

— Tu m'as dit que la prochaine fois que je te rejoindrais, il faudrait que je vienne seule.

— Tu ne l'as peut-être pas remarqué, mais tu n'est pas venue. C'est moi qui ai fait le premier pas. Mon ultimatum a fait long feu, j'ai ravalé ma fierté, ajouta-t-il avec un petit rire, avant de parsemer son poignet de baisers. Tu peux être contente de toi, ma chérie. Il est rare qu'un Kilbourne se mette à genoux.

— Ce n'est pas là que je souhaite le voir.

La chaise longue était étroite, et la nuit, particulièrement fraîche, mais ces inconforts n'avaient aucune prise sur leur passion. Ils ne semblaient même pas envisager qu'on pût les surprendre.

Ils se déshabillèrent à la hâte, envoyant voler chaussures et coussins. La force de leur désir était telle qu'ils ne perdirent pas une seconde en préliminaires. Allongée sous lui, Josie rassembla enfin assez d'énergie pour murmurer :

— Nous n'avons même pas fermé les rideaux.

Alex se hissa sur un coude pour la contempler. Il esquissa un sourire.

— Ça t'ennuie ?

Elle l'embrassa.

— Non. Cependant, nous ferions mieux de nous rhabiller. Il fait froid.

Il l'enlaça une dernière fois et se leva.

A mi-chemin entre le labyrinthe et la demeure, elle glissa la main dans la sienne.

— Alex, si je te pose une question, voudras-tu me répondre en toute franchise ?

— Dans la mesure du possible.

— Que manigancez-vous, Daniel et toi ?

— Ce que nous *manigançons* ? Drôle de façon de s'exprimer ! On croirait deux adolescents surpris à fumer derrière la grange.

Elle croisa son regard.

— Ce n'est pas une réponse.

Il se détourna et fit quelques pas en silence.

— Peter est mort en nous laissant une sale affaire sur les bras, mon cœur. Nous tâchons de réparer les dégâts.

— De quoi s'agit-il ?

Alex secoua la tête.

— Moins tu en sauras, mieux tu te porteras. Tu me fais confiance ?

— Oui, mais...

— Il n'y a pas de mais, l'interrompit-il en resserrant son étreinte. Il se trouve que mon cher cousin était encore plus ignoble que je ne l'imaginais. Si nous ne parvenons pas à résoudre le problème, la famille en subira les conséquences.

— Tu ne veux pas m'en parler ?

— Pas pour le moment, Josie.

— Il y a quelques jours, tu m'as dit qu'Amélia et Daniel avaient une idée derrière la tête. Tu as eu l'air de dire qu'une guerre se préparait. Tu t'es même demandé combien d'entre nous serions encore debout à l'issue des combats.

— J'ai dit tout ça ? s'exclama Alex. Quel incorrigible bavard !

Josie ne se laissa pas impressionner par son apparente légèreté.

— Daniel et Amélia se sont toujours querellés. Depuis la mort de Peter, c'est encore pire. Ils semblent se détester. Est-ce le cas ?

— Je n'en sais rien, ma chérie.

— Qui a tué Peter ?

— Je l'ignore.

Josie aurait voulu l'interroger sur ses faits et gestes lorsqu'il l'avait quittée, le soir du meurtre, mais elle n'en eut pas le courage.

— Tout est lié, n'est-ce pas ? La lutte entre Amélia et Daniel, l'assassinat de Peter, l'affaire louche qu'il a laissée derrière lui. Il y a un lien entre tous ces événements.

— Laisse tomber, Josie.

— Pourquoi ai-je la sensation que, tôt ou tard, je vais devoir choisir mon camp ?

— J'espère que ce ne sera pas nécessaire.

Lorsqu'ils pénétrèrent dans la maison endormie, elle le suivit jusqu'à sa chambre.

Laura arrêta sa décision : elle allait passer le week-end chez les Kilbourne. Aussi arriva-t-elle avec son sac le vendredi matin. Elle rangea ses affaires dans la chambre qui lui avait été destinée le mercredi soir, puis descendit retrouver Amélia, qui l'attendait pour une nouvelle séance de pose.

Cependant, Laura avait une autre idée en tête.

— Je sais que vous avez beaucoup à faire, Amélia. J'ai entendu Josie vous parler de tout ce courrier qui vous attend. Quant à moi, j'éprouve le besoin de tenter quelques expériences avec mes peintures. J'ai apporté tout mon matériel. J'aimerais m'installer dans la serre, car la lumière y est bonne, et travailler seule aujourd'hui.

Amélia hésita, puis acquiesça.

— C'est une excellente idée, mon enfant. En effet, j'ai des coups de téléphone à donner et de la correspondance à rédiger. De plus, je dois aller en ville cet après-midi régler quelques affaires. Si cela ne vous ennuie pas de rester seule…

— Pas du tout, Amélia.

La vieille dame hocha de nouveau la tête.

— Dans ce cas, vous êtes libre de vaquer à votre guise.

Laura s'installa donc dans la serre, pendant qu'Amélia et Josie se mettaient à l'ouvrage dans la bibliothèque. Comme toujours, la demeure était silencieuse. Où étaient tous les autres ?

Elle était agitée, sur les nerfs, et plus la matinée avançait, plus elle prenait conscience d'attendre quelque chose.

Elle s'était placée de manière à avoir vue sur les jardins. Elle avait décidé de peindre la partie où le petit pont de bois enjambait le ruisseau. Absorbée dans ses pensées, ce ne fut que lorsque Josie vint l'inviter à passer à table qu'elle se rendit compte qu'elle n'avait pas du tout représenté ce qu'elle avait sous les yeux.

— C'est superbe ! s'exclama Josie.

Laura fronça les sourcils devant sa toile, ahurie. Les touches de couleur s'étaient transformées en fleurs et en arbres au bord d'un lac, sur un fond de montagnes. Le paysage était magnifique, mais Laura ne savait pas d'où il sortait, ni pourquoi elle l'avait peint.

Madeleine et Kerry se présentèrent à la salle à manger, mais Anne demeura invisible. Personne ne jugea utile de préciser où se trouvaient Daniel et Alex. Laura n'osa pas poser la question. Après le repas, Amélia renonça à sa sieste quotidienne pour se rendre en ville avec Madeleine, qui avait rendez-vous chez son médecin.

Le chauffeur, remarqua Laura avec une pointe d'amusement, était un gentleman grisonnant et sévère d'une bonne soixantaine d'années.

Quand la Lincoln eut disparu, Kerry alla se mettre au piano, tandis que Josie, après s'être assurée que Laura n'avait besoin de rien, allait se promener dans le parc.

Laura se remit à son tableau, mais plus elle l'examinait, plus son agitation grandissait. Quelque chose n'allait pas. Mais quoi ? Il manquait un détail. Elle se mit à arpenter la pièce de long en large et décida brusquement qu'elle en avait assez. Elle avait besoin de s'occuper autrement pendant un moment.

Se rappelant qu'Amélia lui avait recommandé d'explorer la maison de fond en comble afin de mieux la connaître, Laura se demanda ce qu'elle pouvait visiter sans être indiscrète. Le grenier, peut-être ? Quelques minutes plus tard, elle était dans l'escalier.

Parvenue au premier étage, Laura se demanda distraitement pourquoi le grenier l'attirait plus que la cave. Sans doute était-ce dû à l'atmosphère générale de la demeure. Toutes ces pièces sombres et oppressantes ne l'encourageaient guère à s'aventurer au sous-sol.

Elle n'eut aucun mal à découvrir l'escalier qui y menait. Sur le palier, elle trouva un interrupteur, et plusieurs ampoules s'allumèrent, éclairant chichement un vaste espace aménagé de façon rustique et dépourvu de fenêtre. Cartons et malles, vieux meubles et souvenirs de famille s'entassaient dans la pénombre.

Laura allait commencer à fouiner quand un reflet sur le mur du fond capta son regard. Quelque chose y était accroché, protégé par un vieux plaid dont un coin relevé découvrait un morceau de cadre entourant... un miroir.

Un miroir immense. Elle dut se hausser sur la pointe des pieds pour ôter la couverture. Comment avait-il échappé à la vente ? Etait-ce un souvenir auquel la famille Kilbourne tenait particulièrement, ou l'avait-on jugé trop grand pour intéresser un éventuel acheteur ? Il était splendide, entouré de chêne sculpté.

Comme toujours, Laura se plaça devant et regarda au-delà de son reflet, par-dessus son épaule droite. Le grenier était rempli de formes et de silhouettes bizarres, et elle eut l'impression de contempler un décor mystérieux tout droit sorti d'un rêve.

Et comme dans un rêve, l'image chatoya, puis se transforma.

Il y eut un mouvement dans la pénombre, et le cœur de la jeune femme se mit à battre à folle allure. La pièce derrière elle se métamorphosait... Elle vit tout d'abord une chambre à coucher, qu'éclairait une bougie, puis un boudoir, un salon, une autre chambre, qu'un homme parcourait à pas lents. Il venait vers elle, changeant à mesure, d'abord brun, puis blond, puis de nouveau brun ainsi que ses vêtements.

L'image vacilla encore, et Laura aperçut Daniel juste derrière elle. Leurs regards se croisèrent, se soudèrent l'un à l'autre, et une certitude s'abattit sur Laura avec la force d'une lame de fond.

C'est vous. C'est vous que je cherchais.

Elle ne pouvait plus bouger, elle osait à peine respirer. Elle le sentait dans son dos. Ses mains se posèrent sur les siennes, remontèrent le long de ses bras pour se placer sur ses épaules. Il ouvrit le col de son chemisier de soie et pencha la tête pour effleurer sa gorge de ses lèvres. Elle s'entendit gémir, submergée de sensations exquises, et renversa la tête pour mieux s'offrir à ses caresses.

Elle ferma les yeux. Il déboutonna son chemisier, l'écarta. Elle gémit de douleur et de désir.

— Laura...

Sa voix était grave, rauque. Il la tourna vivement vers lui et l'étreignit avec ardeur.

Il lui sembla qu'elle s'embrasait. La bouche de Daniel cherchait la sienne. Ils se dévêtirent, frémissant d'impatience.

Il n'était plus impassible. Ses yeux brillaient, ses traits étaient tendus, ses mains tremblaient.

— Laura...

Sans trop savoir comment, elle se retrouva allongée par terre sur le plaid qui avait recouvert le miroir. Daniel la caressait, la couvrait de baisers. Du genou, il écarta ses cuisses.

Laura pensait tout connaître des plaisirs des sens. Elle se rendait compte à présent que ce qu'elle avait ressenti jusqu'alors n'était que la réaction banale d'un corps jeune et sain aux stimulations physiques. Avec Daniel, ce qu'elle éprouvait allait bien au-delà d'un plaisir purement sensuel. C'était comme s'il était l'autre moitié d'elle-même.

— Daniel...

Combien de temps encore allait-elle pouvoir supporter l'exquise torture qu'infligeait la bouche de Daniel à ses seins ?

L'espace d'un instant, ils se figèrent, étroitement enlacés. Puis Daniel se mit à aller et venir en elle, accélérant son rythme jusqu'à ce que Laura pousse un cri. Etourdie, tremblante, elle s'accrocha à lui tandis qu'il atteignait à son tour le paroxysme du plaisir.

L'atmosphère était lourde, incitait à la langueur. Du moins est-ce ainsi que Laura s'expliquait sa réticence à bouger. Leur lit était dur et inconfortable, la mince couverture les protégeant à peine du parquet. La tête sur l'épaule de Daniel, elle regarda leurs vêtements éparpillés.

Mon Dieu, que m'est-il arrivé ?

Avec le recul, ce qu'elle avait vu, ou cru voir dans le miroir semblait n'être qu'un rêve. Oui, bien sûr, tout cela était irréel. Cependant, aucun raisonnement, aucun argument logique ne pouvait battre en brèche la certitude qu'elle éprouvait : depuis toujours, c'était lui qu'elle avait cherché dans d'innombrables glaces, sachant qu'un jour il serait là.

Prenant tout d'un coup conscience qu'il y avait d'autres personnes dans la maison, elle s'obligea à quitter la chaleur de leur étreinte. Josie était sans doute rentrée de sa promenade, Amélia et Madeleine de leur rendez-vous en ville.

— Pas tout de suite, murmura-t-il.

Il l'attira vers lui.

— La porte n'est même pas fermée, chuchota-t-elle.

— Personne ne vient jamais ici.

— Si, toi.

— Je te suivais.

— Je ne savais même pas que tu étais là.

— Je suis arrivé tout de suite après le départ d'Amélia et de maman. Je t'ai entendue monter au grenier.

Laura n'avait aucune envie de troubler la paix

de ce moment d'autant plus précieux qu'il serait bref, mais elle ne put s'empêcher de demander d'un ton sec :

— Tu avais peur que je ne trouve quelque chose ?

Il avait repris son masque impassible, son ton monocorde.

— Comment pourrais-je vouloir te cacher quoi que ce soit ?

— Je n'en sais rien. Pourquoi m'as-tu suivie ?

Il répondit sans hésiter :

— Parce que je savais ce qui allait se passer.

— Comment ?

C'était toi, dans le miroir. Pendant toutes ces années, c'est toi que je cherchais. Le savais-tu ?

Du bout du doigt, il effleura la ligne de son sourcil, puis sa pommette. Avec le pouce, il lui caressa la lèvre inférieure.

— Je le voulais, répondit-il enfin.

— Et Daniel Kilbourne obtient toujours ce qu'il veut, c'est cela ?

Il grimaça.

— Pas toujours, non. Ne transforme pas cette histoire en un jeu de pouvoir. Tout, dans mon existence, est une question de pouvoir. Mais pas ça. Toi aussi, tu en avais envie, Laura.

Elle ne pouvait pas le nier, elle n'essaya même pas. Lorsqu'il l'enlaça de nouveau, elle ne chercha pas à s'éloigner. Plus rien n'avait d'importance, sinon cette fusion de leurs corps, de leurs âmes.

Laura reboutonna lentement son chemisier. A quelques pas, Daniel se rhabillait, lui aussi, et sa proximité la troublait. Leurs étreintes, au lieu de la combler, avaient exacerbé le désir qu'elle avait de lui. Elle voulait qu'il fût sien à jamais, et totalement.

— Et maintenant? s'enquit-elle malgré elle, avec un calme apparent.

Il prit son visage entre ses mains.

— Un après-midi ne me suffit pas, Laura. Reste avec moi ce soir.

Elle s'obligea à réfléchir, refusant de le laisser décider pour elle.

— Et Amélia?

— Quoi, Amélia? C'est une affaire entre toi et moi.

Non. Non, et tu le sais très bien.

— Laura?

Elle secoua la tête, dans l'espoir qu'il accepterait cette réponse. Il plissa aussitôt les yeux.

— Je ne joue pas les prudes effarouchées, dit-elle de mauvaise grâce. Simplement, je serais mal à l'aise de passer la nuit avec toi dans cette demeure.

— A cause d'Amélia?

— Des autres, aussi. C'est la maison de ta famille.

Elle haussa les épaules, incapable de trouver les mots pour décrire ce qu'elle éprouvait.

Daniel l'observa un moment, puis hocha la tête.

— Très bien. Je respecte tes sentiments. Dans l'immédiat, du moins. Mais nous savons tous deux que ce n'est qu'un commencement. N'est-ce pas, Laura?

— Oui, murmura-t-elle, tout ensemble exaltée et terrifiée par cette promesse.

10

— Amélia ne pensait pas que tu reviendrais cet après-midi, n'est-ce pas ? s'enquit Laura, tandis qu'ils regagnaient le rez-de-chaussée.

De la salle de musique leur parvinrent les notes apaisantes d'une sonate que Laura reconnut vaguement. Elle songea distraitement que Kerry passait beaucoup de temps à s'exercer.

Daniel s'arrêta au bas des marches, le regard indéchiffrable.

— J'avais une réunion, mais elle a été annulée. Pourquoi ?

— Je me posais la question, c'est tout, dit-elle avec une indifférence feinte qui ne l'abusa pas.

Sans insister, il lui prit la main.

— Que faisais-tu, avant de monter explorer le grenier ? Tu peignais ?

— Oui, dans la serre.

— Le portrait d'Amélia ?

— Non. Je voulais me faire la main avant de m'y mettre.

— Cela t'ennuie que je voie ton tableau ?

Il était déjà dans le corridor menant à la serre et l'entraînait à sa suite.

— Pas du tout, répondit-elle d'un ton un peu sec.

Il lui jeta un coup d'œil et sourit, visiblement amusé.

— Suis-je présomptueux ? Ai-je tort de penser que ça va de soi ?

— Je n'en sais rien. Tout dépend de ce qui va de soi. Que tu puisses voir mon travail ? Ça n'a rien de secret : mon chevalet est installé dans la serre, au vu et au su de tous ceux qui passent devant. D'ailleurs, tu as déjà regardé certains de mes dessins.

— Et cela t'a perturbée, devina-t-il.

— C'est possible, murmura-t-elle en haussant les épaules. Je suis habituée aux critiques, comme n'importe quel artiste.

— Pour tes boulots publicitaires, certainement. Mais en ce qui concerne ce genre de travail, tu manques de confiance en toi, il me semble.

— Je te l'ai dit le premier jour. Toutefois, si je veux percer en dehors du domaine de la pub, il va bien falloir que…

Il fit halte et la regarda.

— Que tu essuies un feu nourri de critiques ?

— Que je me blinde, surtout, riposta-t-elle avec un petit sourire. Les critiques d'art n'ont pas la réputation d'être tendres.

— Personnellement, je t'accorde un vote de confiance. J'ai senti un véritable talent dans ces esquisses. (Sans lui laisser le temps de réagir, il l'embrassa, d'un baiser bref, mais sensuel.) Tu me montres ta toile ?

Laura acquiesça en se demandant si elle serait capable de lui refuser quoi que ce soit. Cette interrogation l'affola d'autant plus qu'elle connaissait d'avance la réponse. Elle s'avança à ses côtés, sa main toujours dans la sienne, et resta près de lui pendant qu'il contemplait un paysage sorti tout droit de son imagination. Le silence se prolongea, pesant, et, comme il demeurait impassible, Laura voulut lui expliquer qu'elle n'avait aucune idée de ce qui l'avait poussée à peindre cette scène. Il la devança :

— C'est superbe ! Tu as su rendre à la fois la paix et la grandeur de cet endroit. Seulement, tu as oublié la maison.

Elle écarquilla les yeux.

— La maison ?

De sa main libre, il désigna un coin, au bord du lac.

— Là. La maison était là.

— Tu... tu connais ce lieu ? Il existe ?

— En douterais-tu ? dit-il en souriant légèrement.

— Eh bien... je le croyais sorti de mon imagination...

Elle fronça les sourcils, perplexe.

— Tu as dû voir une photo quelque part. Dans une revue, peut-être. Les images se gravent parfois dans notre esprit à notre insu. Est-ce important ?

Laura n'en était pas sûre, mais elle en avait l'impression.

— Où se trouve cet endroit ?

— En Ecosse.

Elle fut sidérée.

— Tu y es déjà allé ?

— Oui, et je l'adore. Tu en as magistralement capté l'atmosphère. (Il l'attira contre lui.) Tu es très douée, comme je le pensais.

Elle répondit au quart de tour et passa les bras autour de sa taille. Puis elle leva sur lui un regard désemparé.

— Daniel, nous ne devrions pas...

Il couvrit ses lèvres des siennes, éveillant en elle un tourbillon de sensations. Son désir pour lui balayait toute autre pensée. S'il l'avait prise sur le sol, dans ce décor verdoyant, elle n'aurait pas émis la moindre protestation.

Daniel la regarda intensément et, glissant les mains sur ses fesses, la pressa durement contre lui.

— Daniel... non ! Pas ici. Pas maintenant. Josie est probablement rentrée de sa promenade. Kerry pourrait sortir d'un instant à l'autre de la salle de musique. Quant à Amélia et à ta mère, elles ne tarderont pas à revenir. Nous ne pouvons pas...

Il continua de la caresser.

— A ton avis, comment ferons-nous ?

Laura songea qu'elle serait rarement délivrée de la présence d'Amélia tant que le portrait ne serait pas achevé, rarement seule avec Daniel dans cette maison toujours pleine de monde. Il serait difficile pour eux de se retrouver, d'autant qu'elle n'avait pas envie de partager son lit.

— Une soirée chez toi par-ci, par-là ? railla Daniel. Quelques minutes volées à l'occasion dans le grenier ? Un rendez-vous furtif dans le parc, si le temps le permet ? Crois-tu que cela sera suffisant, Laura ? Pour toi comme pour moi ?

Elle inspira à fond.

— Corrige-moi si je me trompe, mais si Amélia découvre ce qui se passe entre nous, je doute qu'elle applaudira.

— Et pourquoi ?

— Elle m'a mise en garde contre toi, Daniel, à deux reprises. Il me paraît évident qu'elle veut me tenir à distance de toi pour des raisons qui lui sont propres. Elle ne m'aurait jamais laissée seule ici aujourd'hui si elle avait su que tu rentrerais aussi tôt, reconnais-le.

— Je suppose que non.

— Eh bien, tu vois !

Il la contemplait toujours, mais son regard était devenu vague. Lorsqu'il reprit la parole, ce fut d'un ton songeur :

— Je ne sais pas. Peut-être. Sa mise en garde était peut-être destinée à... à nous éloigner le plus longtemps possible l'un de l'autre afin de faire monter la pression. Et de distraire ainsi mon attention.

— De quoi ?

Il esquissa un sourire.

— De nos petits jeux. Ne me dis pas que tu n'as rien remarqué.

— Des jeux, vraiment ? Rien d'autre ?

— De quoi pourrait-il s'agir sinon ?

— D'une lutte pour le pouvoir.

Daniel s'écarta légèrement. L'espace d'un instant, il parut pensif, puis il redevint impassible.

— Est-ce surprenant ? L'enjeu financier est de taille, et tous les membres de la famille sont concernés.

— Tu crains qu'Amélia ne compromette votre avenir ?

Il hésita, puis avoua :

— A ma majorité, il y a onze ans, je me suis rendu compte qu'Amélia avait mené la famille au bord du gouffre. Oh, sur le papier, la situation avait l'air saine, mais en réalité, nous étions à deux doigts de devoir vendre des terres afin de rembourser nos dettes et nos impôts. Après la mort de mon père, elle avait dilapidé une fortune : quelques bijoux incroyablement coûteux, qu'elle a laissés dans un coffre-fort, deux ou trois croisières autour du monde, des chevaux de course qui ne gagnaient jamais... Elle avait négligé les affaires familiales ou pris de mauvaises décisions, opté pour des investissements ridicules, misé sur des inventions absurdes. J'ai bien été obligé de la mettre devant les faits.

Laura imaginait sans peine la scène, vu la fierté d'Amélia et son besoin maladif de tout contrôler.

— J'ai lu quelque part qu'Amélia était légalement chargée de gérer votre fortune jusqu'à sa mort. Comment as-tu fait pour la persuader de te céder une partie de ses prérogatives ?

— Le testament de David était très précis. Il avait prévu une sorte de fidéicommis à perpétuité qui devait être administré successivement par divers membres de la famille. D'abord Amélia, puis, à sa mort, la lignée mâle en priorité : mon père, ensuite Peter ou moi, mon fils, etc. Ainsi, Amélia gardait la mainmise sur la fortune familiale, à condition qu'aucun des descendants de David ne puisse prouver de son vivant qu'elle était mauvaise gestionnaire. Mon père ne se souciait guère de ces questions et la laissait agir à sa guise. Néanmoins, environ un mois avant sa mort, quelque chose — j'ignore quoi — l'a suffisamment perturbé pour qu'il se plonge dans les dossiers. Je suppose qu'il a découvert, ou qu'il aurait fini par découvrir, les prémices du désastre dont j'ai été témoin dix ans plus tard. Je ne le saurai jamais. Il a été tué. Drôle de coïncidence, non ?

— Ce n'était peut-être qu'un tragique accident.

— Possible. En tout cas, preuves à l'appui, j'ai déclaré à Amélia que sa gestion était catastrophique et je l'ai placée devant l'alternative suivante : soit je la traînais devant les tribunaux pour obtenir le contrôle, soit elle l'abandonnait de son plein gré, tout en restant officiellement chargée de l'administration de notre fortune.

— Tu t'exposais donc à une guerre permanente.

— Ce qui nous ramène à nos petits jeux. Amélia a toujours légalement le droit de prendre des décisions et, depuis onze ans, elle teste les limites, pour voir jusqu'où elle pourra aller. En général, il s'agit de broutilles, de batailles d'autorité insignifiantes. Elle assiste à tous les conseils et, par provocation, prend le contre-pied de mes opinions sur des détails. Et, bien sûr, elle impose ses quatre volontés sous ce toit.

— Et les autres ? Sont-ils au courant ?

— Alex, oui. Josie s'en doute probablement. Le reste, non. Ils s'imaginent que j'interviens de façon active parce que Amélia vieillit, et que je suis plus ou moins ses directives, sans avoir de réel pouvoir. Amélia s'efforce de sauvegarder les apparences, surtout à l'extérieur. Maman et Kerry s'en fichent, Anne ne se préoccupe que d'elle seule, Amélia ne m'affronte donc guère ici. Ou vice versa.

— Peter le savait-il ?

— Il l'a appris le jour où il a tenté de persuader Amélia de lui offrir une voiture de sport italienne. Il avait vingt ans.

— Il... il s'est adressé à toi, ensuite ?

— Il n'aurait jamais osé. Il recevait une pension généreuse, et je lui avais clairement dit qu'il devait s'en contenter.

Laura hocha lentement la tête.

— Puisque tu soupçonnes Amélia d'avoir joué un rôle dans la mort de son mari et dans celle de ton père, ne crains-tu pas qu'elle cherche à se débarrasser de toi ?

— Je te le répète : je ne crois pas vraiment qu'elle ait tué David.

— En effet, tu me l'as dit, mais je ne t'ai pas cru.

Contre toute attente, il sourit.

— Disons simplement que prudence est mère de sûreté. Amélia sait pertinemment que j'ai confié à nos avocats une grosse enveloppe qu'ils ouvriront à ma mort... que celle-ci soit naturelle ou accidentelle. Rien, dans le testament de David, ne stipule qu'un de ses descendants doit être vivant pour accuser Amélia de mauvaise gestion.

Laura se sentit soudain glacée.

— Que se passerait-il, dans ce cas ?

— Si je mourais sans enfants ? Anne serait la seule descendante en vie de David. L'administration du fidéicommis passerait entre les mains de la lignée féminine. Si Anne refusait — et il y a de fortes chances —, toutes les décisions concernant les finances familiales seraient prises par une équipe de conseillers en accord avec nos avocats. Si Anne mourait à son tour sans enfants, le fidéicommis serait caduc et Alex hériterait de l'ensemble.

— En tant qu'unique Kilbourne survivant ?

— C'est ce que voulait David. Et nous en revenons au début de notre conversation, c'est-à-dire l'opinion d'Amélia sur notre liaison.

— Nous ne nous en étions pas beaucoup éloignés, murmura-t-elle.

Il resserra les mains sur ses épaules, mais ne l'attira pas contre lui.

— Peut-être pas. Simplement, j'ai tenté de te faire comprendre pourquoi Amélia pourrait se frotter les mains.

— Et si ce n'est pas le cas ? Et les autres ? Je

suis ici dans une position délicate, tu le sais. Même s'ils ne croient pas que j'aie assassiné Peter, j'ai été soupçonnée de l'avoir tué et d'avoir été sa maîtresse. Et voilà qu'à peine quelques jours plus tard, j'atterris dans ton lit ? C'est choquant, même à mes propres oreilles.

Il l'enlaça.

— Bah... Que ressens-tu ?

Elle retint son souffle et évita son regard trop brillant.

— Daniel, non !

— Pourquoi ? Parce que tu perds toute raison ? Moi aussi. (Il prit son visage entre ses mains.) J'ai envie de toi, Laura. Je t'ai désirée dès l'instant où je t'ai vue. Que cela se sache ou non, je m'en contrefiche !

Malgré elle, Laura plaça les mains sur son torse, subjuguée par sa force et sa détermination.

— Il me faut un peu de temps, murmura-t-elle d'une voix tremblante. Je t'en prie, Daniel, tout est arrivé si vite...

Il l'embrassa avec une douceur surprenante, puis lui adressa un sourire piteux.

— Onze ans de bagarre contre Amélia ont prélevé leur tribut. Je cherche toujours à imposer mes volontés. Je suis désolé, Laura. Bien sûr que tu as besoin d'un peu de temps pour t'y habituer, je m'en rends compte. Je pense que nous réussirons à rester discrets, du moins dans l'immédiat.

Elle fut à la fois surprise et soulagée qu'il cède si vite.

— A mon avis, il suffirait d'un rien pour que ta famille explose. Je ne souhaite pas mettre le feu aux poudres.

Il lui caressa les joues avec tendresse, puis la relâcha.

— Nous sommes moins fragiles que tu ne le crois, mais peu importe. Mieux vaut garder notre secret pour nous. Il est tard, j'ai des coups de téléphone à passer. Je te laisse à ta peinture ?

Laura se sentit soudain abandonnée.

— Daniel ?

Il s'immobilisa sur le seuil.

— Tu m'as dit qu'Amélia m'avait mise en garde contre toi pour faire monter la pression. Mais comment pouvait-elle savoir que tu éprouvais de l'attirance pour moi ?

Personnellement, je ne m'en serais jamais doutée.

Daniel ébaucha un sourire.

— Les secrets sont vite éventés, dans cette demeure, Laura. Tâche de ne pas l'oublier.

Elle le suivit du regard, le front plissé, se demandant s'il n'avait pas déplacé un pion capital sur l'échiquier. Bien que son explication au sujet de sa partie de bras de fer avec Amélia eût sonné juste, il se passait quelque chose d'autre entre ces deux-là, et infiniment plus dangereux.

Laura chassa précipitamment ces pensées de son esprit et se concentra sur sa toile. Son regard se fixa sur le coin indiqué par Daniel. Prenant une profonde inspiration, elle ferma brièvement les yeux, puis appliqua une touche de couleur.

Une maisonnette grise prit bientôt forme sous son pinceau. En pierre, avec un toit de chaume. Des volutes de fumée s'échappaient de la cheminée. Il y avait aussi un petit potager, presque caché par un des côtés, une pile de bois et un chemin menant au lac — on allait y puiser de l'eau plusieurs fois par jour. Un autre sentier, à peine tracé, conduisait hors de la forêt. Et, d'ici, la grange était invisible, mais elle se trouvait juste derrière ce gros rocher...

Laura secoua la tête, éberluée, et examina son tableau. *Je connais cet endroit. J'y suis allée.* Mais comment était-ce possible, s'il était en Ecosse ?

— Coucou, Laura ! Oh, pardon ! Je ne voulais pas vous effrayer.

Elle parvint à afficher un sourire en voyant Josie, et les battements de son cœur s'apaisèrent.

— Mon imagination m'entraîne parfois très loin. Vous rentrez seulement de votre promenade ? Je vous croyais revenue depuis un bon moment.

— J'avais besoin de réfléchir, je suis allée dans la gloriette et j'ai oublié l'heure. Amélia est là ?

— Je ne crois pas. Je ne l'ai pas vue. (Josie observa la toile, mais ne fit aucun commentaire sur le peu de changements opérés depuis le déjeuner.) J'aime bien la maison. Vieille, mais solide.

— Je... Il manquait quelque chose dans le coin, bredouilla Laura.

— Vous avez raison. C'est parfait, à présent. A mon avis, vous êtes prête à attaquer le portrait d'Amélia.

— Je crains que non.

— Croyez-moi, quand il s'agit de se mesurer à Amélia, on ne réfléchit pas, on agit. Vous verrez, Laura, tout ira bien. Le portrait sera magnifique. Maintenant, si vous voulez bien m'excuser, je file dans la bibliothèque, histoire de sauver les apparences quand Amélia reviendra.

— Josie ? Daniel est-il déjà allé à l'étranger ?

La secrétaire s'immobilisa, l'air perplexe.

— Il s'est rendu à Hong Kong, il y a quelques années pour ses affaires. C'est tout, il me semble.

— Il n'a jamais visité l'Ecosse ?

Josie secoua la tête, déconcertée.

— Non, pas que je sache. En tout cas, pas depuis que je suis là. Pourquoi ?

— Pour rien.

Laura feignit de s'absorber dans la contemplation de sa toile. Dès qu'elle fut seule, elle laissa libre cours à son angoisse.

— Bon sang, Daniel, murmura-t-elle, à quoi joues-tu avec moi ?

Il ne s'attendait pas qu'Amélia remarque tout de suite le changement de sa relation avec Laura. Cette dernière savait garder un secret, pensait-il. Lui aussi. Ils disposaient donc d'un délai de grâce, avant que l'équilibre déjà précaire de la maisonnée ne bascule de nouveau.

Daniel contempla la pile de dossiers sur son bureau, sourcils froncés, à peine conscient de la présence de Josie, de l'autre côté de la pièce. Avait-il révélé trop de détails à Laura en lui racontant sa lutte contre Amélia ? Difficile à savoir. Peut-être était-il allé un peu trop vite. Cependant, il avait la quasi-certitude qu'elle était désormais dans son camp, et pas uniquement parce qu'ils étaient devenus amants.

Amants. Son cœur se mit à battre plus vite, et, les paupières closes, il se remémora son reflet dans la glace, tandis qu'elle le regardait s'approcher. Il avait lu dans ses yeux la surprise, tout d'abord, puis la reconnaissance et enfin le désir. Sans hésitation. Elle avait réagi instantanément, avec une sensualité qui lui avait coupé le souffle et embrouillé l'esprit.

Il inspira avec lenteur, sentant toujours son parfum, et goûta la tiédeur soyeuse de sa peau. Scruta ses yeux verts, emplis de désir. L'entendit murmurer son nom d'une voix rauque. Se perdit dans ses bras, s'immergea au plus profond d'elle...

Mon Dieu, cela faisait si longtemps...

— Daniel ?

Il rouvrit les yeux, regarda les papiers éparpillés devant lui, expira lentement. Lorsqu'il leva la tête pour répondre à Josie, il avait repris son sang-froid.

— Oui ?

Seule Laura pouvait lui faire perdre tout contrôle. Seulement elle.

— Ça va ? Vous aviez l'air un peu... bizarre.

Il se demanda vaguement ce qu'elle avait pu déceler dans son expression. Il ne s'inquiétait pas de ce que Josie pouvait savoir, ou deviner. Elle était d'une discrétion absolue, elle ne révélerait rien sur lui à Amélia, pas plus que l'inverse. Et puis, elle avait aussi ses secrets.

— Ça va, répondit-il.

Elle opina, incertaine, puis repoussa sa chaise et se mit debout.

— Il est bientôt dix-huit heures. Amélia se repose. Je lui ai promis d'aller faire un tour à la cuisine avant de me préparer pour le dîner.

— Parfait. Je crois que je vais m'en tenir là pour aujourd'hui, moi aussi.

Il rangea ses dossiers et monta au premier étage.

Sur le palier, il s'arrêta et fixa la porte de Laura. Le corps principal de la maison abritait quatre suites pour les invités, et Amélia avait logé Laura dans la seule devant laquelle il dût passer pour gagner ses appartements. Simple coïncidence ? Tu parles ! se dit-il avec une pointe de cynisme. Sa grand-mère aurait été parfaite au temps de l'Inquisition. Elle savait torturer ses victimes sans verser une seule goutte de sang.

Il avait l'intention de passer sa route... Et voilà

qu'il mettait le cap sur la porte et y frappait tout doucement.

Laura lui ouvrit, la peau encore humide et rosie par sa douche, ses beaux cheveux cascadant sur ses épaules.

— Ça va ?

Etonnée tant par sa présence que par sa question, elle lui jeta un regard circonspect.

— Bien sûr, pourquoi ça n'irait pas ?

— Je peux entrer un instant ?

Comme elle hésitait, il ajouta tout bas :

— Personne n'en saura rien, Laura. Ils sont tous en train de se préparer pour le dîner.

Elle s'effaça, puis referma derrière lui. Elle demeura immobile, un peu raide. Sa nervosité déplut à Daniel.

— Ne me regarde pas ainsi. Pourquoi te méfies-tu de moi, Laura ? Qu'est-ce que j'ai fait ?

— Rien. Je suis un peu mal à l'aise, maintenant que tout le monde est rentré.

Elle s'esquiva et alla se planter devant une élégante console au-dessus de laquelle était suspendu un miroir dans un cadre doré.

Leurs regards se croisèrent dans la glace, et Daniel vint vers la jeune femme sans en avoir vraiment pris la décision. L'attrapant par la taille, il la plaqua contre lui, caressant délicatement son ventre plat et ses hanches. Il vit le reflet de ses yeux s'assombrir, ses lèvres s'entrouvrir. Sentait-elle les battements de son cœur ? Elle ne pouvait ignorer son désir.

Penchant la tête, il déposa un baiser dans sa nuque, aspira son parfum avec délices et murmura :

— Cela t'ennuierait d'arriver en retard au dîner ?

Elle sourit malgré elle.

— Non, mais j'imagine qu'Amélia aurait des soupçons si nous apparaissions ensemble. Pas toi ?

Il la tourna vers lui et l'embrassa avec ferveur. Lorsque enfin il s'écarta, tous deux étaient haletants, brûlants de désir. Un instant, il faillit la soulever de terre et la porter jusqu'au lit. Tant pis pour Amélia. Mais la pendule sur le manteau de la cheminée sonna discrètement la demie et il revint brusquement sur terre.

A contrecœur, il la libéra.

— J'y vais. Et si tu jetais un coup d'œil dans le corridor, au cas où ?

Laura ouvrit la porte avec précaution.

— La voie est libre, annonça-t-elle.

— Quand je pense qu'à mon âge je me comporte comme un écolier...

Il l'embrassa et s'éloigna rapidement.

Alex sortit de sa chambre au moment où il passait devant.

— Tu es en retard. (Alex scruta les alentours et baissa la voix.) Il faut que nous parlions, tous les deux.

— Tu as découvert quelque chose !

— Peut-être.

— C'est urgent ?

Alex eut une petite moue.

— Cela peut attendre demain.

— Très bien. Tu crois pouvoir t'échapper dans la matinée ?

— Sans problème. Et toi ?

— Aux alentours de dix heures. On se voit où ?

— A mon bureau, je préfère. J'ai un truc à te montrer.

Daniel sentit son pouls s'accélérer. Il plissa les yeux.

— Intéressant ?

— Tu en jugeras par toi-même.

Daniel connaissait trop Alex pour chercher à lui tirer les vers du nez. Il se hâta vers ses appartements et se prépara en un temps record. Lorsqu'il descendit au rez-de-chaussée, la vieille horloge sonnait dix-neuf heures.

Il scruta l'assemblée en s'efforçant de ne pas attarder son regard sur Laura. Elle était assise sur le canapé le plus proche de la fenêtre, sur ses gardes, comme toujours. Elle portait une robe de soie écarlate au style vaguement oriental, qui lui seyait à merveille. Elle avait coiffé ses cheveux en chignon et une perle ornait chacune de ses oreilles.

Elle n'avait besoin de rien d'autre.

Daniel prit sa place habituelle près de la cheminée.

— Comment s'est passée ta journée, Daniel ? voulut savoir Amélia.

Avait-elle appris qu'il était rentré tôt ?

— J'ai été très occupé, comme de coutume. D'ailleurs, il faudra que je retourne à Atlanta demain matin.

— Tu travailles trop, dit machinalement Madeleine.

— Je vais très bien, maman.

Il l'observa, se demandant une fois de plus comment elle pouvait être à la fois aussi formaliste et aussi imprévisible. Elle jouait à la perfection son rôle de mère, disait ce qu'il fallait au bon moment, pleurait la mort de son fils. Pourtant, elle n'avait guère réagi après la disparition de son mari, et éprouverait peu de chagrin si Daniel décédait avant elle. En fait, Madeleine n'avait jamais tenu à quiconque, sauf à Peter.

Il en avait pris conscience dès sa plus tendre

enfance, et n'en avait curieusement pas souffert. Madeleine n'avait de place dans son cœur que pour une seule personne hormis elle-même. Son benjamin avait été l'heureux élu.

— Tu pourrais au moins prendre tes week-ends, insista-t-elle, la mine anxieuse.

— Je serai de retour pour midi, promit-il.

Elle parut se satisfaire de cette réponse, ainsi qu'il l'avait prévu, et se renferma dans un silence morose.

Daniel jeta un coup d'œil en direction de Kerry et de Josie, assises côte à côte.

— Kerry, demanda Laura, quel est le morceau que vous travailliez cet après-midi ? Je le connais, mais le nom du compositeur m'échappe.

— C'était la *Sonate au clair de lune* de Beethoven.

— Vous la jouez en virtuose. Tout alentour n'était plus que paix et tranquillité.

— Cela vous a-t-il aidée à peindre ? demanda Josie avec un sourire.

— Je n'en sais rien, mais ce qui est sûr, c'est que je me suis sentie moins... frustrée.

— Kerry, vous jouerez pour nous après le dîner, déclara Amélia.

— Quelqu'un a-t-il vu Anne, dernièrement ? demanda Alex.

Amélia se figea.

— Je l'ai vue entrer, puis repartir cet après-midi, dit Kerry. La pauvre, elle est tellement malheureuse !

— Vous êtes très généreuse, Kerry, dit Amélia d'un ton sec. Je me dois de le reconnaître.

— Pourquoi ? Parce que je ne la blâme pas ? Quoi qu'il se soit passé entre elle et Peter, ce n'était pas sa faute.

Daniel la regarda, surpris. C'était la première fois qu'il l'entendait critiquer Peter. Personne n'avait jamais prononcé un mot contre lui dans cette demeure, Amélia n'allait certainement pas laisser passer la remarque.

— Vous croyez qu'il l'a séduite ? aboya-t-elle.

Kerry ne se démonta pas.

— C'est évident, Amélia.

— Et pourquoi, dites-moi ?

— Parce qu'il agissait toujours ainsi. C'était un chasseur. Il collectionnait les trophées. Il n'avait pas de fusil, mais je suis convaincue qu'il a versé du sang à plus d'une reprise. Anne n'était qu'un trophée parmi d'autres. De même que la femme qui l'a tué. (Elle marqua une pause avant d'ajouter :) Si c'était bien une femme, naturellement.

Personne n'osa ajouter quoi que ce soit, pas même Amélia.

La porte d'entrée claqua, et les pas d'Anne résonnèrent dans le corridor. Elle entra en coup de vent et vint se placer près de Daniel pour être vue de tous.

Menton levé, elle lança d'un air de défi :

— Je viens de voir Landry. Il dit qu'il n'y a aucune preuve contre moi. Est-ce clair ? Le chauffeur de taxi a bien vu Peter vivant quand je suis partie et, d'après Brent lui-même, je n'aurais jamais eu matériellement le temps de revenir l'assassiner. Je suis donc innocentée. Je n'ai pas tué Peter.

En toute franchise, Daniel ne l'avait jamais crue capable de meurtre — du moins pas d'un meurtre aussi brutal. Il fut soulagé d'apprendre qu'elle était désormais éliminée de la liste des suspects. Cependant, il avait l'esprit logique. Si l'on se fondait sur le témoignage du chauffeur de taxi, la fourchette de temps se réduisait considérablement. Qui s'était présenté au motel après le départ d'Anne ?

— Je vous conseille donc de cesser de parler derrière mon dos, conclut Anne avec véhémence.

Daniel attendit de voir si Amélia lui ferait remarquer que son innocence n'effaçait qu'un de ses crimes, mais la vieille dame ne semblait pas d'humeur à supporter une nouvelle scène. Lorsqu'elle prit la parole, ce fut avec amabilité :

— Nous n'avons pas parlé de toi, Anne. Quoi qu'il en soit, je suis heureuse d'apprendre que tu n'es plus soupçonnée. Peut-être ne nous éviteras-tu plus désormais. J'espère que tu as l'intention de dîner avec nous ?

— Je ne suis pas habillée, marmonna Anne, mal à l'aise.

Amélia balaya ce prétexte d'un geste de la main.

— Tu es très bien. (Elle se leva.) Nous y allons ?

Ainsi, Anne avait réintégré le clan, comme si de rien n'était. Personne n'avait émis la moindre objection, le moindre commentaire.

Tout au long du repas, Daniel fut sensible à la présence de Laura, à deux places de la sienne. Il remarqua à peine les tentatives d'Anne pour bavarder avec une Kerry souriante mais distante. Il ne retint rien de la conversation entre Alex, Josie et Madeleine. Pourtant, lorsque Laura répondit à une question que lui avait posée Amélia, il nota chacune de ses paroles, chacune de ses inflexions.

A la fin du dîner, tous gagnèrent la salle de musique. Il ne put s'empêcher de s'installer dans un coin d'où il verrait Laura. La *Sonate au clair de lune* s'égrena dans un silence religieux. Daniel se remémora l'interlude dans le grenier.

son mieux. Il agissait le plus rapidement possible. Avait-il le choix ?

Son regard revenait sans cesse sur Laura. A la fin du récital, il se dit qu'en le voyant n'importe qui comprendrait qu'il ne se maîtrisait plus du tout.

Personne, pourtant, ne sembla remarquer quoi que ce soit quand Amélia « suggéra » qu'on passe au salon. Daniel s'excusa. Quand Laura passa près de lui, il mit l'occasion à profit pour lui étreindre brièvement la main.

— Viens me rejoindre cette nuit, murmura-t-il. Je t'en prie...

Elle le dévisagea rapidement. Son expression était indéchiffrable.

Elle était consciente qu'il l'observait, il le savait. Et peut-être même devinait-elle ses pensées. Songeait-elle à leur étreinte ? Il vit chatoyer la soie qui recouvrait ses seins tandis que son souffle s'accélérait, il vit une rougeur envahir ses joues. Elle entrouvrit les lèvres, croisa nerveusement ses doigts.

Il avait eu un mal fou à ne pas la toucher avant aujourd'hui. Comment, à présent, pourrait-il nier la faim qu'il avait d'elle ? Cet épisode n'avait été qu'un avant-goût, il ne s'en contenterait pas.

Rester discrets ? Combien de temps pourrait-il cacher ses sentiments ?

Pas longtemps.

Se doutait-elle à quel point il avait dû prendre sur lui, dès leur première rencontre, pour ne pas lui caresser la main, le visage, les cheveux ? Savait-elle combien il souffrait de la savoir dans une pièce, alors que lui se trouvait dans une autre ? Il la voulait constamment près de lui. C'est pour cela qu'il avait laissé Amélia l'attirer au sein de la famille, alors que sa raison le mettait en garde.

A regret, il détacha son regard de Laura pour observer Amélia. Très droite, le visage impassible, elle demeurait insensible aux émotions qui le tourmentaient.

Et vous, Amélia ? Que cherchez-vous ? A me distraire ? A m'empêcher de découvrir la vérité ? Est-ce pour cela que vous l'avez amenée ici ? Ou avez-vous une autre idée derrière la tête ? Que savez-vous de la glace, Amélia ? Tout... ou seulement une partie de son histoire ? Et si vous savez tout, comment allez-vous utiliser ce que vous savez contre moi ? Comment pensez-vous me détruire sans risquer de perdre ce pouvoir auquel vous tenez tant ?

Daniel fixa le piano sans le voir. Il faisait de

11

Laura se frotta distraitement le bras en s'appuyant au chambranle de la fenêtre pour observer le parc. A vrai dire, elle ne distinguait pas grand-chose. Il était vingt-deux heures, et les éclairages disséminés dans le jardin n'étaient que de pâles ronds de lumière qu'obscurcissaient encore les ombres mouvantes des arbres. Le vent gémissait de temps à autre. L'orage qui se préparait occultait le clair de lune.

La jeune femme avait pris congé un quart d'heure auparavant en annonçant à Amélia qu'elle voulait monter faire le tri de ses croquis avant de se coucher. Anne l'ayant accompagnée à l'étage, elle n'avait pu aller rejoindre Daniel dans la bibliothèque, alors qu'elle en brûlait d'envie.

Agitée, n'ayant aucun désir de s'attaquer à son travail, elle composa le numéro de Dena.

— Bonsoir, Laura. J'ai tenté de vous contacter, mais...

— Je suis absente de chez moi pour le weekend. C'est pourquoi je vous appelle. Avez-vous du nouveau ?

— Et comment ! Ne quittez pas, je vais chercher mes notes. Voilà, dit-elle quelques instants plus tard. Une fois de plus, j'ai eu de la chance.

— Je vous écoute.

— Tous les biens de la sœur de Faith Kenley ont donc été vendus aux enchères, à New York, en 1898, un an après sa mort. Une certaine Shelby Hadden assistait à la vente. Détail intéressant : elle collectionnait les miroirs.

— Comment le savez-vous ?

— Elle était inscrite en tant que telle, et c'est mentionné dans plusieurs lettres. Apparemment, elle était connue pour cette passion, du moins jusqu'à cette période de son existence ; ensuite, on n'en trouve plus trace nulle part. Ce devait être une fanatique, car, dans une de ses lettres datant de l'année précédente, son mari se plaint de ce qu'il considère comme une manie déraisonnable.

Laura fronça les sourcils.

— Vous avez eu accès à ces documents ?

— Grâce à une amie de New York, qui peut me sortir des archives. J'ai des piles de fax à vous montrer. La correspondance de Shelby, celle de son époux, celle de quelqu'un d'autre dont je vous parlerai après, et quelques coupures de journaux. Laura, il y a eu un scandale terrible.

— Elle a rencontré un homme lors de la vente ?

— Comment l'aviez-vous deviné ? dit Dena, bluffée. Oui, elle y a fait la connaissance d'un dénommé Brett Galvin. J'ignore comment ils ont réussi à se parler, puisque Shelby était accompagnée de son mari, mais, deux jours plus tard, elle lui écrivait. De toute évidence, ils s'étaient revus en cachette depuis la vente.

— Qui a acheté la glace ? Shelby ?

— Oui. Dans sa première lettre à Brett, elle

évoque le destin qui les aurait réunis tous les deux ce jour-là, en quête du même objet, mais c'est elle qui l'a acquise. Bref, ils ont eu une liaison passionnée. Nous ne possédons aucune des lettres de Brett. Sans doute l'époux de Shelby les a-t-il brûlées.

— Il a découvert le pot-aux-roses ?

— Oui, mais pas tout de suite. D'après les lettres de Shelby, il est clair que Brett l'incitait à divorcer, et elle en avait manifestement très envie. Cependant, elle avait également une fillette qu'elle adorait, et elle savait que son mari ferait tout pour en avoir la garde. Elle se disait prête à s'enfuir avec la petite sans demander le divorce, mais elle craignait d'être retrouvée. Brett, de son côté, voulait à tout prix épouser Shelby...

— La pauvre ! Elle devait être déchirée.

Dena soupira.

— Cela apparaît dans ses lettres. S'il n'y avait pas eu sa fille, elle n'aurait pas hésité. Mais l'idée de l'abandonner lui était insupportable. Pour finir, elle n'a pas eu le choix. Son mari a appris qu'elle avait une liaison, personne ne précise comment, et l'a littéralement jetée dehors avec quelques vêtements et affaires personnelles, parmi lesquelles la fameuse glace — qui, entre parenthèses, s'est brisée dans la manœuvre.

C'est donc ainsi qu'elle a été cassée.

— Elle s'est réfugiée auprès de Brett ?

— Elle n'avait nul autre endroit où aller. Sa famille habitait à des centaines de kilomètres, aucune de ses amies ne l'aurait accueillie. N'oubliez pas que c'était au début du siècle. Personne n'intervenait jamais dans les démêlés conjugaux d'autrui. Brett a tenté de protéger sa réputation de son mieux. Il l'a fait venir chez lui en même temps qu'une de ses sœurs, qui jouait le rôle de chaperon. Personne n'a été dupe. S'ils ne partageaient pas le même lit, les ragots prétendaient le contraire. Aux yeux de l'opinion, Shelby était une âme perdue — et la communauté lui a fait payer ses péchés. Son mari a obtenu la garde de leur fille et dit pis que pendre de Shelby. Dès que le divorce a été prononcé, il a quitté New York, et refusé de lui donner son adresse. Shelby n'a plus jamais revu sa fille.

— Mon Dieu ! Qui a dit que la glace était maudite ?

— Je ne m'en souviens pas, mais c'était prophétique. Vous voulez entendre la suite ?

— Dites-moi seulement que l'histoire se termine bien.

— Euh... oui et non. Shelby et Brett ont déménagé à San Francisco, surtout pour échapper au scandale. Ils s'y sont mariés en 1900. Pendant quelques années, ils furent heureux. Shelby se languissait de sa fille, mais elle était follement amoureuse de son mari, et ils eurent deux fils.

— Pendant quelques années ? Attendez une seconde. N'est-ce pas à cette époque qu'un tremblement de terre a détruit San Francisco ?

— Si. En 1906. Ils ont perdu leur maison et un de leurs garçons. Quant à Shelby, elle a été blessée au bras, mais on manque de précisions à ce sujet. Elle se plaint par la suite dans une ou deux lettres de ne pas dormir à cause de la douleur, mais rien ne laisse imaginer qu'elle a été amputée ou qu'elle est devenue invalide. Brett et elle remontent la pente. Ils ont connu des hauts et des bas, mais leur amour est demeuré intact. Lui voyageait beaucoup pour ses affaires, et ils s'écrivaient énormément. J'ai mis quelques lettres de côté pour que vous les lisiez. Elles expriment une telle passion que c'en est parfois gênant. J'ai eu l'impression d'être une intruse. C'est curieux, je n'ai jamais éprouvé ce genre de sentiment en effectuant des recherches.

Laura resta silencieuse un moment, puis :

— Et la fin de l'histoire ?

— Ils ont vécu ensemble pendant près de trente ans et sont morts à quelques jours d'intervalle lors de la grande épidémie de grippe de 1928. Shelby avait soixante ans. (Dena se tut, puis reprit :) Jusqu'à maintenant, je ne croyais pas à l'amour romantique... Et pourtant, cette glace est passée entre les mains de couples qui s'aimaient avec une passion peu commune.

— Tout à fait, murmura Laura, le cœur serré.

Elles se turent un instant, puis Dena rit tout bas.

— Ne me dites pas que vous avez rencontré quelqu'un en achetant cette glace à la vente aux enchères ?

Laura rit à son tour, soulagée de n'avoir pas mis Dena au courant de ses aventures.

— Il n'y avait aucun prince charmant en vue quand j'ai repéré la glace, dit-elle d'un ton léger.

C'est pourtant à cause d'elle que j'ai connu Daniel. Et ce que j'ai éprouvé quand j'ai posé les yeux sur lui...

Laura chassa cette pensée de son esprit.

— Savez-vous ce qu'elle est devenue après les décès de Shelby et de Brett ?

— Non, je me suis arrêtée là. Andrew, le fils des Galvin, a hérité de tout ce qu'ils possédaient. Il a continué à vivre à San Francisco. Il ne s'est jamais marié. Il s'est noyé accidentellement à l'âge de cinquante ans, en 1952. Je sais seulement que l'héritage a été dispersé entre diverses œuvres de charité. J'aurai peut-être du mal à retrouver la trace de la glace, car il ne la mentionne ni dans son testament, ni dans ses dernières volontés.

— Merci, Dena. Toutes mes félicitations !

— Réservez vos compliments tant que je n'aurai pas remonté la piste jusqu'aux Kilbourne. En attendant, je laisse mes notes et les documents au gardien de votre immeuble. Je vous rappelle dès que j'ai plus d'informations.

Laura raccrocha et resta un long moment à fixer le vague. Puis elle regarda la glace sur la table basse. Elle était jolie, mais assez banale. Comment avait-elle pu provoquer tant d'étincelles ? Daniel l'avait-il remarquée, un peu plus tôt ? Elle se pencha pour s'en emparer, la tourna et la retourna. Elle contempla son reflet, cherchant, comme toujours, quelque chose par-dessus son épaule.

Je sais que c'est lui que je cherchais et, cependant, je ne peux m'empêcher de regarder, dans l'espoir de le voir. Comme s'il devait être toujours là. Comme si la pièce était déserte sans lui. Et quand je le vois, c'est comme si... comme si j'étais entraînée dans une spirale sans pouvoir maîtriser quoi que ce soit.

Elle se leva, en proie à une agitation extrême, et retourna à la fenêtre. Elle se frotta le bras. L'orage n'allait pas tarder à éclater.

Rejoins-moi cette nuit. Je t'en prie...

Lui avait-il menti en affirmant qu'il avait visité l'Ecosse ? Pourquoi ? Au fond, c'était un détail insignifiant. Mais justement, pourquoi mentir, alors ? Pouvait-elle lui faire confiance ? Lorsqu'il avait parlé de l'Ecosse, elle n'avait pas douté un seul instant de sa sincérité...

Ah, que de questions ! Lui avait-il dit la vérité

concernant la lutte qui l'opposait à Amélia ? Avait-il raison de tenter de protéger sa famille et de préserver son train de vie, alors qu'Amélia aurait volontiers dilapidé toute leur fortune ? Faisait-il preuve de magnanimité en laissant croire qu'Amélia tenait toujours les rênes, quand cela ne lui valait que conflits et frustrations ? N'était-ce qu'un combat pour le pouvoir ? Et s'il y avait un rapport avec l'assassinat de Peter Kilbourne ?

Et elle, quel rôle jouait-elle dans tout cela ? Daniel avait-il raison lorsqu'il prétendait qu'Amélia l'avait invitée uniquement pour le distraire ? Si c'était le cas, pourquoi Laura avait-elle la sensation qu'il restait sur ses gardes, qu'il se retenait ?

Rejoins-moi cette nuit. Je t'en prie...

Non, elle ne doutait pas de la réalité de son désir. Il demeurait impassible, mais elle avait senti son regard, son attirance pour elle. A une ou deux reprises, elle avait même eu l'impression qu'il lisait dans ses pensées, qu'il revivait en la regardant la scène du grenier. Elle avait eu un mal fou à dominer son émotion, à feindre l'indifférence en présence des autres.

N'était-ce qu'un désir purement physique ou de l'amour... Qu'est-ce que c'était, pour lui, l'amour ?

Rejoins-moi.

Sa voix la hantait, grave et rauque. Comment aurait-il pu faire semblant ?

Rejoins-moi.

Laura se détourna et se mit à arpenter la chambre de long en large. Elle jeta un coup d'œil sur la pendule. Vingt-trois heures. Trop tôt pour se coucher. Histoire de s'occuper, elle prit une douche et se lava les cheveux. Il lui fallut ensuite une vingtaine de minutes pour les sécher et les brosser.

Elle passa sur son corps le lait parfumé qu'elle utilisait depuis des années, puis revêtit sa plus jolie chemise de nuit, vert émeraude, et le négligé assorti.

C'est alors qu'elle comprit qu'elle allait le rejoindre.

Il ne lui restait plus qu'à attendre. Elle s'assit sur le canapé, l'oreille aux aguets. De temps en temps, un bruit de pas lui parvenait du couloir. Les uns et les autres allaient se coucher. Le mauvais temps les avait découragés de sortir. Ils seraient sans doute tous au lit à minuit.

Amélia se retirait toujours à cette heure-là. Elle dormait peu, à son âge, mais elle aimait lire ou rédiger sa correspondance en paix. Elle appréciait ces moments de solitude.

Douze coups sonnèrent à la pendule et, au même moment, l'orage éclata. Le tonnerre gronda, les éclairs zébrèrent le ciel, la pluie s'abattit violemment.

Laura patienta encore une dizaine de minutes, puis, n'y tenant plus, elle se glissa hors de ses appartements.

Une lampe, près de l'escalier, éclairait le palier. Laura se dirigea sur la pointe des pieds vers l'aile ouest. Retenant son souffle, elle fixa la porte de Daniel.

Elle était encore à quelques mètres lorsqu'il l'ouvrit. L'avait-il entendue ou sentie venir ? En tout cas, il ne paraissait pas surpris de la voir là. Il l'examina brièvement, puis ouvrit plus grande la porte qu'il referma sans un bruit derrière elle.

Laura remarqua à peine le mobilier en acajou, le décor typiquement masculin, la pénombre qu'éclairaient seuls une lampe près du lit et le feu qui brûlait dans l'âtre. Elle ne voyait que Daniel.

Il avait ôté sa veste et sa cravate, et roulé les manches de sa chemise. Ses cheveux noirs étaient légèrement décoiffés, comme s'il y avait passé la main. Il paraissait tendu.

— Je ne peux pas rester toute la nuit, murmura-t-elle.

Il l'enlaça.

— Profitons pleinement du peu de temps dont nous disposons, répondit-il en l'étreignant à l'étouffer.

Elle se pendit à son cou.

— Tu savais que je viendrais, n'est-ce pas ?

— Comment l'aurais-je pu ? Je l'espérais.

Il prit ses lèvres.

Laura oublia tous ses soucis, s'abandonna tout entière aux sensations. Son corps se moula contre celui de Daniel, sa bouche s'éveilla, un feu liquide lui parcourut les veines, exquise torture.

Il la souleva et l'étendit sur le lit. Elle ne résista pas, paupières closes. Il l'embrassait avec ardeur, comme s'il craignait de ne jamais pouvoir se rassasier d'elle. Il la dévêtit tandis qu'elle déboutonnait sa chemise puis dégrafait sa ceinture en murmurant son prénom.

— Regarde-moi, ordonna-t-il, haletant.

Elle se força à rouvrir les yeux. La lampe de chevet baignait son visage d'une lueur dorée.

— Daniel… chuchota-t-elle encore.

Elle s'arqua vers lui et gémit de plaisir tandis qu'il laissait courir les lèvres sur son ventre.

Il la caressa longuement, avec une douceur et une tendresse infinies. Lorsqu'il vint en elle, elle dut se mordre pour ne pas crier de bonheur.

Ils restèrent un long moment enlacés, rassasiés, comblés. Dehors, la tempête faisait rage.

Laura se réveilla en sursaut. Dehors, l'orage continuait de gronder. Elle se hissa sur un coude pour consulter le réveil sur la table de chevet — il était trois heures — puis contempla Daniel endormi. Il paraissait détendu, plus jeune, moins dur. Il avait de longs cils, détail qu'elle n'avait jamais remarqué jusqu'ici, fascinée qu'elle avait été par la luminosité de ses yeux.

Elle n'avait pas envie de regagner sa chambre. Elle se leva et enfila la chemise de Daniel.

Tournant lentement la tête, elle frotta son menton contre le col et huma son parfum avec délices. Paupières à demi closes, elle entreprit d'explorer la chambre. Des meubles en acajou, un épais tapis de laine... Un fauteuil confortable, une ottomane devant la cheminée, une banquette au pied du lit. Les rideaux étaient vert foncé, le papier peint discrètement rayé. Seuls, les livres semblaient pouvoir révéler la personnalité de Daniel. Elle se dirigea vers les étagères qui flanquaient la cheminée et y découvrit nombre de romans et d'ouvrages pratiques de comptabilité et de gestion.

Elle contempla les tableaux. Aucun ne retint son intérêt, sinon un portrait près de la fenêtre. Ce devait être celui de John Kilbourne, le père de Daniel. Avec ses tempes grisonnantes et son visage taillé à la serpe, il était une réplique un peu plus âgée de Daniel.

Elle jeta un coup d'œil sur le parc. D'ici, on apercevait le labyrinthe. Il était encore éclairé, il devait l'être toute la nuit. La scène était presque fantomatique, les haies illuminées délimitant les allées à travers le rideau de pluie.

— Laura?

Elle tourna la tête et retint son souffle. Daniel

se dirigeait vers elle, avec la démarche gracieuse d'un félin. Puissant, grand, superbement viril.

Le cœur de la jeune femme se mit à battre plus vite et une vague de désir la submergea.

— Je croyais que tu étais partie, murmura-t-il.

Il posa les mains sur sa taille et l'attira vers lui.

— Je devrais m'en aller. Il est presque quatre heures.

Il l'embrassa.

— Je devrais te lâcher, mais je n'en ai pas envie. Reste encore un peu, ma chérie. Je t'en prie.

— Oui, murmura-t-elle en glissant les bras autour de son cou.

Lorsqu'elle consulta de nouveau le réveil, il était cinq heures. L'orage s'était calmé, un silence paisible régnait dans la chambre.

— Je sais, chuchota Daniel en lui caressant les cheveux, avec un petit sourire.

— Il est très tard... Ou très tôt. Tu dois aller en ville, n'est-ce pas ?

— Vers dix heures.

Laura hésita avant de reprendre la parole. Elle redoutait de briser l'intimité de ce moment. Quand se retrouveraient-ils ?

— Qu'as-tu, Laura ?

— Rien. Enfin... euh... Tu as dit vrai en affirmant que tu connais l'Ecosse ?

— Bien sûr. Pourquoi cette question ?

— J'ai interrogé Josie à ce sujet, avoua-t-elle, penaude. D'après elle, tu n'y es jamais allé.

— Au cours des cinq dernières années, non, en effet. C'était avant son arrivée. Pourquoi ne me fais-tu pas confiance, Laura ?

— C'est malgré moi... Tu n'as pas toujours fait preuve de franchise envers moi, n'est-ce pas ?

— Par exemple ? s'enquit-il, sincèrement perplexe, mais le regard sombre.

Elle-même était de nouveau sur ses gardes. Elle ne voulait pas lui montrer à quel point elle était vulnérable lorsqu'il s'éloignait ainsi d'elle. Il semblait s'être refermé comme une huître, l'obligeant à faire de même.

— Eh bien, la glace.

Il soupira.

— Ecoute-moi, Laura. Je n'ai rien à dire là-dessus. Je ne pense pas qu'elle ait un lien quelconque avec la mort de Peter. Autant que je le sache, cette glace figurait parmi tout un fatras d'objets remisés au grenier. C'est grâce à elle que tu es venue ici, je lui dois donc une fière chandelle, mais à part ça, je m'en contrefiche.

Bien qu'elle souhaitât désespérément le croire, elle avait la curieuse impression qu'il la trompait. Il en savait davantage qu'il ne voulait l'admettre. Pourquoi refusait-il d'en parler ?

— D'accord, murmura-t-elle.

Il lui caressa la nuque.

— Non... tu t'es retranchée dans ta coquille.

C'est toi qui es parti le premier, pensa-t-elle.

— Que veux-tu de moi, au juste, Daniel ? S'il ne s'agit que d'une aventure sans lendemain, dis-le-moi. Je ne peux pas jouer tant que je ne connaîtrai pas les règles du jeu.

Il resserra son étreinte, les mâchoires soudain crispées. Laura en éprouva un choc. Daniel était capable d'une grande violence, elle en avait l'intime conviction. Cependant, jamais il ne s'en servirait contre elle.

— Ce n'est pas un jeu. Pas entre nous. Tu le sais, Laura.

Elle en avait au moins le sentiment. Pourtant, elle ne put s'empêcher de répliquer :

— Comprends-moi, Daniel, je n'exige aucune promesse, seulement franchise et honnêteté. S'il y a une question à laquelle tu refuses de répondre, dis-le. Quelque chose dont tu ne veux pas parler, dis-le. Mais ne me mens pas.

Il la contempla un long moment, le regard indéchiffrable.

— Et s'il y avait des choses que je ne tenais pas à dire tout de suite ? Des épisodes de mon existence que je préférais taire pour l'instant ? Me ferais-tu confiance, Laura ?

Elle hésita.

— Oui... Non... Peut-être. En tout cas, j'aime mieux la vérité que le mensonge, fût-il par omission.

Ce fut à son tour de marquer une pause.

— Cela te rassurerait-il de savoir que je ne tiens pas à te révéler certains faits pour le moment ? Quand les problèmes seront résolus, quand on connaîtra l'identité du meurtrier de Peter, quand j'aurai muselé Amélia, il n'y aura plus entre nous ni questions, ni mensonges, ni détails éludés. Je te le promets. Ce n'est pas la réponse que tu attendais, j'en ai conscience, mais c'est la meilleure que je puisse te donner pour l'instant.

Elle s'assit, les genoux sous le menton, le regard lointain.

— Je voudrais comprendre.

— Ce n'est pas un problème de confiance.

— Tiens donc !

— J'ai confiance en toi, mais il faut que je reste maître de la situation pour agir à ma guise. Il faut croire en moi, Laura. Je t'en supplie. Encore un peu de patience. Est-ce trop demander ?

— Tout dépend. Il y a quelque chose que j'ai besoin de savoir, qui me tracasse depuis le jour où je suis entrée pour la première fois dans cette demeure. Est-ce que tu te sers de moi contre Amélia ?

— Non, répondit-il aussitôt.

Elle scruta son regard.

— J'ai l'impression d'être un pion sur un échiquier.

— Amélia t'a utilisée, t'utilise encore, peut-être uniquement dans le but de me distraire. Moi, j'ai seulement essayé de... de te garder parmi nous. J'ai laissé Amélia te manipuler parce que je voulais que tu restes.

— Et quand tu m'as suivie au grenier ? N'était-ce pas une manœuvre planifiée de sang-froid ?

— Planifiée ? Je te désirais si fort que j'en perdais la tête ! Quant au sang-froid, en ce qui te concerne, c'est tout le contraire.

Laura contempla les flammes, s'efforçant de ne pas se laisser prendre à ce discours de miel.

— Laura ?

— D'accord. Je t'ai demandé de me dire la vérité. Ce que tu exiges en retour me paraît juste. Je... je dois regagner ma chambre.

Elle se glissa hors du lit, enfila sa chemise de nuit et son négligé, puis se pencha pour mettre ses mules. Daniel lui saisit le poignet.

— Regarde-moi ! ordonna-t-il avant de l'embrasser avec passion. Quels que soient tes doutes, sache que ce qui se passe entre nous est authentique et sincère. Rien ne pourra changer cela, Laura. Jamais.

— Je sais.

Mais que se passe-t-il au juste entre nous, Daniel ? Comment appellerais-tu cela ?

Sur le seuil, elle se retourna pour lui lancer un ultime regard.

La maison était silencieuse. Elle parcourut les couloirs sur la pointe des pieds, avec la désagréable impression d'être poursuivie. Lorsqu'elle fut dans sa chambre, elle se rendit compte qu'elle était terrifiée.

Je n'ai pas la conscience tranquille, ou quoi ?

Elle traversait le boudoir, quand son attention fut attirée par un détail. Elle revint sur ses pas, sourcils froncés. La lampe était allumée, comme elle l'avait laissée. Elle s'approcha de la table basse. Son carnet à dessin était là. La glace aussi.

Mais la face tournée vers le plafond.

Quelqu'un était venu en son absence.

12

Le cabinet d'avocats Kennard, Montgomery et Kilbourne occupait deux étages d'un immeuble du centre-ville. En ce samedi matin, les lieux étaient presque déserts. Daniel ne rencontra pas âme qui vive en se rendant au bureau d'Alex. Il n'en fut pas surpris. Si le cabinet avait largement de quoi s'occuper en semaine, les exigences de son unique client requéraient rarement de faire des heures supplémentaires le week-end.

Daniel ne fut pas non plus étonné de voir Alex en jean et chemise de sport. S'il acceptait d'assez bonne grâce de porter des costumes sombres du lundi au vendredi, son faible pour les cravates voyantes trahissait une personnalité rebelle. Même son bureau, plutôt élégant au premier coup d'œil, offrait d'étranges contrastes — une statuette représentant un démon de Tasmanie calait des manuels de droit, un trophée de mauvais goût trônant sur sa table attestait qu'il avait été élu le garçon qui embrassait le mieux de la promo 1987.

Alex, le regard rivé sur l'écran de son ordinateur, pianotait à toute allure sur le clavier.

— Une seconde, marmonna-t-il en apercevant son visiteur.

— Ça ne me regarde pas ? s'enquit Daniel.

Alex grogna.

— Si, mais ce n'est pas notre préoccupation du jour. Il s'agit d'un procès sans intérêt. L'affaire sera jugée d'ici à deux semaines, et je veux en finir...

Daniel alla à la fenêtre et fourra les mains dans les poches de son blouson de cuir. Il avait hâte que tout soit réglé une fois pour toutes. Il était à bout. Par ailleurs, il avait la désagréable impression que le temps pressait, bien qu'il ne pût s'expliquer pourquoi. Etait-ce parce que le meurtrier de Peter courait toujours ? Etait-ce simplement que, ces jours-ci, Amélia était trop calme pour ne pas préparer un mauvais coup ?

— Tu sais qu'il y a un gymnase avec un punching-ball, deux étages au-dessus, dit Alex. Au cas où tu aurais envie de te défouler...

— Piètre palliatif. C'est Peter que j'aurais souhaité démolir. Dommage qu'on l'ait tué avant.

— Mais ce n'est pas le pire.

— Qu'as-tu découvert, encore ?

Alex recula légèrement son siège et ouvrit un tiroir de son bureau.

— J'ai enfin retrouvé le fameux coffre-fort.

— Ce n'est pas trop tôt !

— Dis donc, je n'ai guère lambiné. Il n'est pas à Atlanta, mais à Macon. Il m'a fallu toute la journée d'hier pour faire l'aller et retour. Sans compter que la promenade ne présente aucun intérêt.

Daniel ne put s'empêcher de sourire devant la mine indignée d'Alex.

— Excuse-moi. Je suis assez irritable en ce moment.

— Non ? Pas possible !

— Alex...

— O.K. Le vice-président de la banque n'était pas ravi ravi. Il a d'abord refusé de me laisser accéder au coffre, mais j'avais eu l'intelligence de me munir d'une autorisation du cabinet ainsi que d'une copie du testament de Peter où il me nommait exécuteur... A propos, quelle mouche l'a piqué ? Je voulais te poser la question.

— Pourquoi il t'a désigné comme exécuteur testamentaire ? Preston m'a appris qu'il y avait un testament une heure avant les obsèques. Je suppose qu'il t'a choisi parce qu'il ne voulait pas de moi.

— A mon avis, il l'a fait pour m'embêter. Il devait savoir que je n'avais aucune envie de fouiller dans les ordures qu'il laissait derrière lui.

— Connaissant Peter, je doute qu'il s'attendait à mourir — et surtout avant son trentième anniversaire. Vas-tu me dire enfin ce que tu as trouvé dans le coffre ?

Alex brandit une grande enveloppe.

— Regarde ça.

Il l'ouvrit et en répandit le contenu sur son sous-main.

Daniel s'approcha en fronçant les sourcils. Deux liasses de billets entourées d'un élastique, une clé et un pistolet.

Daniel s'empara de l'automatique, s'assura que le cran de sûreté était bien mis, éjecta le chargeur. Il était plein. Il prit l'une des liasses.

— Combien ?

— Cent mille au total, annonça Alex. Tu as une idée de la façon dont Peter a pu mettre la main sur une telle somme, alors qu'il était toujours au bord de la faillite ?

Daniel jeta un coup d'œil sur le pistolet.

— Non.

Impassible, Alex répondit :

— D'après moi, il n'aurait jamais eu les tripes nécessaires pour voler. En se servant d'une arme, j'entends.

— Je suis d'accord. Peter préférait la ruse, le moyen le plus rapide de parvenir à ses fins sans prendre le moindre risque. Braquer une épicerie n'était pas son style. Cet automatique est-il enregistré ?

— Non. Le numéro de série a été effacé. Impossible de remonter à la source. Dieu seul sait comment il l'a eu en sa possession.

— Et la clé ?

— C'est celle d'un autre coffre. Elle est munie d'une étiquette où ne figure que le chiffre 2. D'où me vient cette curieuse et pénible impression que je vais de nouveau devoir sillonner l'enfer et la moitié de la Géorgie pour dénicher les planques de Peter ?

— Quand a-t-il ouvert ce coffre ?

— Il y a six mois. Et il n'est jamais revenu depuis.

— Sais-tu d'où provient l'argent ?

Alex secoua la tête.

— C'est difficile. Les billets sont vieux, usés, les numéros ne se succèdent pas. Un de mes copains flics a vérifié quelques billets, au cas où j'aurais négligé un détail, une marque quelconque. Rien. Il m'a dit qu'il n'existait aucun moyen de prouver d'où ils venaient.

— Tu as confiance en lui ?

— Oui, il me doit quelques menus services. Je ne lui ai pas signalé qu'il y avait un lien avec la mort de Peter. Il ne m'a pas interrogé. Ne t'inquiète pas, il est dans une tout autre division que Brent Landry.

Daniel s'assit.

— Que penses-tu de tout cela ?

— Que Peter était impliqué dans des affaires hyperlouches. Quant à cet argent... Nous savons qu'il jouait. La police ne l'a pas encore découvert, mais cela ne saurait tarder. Peut-être s'était-il fait des ennemis dans ce milieu ? Mais pourquoi l'un d'entre eux aurait-il tué la poule aux œufs d'or ? Mort, il ne pouvait plus rembourser ses dettes.

— En effet. Comme nous ne savons pas ce qu'il devait, ni à qui...

— Nous sommes dans une impasse, compléta Alex, la mine morose. Nous sommes également à peu près certains que Peter ne se montrait rien moins qu'honnête dans ses autres tractations.

— Oui. Cependant, n'être rien moins qu'honnête est une chose, trahir en est une autre.

— Les plans ont-ils miraculeusement surgi dans un endroit où nous ne les avions pas cherchés ?

— Non, mais nous ne pouvons affirmer qu'il les a vendus.

— Tu n'as donc pas signalé leur disparition ?

— Comment le pourrais-je ? Qu'il y ait la moindre fuite, et ce sera la ruine. Kilbourne Data... sans compter celle de la réputation de la famille. Rumeurs, insinuations, perte de confiance... Sans preuve, nous coulerons. Si, en revanche, les plans réapparaissent au Moyen-Orient, alors, il s'agira d'une véritable trahison.

— Et c'est toi qui porteras le chapeau à présent que Peter est mort.

Daniel se trémoussa sur sa chaise.

— Peter était un être peu recommandable, mais j'ai du mal à croire qu'il ait été capable de trahison.

Alex haussa les épaules.

— Peut-être n'en était-ce pas une, à ses yeux. Il n'appréciait pas d'être sous tes ordres, Daniel. Il détestait recevoir une pension qui ne suffisait pas à couvrir ses parties de poker, ses escapades à Las Vegas et ses voitures de sport. Il était ulcéré que tout le monde sache qu'il n'avait aucun pouvoir au sein de la famille. Peut-être a-t-il décidé de prendre un gros risque pour la première fois de sa vie. De tout miser sur un coup de dé. S'il gagnait, il pourrait bronzer peinard sous les cocotiers jusqu'à la fin de ses jours. S'il perdait... Regarde ces liasses. J'en déduis deux hypothèses. Soit Peter avait besoin de les dissimuler avec le revolver pour une quelconque raison, soit il les avait mis de côté au cas où il devrait fuir précipitamment.

— La seconde te paraît la meilleure, devina Daniel.

— Vu son tempérament, oui. En cas de pépin, il était du genre à détaler comme un lapin.

— Et la seconde clé ? Tu crois que c'est une autre planque ?

— Possible. Même les mauvais joueurs ont de la chance, de temps en temps. S'il a eu la main heureuse ces deux dernières années, il a pu amasser quelques centaines de milliers de dollars. A moins que...

— A moins que ?

Alex soupira.

— Tu sais très bien à quoi je pense, Daniel. A cette microcassette que j'ai trouvée dans sa chambre. Pour qu'un homme comme Peter enregistre une conversation sur l'oreiller avec l'épouse d'un des politiciens les plus éminents de Géorgie...

— Nous n'en savons rien.

— Nous n'en sommes pas certains, rectifia

Alex. Whitney Fremont est à Washington avec son mari depuis deux mois. Ni toi ni moi ne souhaitons nous rendre là-bas pour lui demander si Peter la faisait chanter. Elle assistait à une soirée, à l'ambassade, le soir où Peter a été assassiné, ce n'est probablement pas elle qui l'a lardé de coups de couteau, mais qui nous dit que cet argent n'a pas été transféré de son compte à celui de Peter pour faire taire ce dernier ?

— Il avait toujours la cassette, déclara Daniel, continuant de se faire l'avocat du diable.

— En effet. Ou peut-être une copie. Ou bien il avait décidé de la faire cracher encore un peu avant de la lui rendre. Peut-être avait-il promis de la détruire. Quoi qu'il en soit, Peter était en possession de quelque chose, et cette femme était prête à payer une fortune pour qu'il n'en fasse pas usage contre elle. Pour lui, c'était une manière facile de gagner du fric — fric qu'il pouvait planquer pour plus tard. (Alex marqua une pause avant d'ajouter :) Tu sais comme moi que si Peter arrondissait ses fins de mois en pratiquant le chantage, Whitney Fremont n'était probablement alors pas son unique victime. Depuis combien de temps cela durait-il ? Il n'a jamais eu de mal à attirer une femme dans son lit, et la perspective d'associer les affaires au plaisir ne lui était sans doute pas désagréable. Peut-être qu'une de ses victimes en a eu assez ?

Alex exprimait à voix haute ce que Daniel avait pensé tout bas.

— La fierté des Kilbourne, murmura-t-il. Un vaurien, un joueur, un escroc, un maître chanteur, et peut-être un traître. C'est un miracle qu'il ait vécu aussi longtemps.

— Reste à savoir ce que la police va découvrir

de tout cela avant d'avoir arrêté l'assassin. Et la question clé, c'est : parmi toutes ces mauvaises habitudes, quelle est celle qui a tué Peter ?

— Et surtout, conclut Daniel, à quel point Amélia est-elle impliquée dans tout ça ?

— M'autoriserez-vous à voir celui-là, mon enfant ? s'enquit Amélia.

Laura regarda la vieille dame assise sur son fauteuil en rotin.

— Pouvez-vous patienter encore un peu ? Comme je vous l'ai expliqué, il s'agit d'un essai. C'est la raison pour laquelle nous sommes dans la serre. Je veux m'exercer un peu pour savoir où j'en suis.

— Laura, je vous le répète, je comprends la différence qu'il y a entre un travail préliminaire et une œuvre finale. Je vous promets de ne pas vous juger trop durement.

Que pouvait-elle répondre à cela ?

— Très bien, Amélia. A la fin de la séance, vous verrez ce que j'ai fait. Laissez-moi avancer encore un peu.

Laura se concentra de nouveau sur sa toile, d'où se détachait la silhouette d'Amélia tout habillée de noir. Pour l'instant, le visage était à peine ébauché, les ombres inexistantes. Laura s'attaqua aux yeux.

— Vous me semblez préoccupée aujourd'hui, mon enfant. Vous avez l'air fatigué.

Laura avait une réponse toute prête.

— Quand il y a de l'orage, je suis aussi nerveuse qu'un chat. Je n'ai pas beaucoup dormi. Mais je vais bien, Amélia.

— Nous avons des points communs. Moi, aussi,

je suis énervée par temps d'orage et, à cette époque de l'année où ils sont nombreux, je finis par errer toute la nuit dans les couloirs de la maison. Comme hier.

Laura la dévisagea. *Comment vais-je m'y prendre pour représenter ce regard si candide ? Est-ce vous qui avez pénétré dans ma chambre, Amélia ? Si oui, pourquoi ne le dites-vous pas ? Pourquoi jouer avec moi au chat et à la souris ? Est-ce un de vos passe-temps de manipuler ainsi les gens ?*

— Vous auriez dû frapper à ma porte, dit Laura, parfaitement calme. Nous aurions joué aux cartes ou travaillé à votre portrait.

— Je m'en souviendrai la prochaine fois.

Laura se remit à l'ouvrage en espérant afficher une expression aussi innocente que celle d'Amélia. Elle en doutait. Elle était épuisée et, à la lueur du jour, les événements de la nuit lui semblaient presque irréels. Plus elle se les remémorait, plus elle avait l'impression d'avoir rêvé. Elle avait peine à croire qu'elle avait rejoint Daniel dans ses appartements, qu'ils avaient fait l'amour avec passion jusqu'à l'aube.

Lui avait-elle vraiment dit qu'il pouvait, avec sa bénédiction, lui cacher la vérité ? Comment cet homme pouvait-il la dominer ainsi, au point de la convaincre d'accepter l'inacceptable ?

Elle ne l'avait pas vu de la matinée. Il avait déjà quitté la maison lorsqu'elle était descendue prendre son petit déjeuner vers huit heures et demie. Il ne rentrerait probablement pas avant l'après-midi. Etait-il à un simple rendez-vous d'affaires ? Lui aurait-il répondu si elle lui avait posé la question ?

— Laura ?

Elle fronça les sourcils. Les yeux n'étaient pas réussis.

— Mmmm ?

— Je vais vérifier le repas, mon enfant. Pouvez-vous vous passer de moi un moment ?

La jeune femme fut surprise de constater avec quelle rapidité le temps avait filé. Elle fut encore plus étonnée de voir qu'elle avait si bien avancé. Sa main travaillait décidément beaucoup mieux lorsqu'elle se laissait guider par son subconscient. Grâce aux rehauts et aux ombres, elle avait su rendre remarquablement les pommettes, le sourire énigmatique, le nez élégant... Seuls, les yeux laissaient à désirer.

— Hé ! C'est pas mal !

Elle ne sursauta pas, car elle avait reconnu le bruit des bottines d'Anne sur le carrelage.

— Merci, mais il y a encore de l'ouvrage.

Anne mit les mains dans les poches de sa jupe longue et fixa la toile.

— Vous devez me trouver épouvantable.

C'est donc à mon tour d'accepter le rameau d'olivier... Depuis la veille, Anne cherchait à faire la paix, prenant isolément les membres de la famille. Et maintenant, elle s'attaquait à l'invitée.

— Je pense que Peter était un homme charmant, auquel il était difficile de résister.

Anne devint cramoisie et jeta sur Laura un regard chargé de colère. Puis, se rappelant qu'elle était là pour faire amende honorable, elle prit une profonde inspiration.

— Oui, marmonna-t-elle enfin. Oui, c'est vrai. Il savait quoi dire pour vous faire oublier... certaines choses.

Laura ne lui demanda pas lesquelles.

— Vous avez affirmé l'autre jour que Peter

était mort à cause de la façon dont cette famille menait ses affaires. Que vouliez-vous dire par là ?

Anne plissa le front, l'œil toujours rivé sur le tableau.

— Ils sont sans pitié, l'un comme l'autre… Daniel et Amélia. Tout ce qui compte, pour eux, c'est de gagner. C'est ainsi chez les Kilbourne.

— Peter devait donc vaincre, lui aussi ?

— Daniel l'avait mis sur la touche. On le traitait comme un imbécile, comme s'il n'avait pas son mot à dire. Amélia le prenait pour son larbin. Il ne le supportait pas. C'était un Kilbourne.

Laura entendait presque la voix suave de Peter, imaginait son beau visage, tandis qu'il confiait ses soucis à sa cousine, en échange de sa sympathie et de sa loyauté. Il avait fini par l'attirer dans son lit. Anne avait-elle songé qu'un homme de près de trente ans qui se plaignait d'être maltraité par les siens tout en séduisant sa cousine était tout sauf honnête ?

— Qu'a-t-il fait ? interrogea Laura. Selon vous, il avait des projets.

Anne se frotta les bras, l'air absent.

— C'est vrai. De grands projets. Il me l'a dit. Dès qu'il serait entré en possession de son argent, il leur aurait montré de quoi il était capable.

— Quel argent ?

— Celui qu'il attendait. Il avait un ami qui… investissait dans son avenir, un truc comme ça. Il allait obéir aux ordres stupides d'Amélia, puis avoir son argent.

— Et qu'allait-il en faire ?

— Il voulait démarrer sa propre société, répondit Anne avec défi. Concurrencer celle de la famille. Il avait tout prévu : les directeurs, les concepteurs, les experts en informatique. Il était certain de pouvoir récupérer plusieurs des contrats passés par les Kilbourne avec le gouvernement. Il aurait cassé les prix, vous comprenez, histoire de mettre le pied dans la porte, et tout le monde se serait précipité chez lui. Tout était planifié.

Laura ne s'y connaissait guère en affaires, mais elle trouvait les «projets» de Peter pour le moins fous. Peut-être était-ce Anne qui éludait les détails. Peu importe, l'ensemble lui semblait être le caprice déraisonnable et paranoïaque d'un homme aigri, décidé coûte que coûte à se mesurer à son frère.

— Quand vous en a-t-il parlé ? Pas le dernier soir ?

— Non, deux jours auparavant.

— Vous pensez qu'on l'a tué parce qu'il voulait gagner ? Parce qu'il voulait être le meilleur ? Plus fort que Daniel...

Anne hocha la tête avec vigueur.

— Je crois que oui. Je suis prête à parier que l'argent ne provenait pas de ce soi-disant ami, mais des types louches qu'il fréquentait. Il ne savait pas que j'étais au courant, mais je l'ai vu en leur compagnie à plusieurs reprises, à son insu. Je suis sûre qu'il leur a emprunté une somme coquette ou les a convaincus d'investir dans son affaire. Ensuite, pour une raison quelconque, ils se sont retournés contre lui et l'ont assassiné.

Dotée d'un esprit plus logique que celui d'Anne, Laura repéra immédiatement la faille dans le raisonnement. Après avoir prêté de l'argent à Peter, ou participé au lancement de son projet, pourquoi ses «partenaires» l'auraient-ils tué, éliminant ainsi toute chance de récupérer leur mise ? Cela n'avait aucun sens. En revanche, le fait que

Peter ait eu des fréquentations douteuses élargissait le champ des suspects.

— Vous avez peut-être raison, concéda-t-elle.

— J'en suis certaine. C'est grotesque d'imaginer qu'une femme ait pu poignarder Peter. Il était parfaitement capable de se défendre.

Laura ne jugea pas utile de préciser que, d'après les journaux, Peter était assis sur le lit lorsqu'on l'avait attaqué. Le premier coup de couteau l'ayant atteint en plein cœur, il était sans doute mort avant même d'avoir envisagé de se battre.

— Laura... Ah ! Anne, tu es là. Tant mieux. Le repas est servi.

Amélia avait surgi sans bruit sur le seuil de la serre, surprenant les deux femmes.

Laura se ressaisit aussitôt, posa ses pinceaux et suivit la vieille dame avec Anne jusqu'à la salle à manger. Madeleine, Kerry et Josie les y attendaient. Laura mit plusieurs minutes à comprendre ce qui l'avait frappée en arrivant.

Josie. Josie n'était pas en noir, mais portait un pull vert pâle et un pantalon blanc. Elle paraissait à la fois vulnérable et radieuse.

— Josie, ma chère, un pantalon blanc en plein mois d'octobre ? s'exclama Amélia, un peu outrée.

— Nous sommes en automne, renchérit Madeleine.

Laura vit Josie tressaillir imperceptiblement.

— Je vous trouve ravissante, Josie. Ces couleurs claires vous vont à merveille.

Josie lui adressa un regard reconnaissant, puis se tourna vers Amélia.

— Je pense que je vais opter pour des tenues plus gaies, Amélia.

Kerry intervint, alors, placide et douce comme toujours.

— Laura a raison. C'est très seyant.

— Remarque qui émane d'une personne vêtue du gilet le plus hideux que j'aie jamais vu, riposta vertement Amélia.

Au grand étonnement de Laura. En général, la vieille dame se montrait plus conciliante avec Kerry. Cette dernière sourit en dépliant sa serviette.

Elle s'est fabriqué une armure. Laura saisit le coup d'œil de Josie et comprit qu'elles avaient eu la même pensée. Une domestique apparut, et la conversation devint plus générale.

Laura ne prêta guère attention à ce qui se disait. Elle songeait aux révélations d'Anne au sujet de Peter, qui rendaient encore la situation plus sordide. Peut-être avait-il été tué par un mystérieux escroc, mais, dans ce cas, n'aurait-il pas été abattu d'un coup de pistolet ? Peut-être n'aurait-on même jamais retrouvé son cadavre ? Ce qui était sûr, c'était que Peter avait probablement reçu de l'argent quelques jours avant sa mort, et qu'il y avait peut-être là un lien avec son assassinat.

On tuait tous les jours pour de l'argent. Peter pouvait avoir été victime d'un complot. Ce qui avait l'apparence d'un crime passionnel pouvait n'être que le résultat de l'affolement d'un voleur.

Laura frissonna devant la vision que lui procurait son imagination, toujours aussi vive. Elle tenta de revenir au présent. Anne se plaignait une fois de plus de la fadeur de la nourriture et demandait pourquoi on ne tenait jamais compte de ses souhaits.

— Si tu veux quelque chose de plus épicé, trancha Amélia, tu n'as qu'à commander une pizza. La cuisinière suit *mes* instructions, Anne, point final.

Anne rit, d'un rire amer.

— Vous voulez dire qu'elle les suivra jusqu'à ce que Daniel prenne les commandes, n'est-ce pas, Amélia ? Peter m'a confié tous ses secrets et ceux de la famille. Ainsi, la rumeur selon laquelle vous auriez tué votre propre mari en le frappant à la tête et en le poussant dans la piscine. Est-ce vrai, Amélia ? Daniel en a-t-il la preuve ? Est-ce l'épée de Damoclès qu'il suspend au-dessus de votre tête ? Nous savons toutes deux qu'il administre la fortune des Kilbourne depuis des années. Vous n'avez qu'un rôle secondaire, mais il vous laisse vous comporter comme si vous aviez tous les pouvoirs.

— Anne ! murmura Josie.

— Vous, restez en dehors de cela ! glapit Anne. J'en ai assez de vous voir vous interposer, jeter de l'huile sur le feu quand on ne vous demande rien, lécher les bottes de Daniel ou d'Amélia, ainsi que celles d'Alex... A propos, comment est-il, au lit ? Jeremy approuverait-il cette liaison avec son cousin ?

Cette flèche atteignit Josie en plein cœur. Blême, elle lâcha sa fourchette et fixa son assiette.

D'où sortait tout ce venin ? Qu'espérait Anne, sinon se venger de l'humiliation dont elle avait été victime ? Son regard était brillant, ses lèvres pincées, sa voix cassante.

Laura regrettait maintenant de ne pas avoir été plus attentive à la discussion.

Très droite sur sa chaise, Amélia était rouge de colère. Kerry continuait de manger tranquillement. Seules, Madeleine et Laura observaient Anne.

— Tais-toi donc, Anne, tu sais bien que tout cela est faux.

Anne porta un toast moqueur.

— A Madeleine, qui ne reconnaîtrait jamais le moindre problème au sein du clan sous peine d'aller en enfer. Voyons, c'est ce qu'on appelle chez vous l'*omerta*, n'est-ce pas, Kerry ? La loi du silence ?

— Pas depuis que nous avons quitté l'Italie, il y a trois générations, répliqua Kerry d'un ton sec.

— En tout cas, je pense que vous êtes au courant. La gentille, la silencieuse Kerry, qui n'a jamais un mot méchant pour quiconque. Veuve sans avoir été épouse. C'est la vérité, n'est-ce pas, Kerry ? Vous voulez que je leur révèle encore un des secrets de Peter ?

Kerry la dévisagea. La moitié abîmée de sa figure avait foncé, trahissant une émotion que l'autre partie refusait de montrer. Elle s'exprima posément.

— De toute évidence, Anne, tu le diras si tu en as envie.

Amélia intervint, bouleversée.

— Anne, si tu ne peux pas te comporter de manière civilisée, je te prie de quitter cette table.

— Quitter la table de Daniel, Amélia ? Pourquoi le ferais-je ? Le maître des lieux ne s'est pas encore fait entendre.

— Eh bien, c'est chose faite. (Daniel entra dans la pièce.) Je ne sais pas ce qui te prend, Anne, mais ça suffit. Ne m'oblige pas à commettre un acte que nous pourrions regretter tous les deux.

Quel que fût son mépris pour les autres, Anne respectait ou craignait trop Daniel pour le braver. Furieuse, elle repoussa sa chaise, jeta sa serviette sur la table et sortit en courant.

Dans le lourd silence qui suivit ce départ, Daniel scruta l'assemblée.

— Je veillerai à ce que cela ne se reproduise pas.

Sur ce, il quitta la salle à manger.

Kerry plia soigneusement sa serviette.

— Amélia, si vous voulez bien m'excuser, je crois que je vais aller jouer un peu de piano.

Amélia n'objecta pas.

— Quant à moi, je vais monter me reposer. Laura, pardonnez-moi, mais je ne pense pas pouvoir poser cet après-midi.

— Ne vous inquiétez pas, j'ai de quoi m'occuper.

— Merci, mon enfant. Madeleine, si tu veux bien me donner le bras...

— Qu'est-ce qui a pris à Anne ? demanda Laura à Josie quand elles furent seules. J'étais dans la lune pendant un moment. Qu'est-ce qui a déclenché cette scène ?

— Rien, murmura Josie, visiblement effondrée. J'ai seulement entendu Amélia lui dire qu'elle ne voyait aucune raison de changer le papier peint de sa chambre. Apparemment, c'est la goutte d'eau qui a fait déborder le vase, parce que la situation a dégénéré très vite.

— Toute cette agressivité pour du papier peint ?

Josie haussa les épaules.

— Oui. A moins qu'elle ne rumine encore sa fureur d'avoir été démasquée dimanche et qu'elle ait cherché à se venger.

Laura plia distraitement sa serviette.

— Daniel a dit qu'il veillerait à ce que cela ne se reproduise plus.

Répondant à sa question silencieuse, Josie expliqua :

— C'est lui qui signe les chèques. Il a toujours été assez laxiste avec Anne, sans doute par pitié.

Aujourd'hui, cependant, elle a passé les bornes. (Josie rosit.) Bien sûr, elle m'en a toujours voulu. Amélia pense qu'elle est jalouse, mais je suis persuadée que ce n'est pas tout. Lorsque Alex est arrivé, elle...

— Elle s'est éprise de lui ? devina Laura.

— Oui. Je ne sais pas s'il en a eu conscience, mais moi, si. Plus tard, quand lui et moi...

Laura hocha la tête.

— Elle n'est pas du genre à accepter la compétition, encore moins le rejet. Euh... je sais que cela ne me regarde pas, mais d'après moi, Alex a bien choisi.

Josie lui sourit.

— Merci. Vous savez, il m'a dit que tout le monde ici était au courant, mais je refusais de le croire.

— Les secrets n'ont pas la vie longue, dans cette demeure, s'entendit répliquer Laura.

— N'est-ce pas ? Surtout, d'après Anne, ceux dont Peter avait connaissance. Bien ! Je crois que je vais aller travailler un peu. A moins que vous ne vouliez de la compagnie ?

— Non, merci. Je vais me promener dans le parc.

— Voulez-vous un indice pour le labyrinthe ?

Laura hésita, puis acquiesça.

— Avec plaisir.

— Quand vous êtes devant trois allées, choisissez celle du milieu. C'est bon à savoir si vous avez le sens de l'orientation, vous verrez. D'ici combien de temps dois-je vous envoyer une équipe de secours ?

— Deux heures minimum.

Laura éprouvait le besoin de prendre l'air. L'atmosphère, dans ces murs, était oppressante et elle avait besoin d'être seule pour réfléchir... loin de Daniel.

Les orages de la nuit précédente avaient nettoyé le parc, qui étincelait sous le doux soleil d'octobre. L'air sentait bon. Laura longea le chemin jusqu'au labyrinthe. Elle n'aperçut personne, hormis un jardinier dans un bosquet d'azalées, à une vingtaine de mètres de l'entrée du labyrinthe.

Elle ne souffrit pas de claustrophobie comme la première fois et n'eut pas besoin de lever la tête pour s'assurer que le ciel était encore là. Faisant confiance à son instinct, elle se contenta d'avancer. Dès qu'elle arrivait devant trois allées, elle choisissait celle du milieu, mais en fait, elle avait la sensation d'évoluer en terrain familier.

Ce ne fut qu'en atteignant la gloriette sans avoir eu à revenir sur ses pas que Laura comprit ce qui s'était passé. Dans un coin de son esprit, un doigt avait tracé le contour du dessin figurant au dos de la glace en cuivre, jusqu'au cœur où s'entrelaçaient deux initiales. La glace...

Elle entra, s'assit. Elle ne voyait que la glace, aussi nette qu'une photo dans sa mémoire.

Le motif lui avait toujours rappelé le labyrinthe, mais elle ne s'en rendait compte que maintenant.

— Idiote ! se réprimanda-t-elle.

Elle avait établi ce lien la veille, depuis la fenêtre de Daniel, seul point de vue d'où l'on pouvait observer le labyrinthe dans sa totalité.

Qu'est-ce que cèla signifiait ? La glace était-elle la clé du labyrinthe ou ce dernier avait-il été conçu d'après le motif qu'elle portait au dos ? Il y avait eu d'abord la glace, commandée à Philadelphie, en 1800. D'après Josie, le labyrinthe avait été créé un siècle et demi plus tard, dans les années cinquante, par David Kilbourne. Etait-ce à cette époque que la glace était entrée dans la famille ? David l'avait-il achetée pour son épouse, et avait-il imaginé ensuite le labyrinthe d'après le dessin gravé sur le dos en cuivre ?

Amélia aurait-elle relégué au grenier un cadeau qu'elle n'aimait pas, offert par un mari qu'elle idolâtrait ?

C'est possible, si c'est elle qui l'a noyé dans sa propre piscine.

Laura posa les coudes sur ses genoux et cala son menton sur ses mains, le front plissé. Si Amélia avait assassiné son époux, pour rien au monde elle ne l'avouerait quarante ans plus tard.

Si elle admettait que David lui avait offert cette glace... alors, quoi ? Connaissant la fortune de la famille, Amélia avait dû être inondée de cadeaux pendant toutes ces années. Cette glace, elle ne s'en souvenait probablement pas.

Laura se dit avec dépit que l'histoire retracée par Dena devait s'arrêter le jour où David Kilbourne avait acheté la glace dans une brocante. Rideau. Il n'y avait rien là qui puisse expliquer le désir de Peter de la récupérer, rien qui puisse expliquer son meurtre, ni les réponses évasives de David concernant cet objet.

Rien, surtout, qui puisse expliquer pourquoi Laura avait passé sa vie à chercher cette glace, ni comment elle s'était retrouvée chez les Kilbourne un samedi matin.

Impasse.

— Non. Il doit y avoir une signification...

— A quoi ?

Il s'était approché sans bruit. Elle se redressa et le regarda droit dans les yeux.

— A quoi ? répéta-t-il.

Laura songea tout d'un coup que de trop

longues heures s'étaient écoulées depuis leur étreinte de la nuit. Son cœur se mit à battre plus vite.

— Le labyrinthe. Où David a-t-il trouvé le dessin du labyrinthe ?

— Grâce à un inconnu, dans un bar, répondit Daniel, l'air absent. L'histoire est intéressante. Je te la raconterai un jour.

Il s'agenouilla devant elle, plaça les mains sur ses chevilles, les fit remonter sous sa jupe. Elle faillit lui rappeler qu'il faisait jour, que quelqu'un risquait de les surprendre. Les mots lui restèrent dans la gorge.

— J'ai rêvé toute la journée de cet instant, avoua-t-il.

Il s'attarda sur la courbe de ses hanches.

Laura se souleva légèrement pour l'aider tandis qu'il la déshabillait.

Elle avait envie de lui, là, tout de suite, irrésistiblement. Plus rien n'avait d'importance. Un gémissement de plaisir lui échappa. Il explorait ses seins, réclamait ses lèvres.

Puis il fut en elle, et Laura poussa un cri, s'arquant vers lui pour prendre tout ce qu'il voulait lui offrir. Des larmes roulaient sur ses joues lorsqu'elle revint enfin à la réalité. A cet instant précis, elle admit ce qu'elle ne pouvait plus nier : elle était amoureuse de Daniel Kilbourne.

13

En entendant la porte d'entrée s'ouvrir, puis se refermer, Josie fixa le seuil de la bibliothèque. Un instant plus tard, Alex apparut.

— A-t-on idée de travailler un samedi ! s'exclama-t-il d'un ton brusque.

Josie, à deux doigts de se hérisser, comprit que quelque chose le tourmentait et se maîtrisa.

— En fait, je m'occupais de mes comptes personnels.

Il fronça les sourcils et s'avança vers elle.

— Excuse-moi, ma chérie. Je n'ai pas eu une très bonne journée. Et toi ?

— Oh, couci-couça. Anne a craqué au déjeuner et, entre autres déclarations fracassantes, a demandé si Jeremy approuverait ma liaison avec son cousin.

Alex se percha sur le bord du bureau et la contempla.

— Je suppose qu'elle s'est exprimée moins poliment ?

— On peut le dire. En quelques minutes, elle est parvenue à insulter toutes les personnes autour de la table à l'exception de Laura, qui paraissait complètement stupéfiée.

— Il va falloir que je revienne à la maison le midi, murmura Alex, songeur.

Josie ne put s'empêcher de s'esclaffer, mais elle secoua la tête.

— C'était abominable ! Elle s'est même attaquée à Kerry, en affirmant qu'elle était veuve sans avoir jamais été épouse. Quant à Amélia, je ne l'avais jamais vue dans un état pareil, après qu'Anne lui a dit qu'elle n'avait aucun pouvoir réel à la tête de la famille. Si Daniel n'avait pas surgi à cet instant-là, je ne sais pas ce qu'elle nous aurait encore sorti.

Alex prit ses mains dans les siennes et la mit debout.

— Tu as tort de te laisser impressionner par Anne, Josie. C'est une femme malheureuse, pleine de ressentiment, qui ne trouve son plaisir qu'en semant la zizanie. Ignore-la.

— Ce n'est pas facile quand elle crie à la cantonade que nous couchons ensemble.

Il la regarda droit dans les yeux.

— Ainsi, elle l'a proclamé haut et fort. Et alors ? Le ciel t'est-il tombé sur la tête ? Amélia t'a-t-elle ordonné de quitter les lieux sur-le-champ ?

Le fantôme de Jeremy s'est-il réveillé pour te condamner ? Il ne posa pas cette question, mais Josie l'entendit malgré tout.

— Non. Je me suis sentie vulnérable. Et j'ai souffert de voir ma vie privée étalée devant les autres.

— Mais tu n'as pas été assaillie par un sentiment de culpabilité ? Ni de honte ?

— Non, répondit-elle avec lenteur, un peu surprise.

Alex sourit.

— Tu fais des progrès, ma chérie.

Il l'embrassa avec fougue.

— Jamais je n'ai vu Daniel ainsi, dit-elle, absente. Dur comme du marbre. Une fois Anne enfuie, il nous a promis que cela ne se reproduirait plus jamais. Ensuite, je suppose qu'il est parti à sa poursuite. Je ne les ai vus ni l'un ni l'autre depuis, mais je parierais volontiers qu'il l'a mise en demeure de changer de comportement.

Alex grimaça.

— Le pauvre, il n'avait pas besoin de cela. Je peux t'assurer que ce n'est pas drôle de diriger les affaires des Kilbourne.

Elle le scruta.

— Daniel et toi continuez donc votre grand... nettoyage, après la mort de Peter ?

— Plus ou moins. Une vraie corvée.

— Tu refuses toujours de m'en parler ?

— Josie, tu ne pourrais pas nous aider. Je ne vois pas l'intérêt de t'inquiéter inutilement. Tôt ou tard, nous parviendrons à nos fins, et je te raconterai tout. D'accord ?

— Vous êtes cachottiers, tous autant que vous êtes. Sauf Peter, bien sûr, qui semble avoir confié à Anne tous les secrets dont il avait connaissance.

— Tiens, tiens ! Intéressant. Enfin... peu importe. Si nous sortions de cette maison sinistre pendant quelques heures ? (Sans lui lâcher la main, il descendit de son perchoir et annonça d'un ton nonchalant :) A propos, je n'ai pas eu l'occasion de te le dire ce matin, mais tu es ravissante.

Josie se sentir rougir comme une écolière.

— Merci.

Il lui sourit encore.

— Jeremy ne t'en voudrait pas, tu sais. Il détestait le noir, si mes souvenirs sont exacts.

Josie, la gorge serrée, se contenta de hocher la

tête. Alex se doutait-il qu'elle avait cessé depuis longtemps de demander pardon à son défunt mari ?

Tandis qu'ils se dirigeaient paisiblement vers la sortie du labyrinthe, Laura observa leurs doigts entrelacés. Que pensait-il de l'amour qu'elle lui portait ? Il ne pouvait pas ne pas savoir. Devant lui, elle était incapable de dissimuler ses sentiments. Dès le premier jour, il avait su deviner ses émotions et ses humeurs. Oui, il avait compris qu'elle l'aimait.

— Tu ne dis rien, murmura-t-il enfin.

Laura s'efforça de prendre un ton désinvolte.

— Quoi de surprenant ? Je viens de subir les derniers outrages dans une gloriette.

Il s'immobilisa et la dévisagea en souriant.

— Et je ne t'ai même pas dit bonjour, je crois ?

— En effet. Tu as dit...

Laura fut prise de panique en constatant qu'elle n'en avait pas le moindre souvenir. *Mon Dieu, jamais plus je ne serai comme avant !*

Daniel prit ses lèvres.

— Bonjour.

— Bonjour. Quelqu'un pourrait surgir au coin d'une haie et nous surprendre, tu sais. On nous a peut-être observés tout à l'heure.

— Après la scène que nous a faite Anne à midi, j'espère que tu ne mets plus en doute ce que je t'ai dit: les secrets s'éventent vite dans cette famille.

— En effet, acquiesça-t-elle avec une moue fataliste. Elle paraissait tellement décidée à révéler les méfaits des uns et des autres... Un instant, j'ai cru qu'elle allait lancer à la cantonade que j'avais passé la nuit dans ta chambre.

— Comment le saurait-elle ?

Laura hésita, puis :

— Elle aurait pu m'apercevoir dans le couloir.

Daniel parut perplexe.

— Sa chambre se trouve dans l'aile est, de l'autre côté de la maison. Qu'aurait-elle pu fabriquer près de la tienne ou de la mienne ?

— Tu as raison. Seulement, j'étais la seule à laquelle elle ne s'était pas encore attaquée. J'ai pensé que j'étais la suivante sur la liste. Tu as entendu son morceau de bravoure ?

— Presque en totalité. Laura, il s'est passé quelque chose d'autre. Quelque chose qui te tracasse.

Elle hésita de nouveau, mal à l'aise.

— Pendant que j'étais chez toi, hier soir, quelqu'un est venu dans mes appartements.

— Tu en es certaine ?

Laura n'avait pas eu l'intention de lui avouer qu'elle avait apporté la glace. Pourtant, elle s'entendit répondre :

— Lorsque j'ai décidé de passer le week-end ici, j'ai pris la glace. En quittant ma chambre cette nuit, elle était posée retournée la face contre la table basse. A mon retour, elle était retournée.

Daniel ne broncha pas.

— Amélia erre souvent dans les corridors, murmura-t-il.

— Elle me l'a dit.

— Elle a avoué être entrée chez toi ?

— Non. Cependant, j'ai eu la nette impression qu'elle jouait avec moi. Tu crois que c'était elle plutôt qu'Anne ?

— Vraisemblablement.

— Donc, elle jouait bel et bien avec moi.

Daniel effleura son visage du bout des doigts.

— Peut-être. A moins qu'elle n'ait tout simplement pas voulu confesser son indiscrétion.

— Au vu de votre relation, j'aurais cru que tu ne lui accordais jamais le bénéfice du doute. Ce n'est pas le cas, n'est-ce pas, Daniel ? Pourquoi lui permets-tu d'agir ainsi ? Cette façon qu'elle a de tester les limites avec toi, de lutter pour obtenir ce qu'elle veut me semble malsaine, voire dangereuse. Pourtant, tu la laisses faire. Pourquoi ?

Daniel ébaucha un sourire penaud.

— C'est difficile à croire, mais Amélia m'a témoigné de l'affection lorsque j'étais enfant. Mon père s'occupait de moi, mais maman était... distante, uniquement préoccupée de Peter. Amélia me prêtait attention, m'écoutait, me parlait. Pendant un temps, nous avons été très proches. Cela, je ne peux l'oublier, Laura.

Elle le regarda dans les yeux.

— Mais cette épreuve de force entre vous va bientôt cesser, non ? Tu vas devoir mettre un terme à toute cette tension.

— Oui. Bientôt.

— Elle va riposter. Tu le sais.

— En effet. Mais, pour l'heure, j'ai d'autres chats à fouetter.

— Comme... les activités de Peter juste avant sa mort ?

Daniel laissa retomber sa main.

— Tu as dit ça au pif ?

— J'assemble les pièces du puzzle. Il était mêlé à des affaires louches, n'est-ce pas ? Il essayait de trouver de l'argent pour financer ses projets ? Est-ce la raison pour laquelle on l'a assassiné ? A-t-il frappé à la mauvaise porte ?

— Je n'en sais rien.
Daniel se remit à marcher.
— Tu ne veux pas en parler.
Laura n'en était guère étonnée, mais elle avait du mal à cacher son amertume. Il resserra son étreinte.
— Non, pas maintenant. Tu m'as assuré que tu pouvais l'accepter, Laura.
— J'aimerais comprendre, murmura-t-elle. Je ne sais toujours pas ce que tu veux de moi, Daniel.
Il s'arrêta, la toisa.
— Ah, non ?
Laura n'eut aucun mal à déchiffrer la lueur vacillante dans ses prunelles.
— Hormis cela, bredouilla-t-elle.
Il sourit.
— Tout connaître de toi. Où tu es née, où tu as grandi, quelle est cette famille dont tu t'es éloignée. Ce que tu apprécies, ce que tu détestes. Tes avis sur la politique et la philosophie. De quel côté du lit tu préfères dormir. Tout ça...
— C'est... beaucoup.
— Nous avons tout notre temps. Il nous reste encore plusieurs heures avant le dîner. Personne ne viendra nous déranger ici, Laura. Promène-toi avec moi. Parle-moi de toi.
Elle jeta un coup d'œil sur leurs doigts entrelacés.
— Si nous passons un après-midi tout entier ensemble dans le parc...
— Tout le monde saura que nous sommes amants ? Quelqu'un a vu que tu n'étais pas dans ta chambre cette nuit. Amélia, sans aucun doute. Quant aux autres, je ne pense pas que cela les intéresse. Je t'ai promis de te laisser du temps. Je ne cherche pas à t'envahir, mais, ces jours-ci, je

supporte de moins en moins les secrets. Je n'ai pas honte d'être ton amant, Laura. Je me fiche éperdument de qui est au courant.

— Je n'ai pas dit que j'avais honte. Cependant, nous nous connaissons depuis à peine une semaine, et...

— Et cela risquerait d'offenser la sensibilité de certains ? Pourquoi devons-nous à tout prix nous soucier de l'opinion des autres ? Si cela t'ennuie vraiment qu'on sache ce qui se passe entre nous, je te laisse ici et je rentre seul. Personne ne nous a remarqués. Le labyrinthe n'est visible que depuis la fenêtre de ma chambre. Nous feindrons l'indifférence en présence des autres. Nous cacherons la vérité le plus longtemps possible, si c'est ce que tu souhaites. Peut-être viendras-tu me rejoindre de temps à autre quand tout le monde dormira. Le lendemain, nous ferons comme si de rien n'était. Est-ce ce que tu veux, Laura ?

— Non. Mais Amélia...

— Amélia ne dira rien. Dans le cas contraire, je me charge d'elle.

Il lui baisa la main, un geste étrangement gracieux et intime de la part d'un homme à l'apparence aussi virile.

— Promène-toi avec moi, je t'en prie. Parle-moi de Laura Sutherland.

Elle songea plus tard que c'était le baisemain qui avait tout déclenché. Incapable de lui résister davantage, elle avait cédé.

Le parc était désert et paisible. Personne ne vint les interrompre, tandis qu'ils longeaient les allées, s'arrêtant de temps en temps pour s'asseoir sur un des innombrables bancs disséminés à travers le parc.

Daniel posa des questions, Laura y répondit.

Jamais encore elle n'avait révélé autant de détails de son existence. Lui aussi s'exprima, comblant les vides lorsqu'elle le lui demandait.

Ce ne fut qu'à leur retour à la maison, lorsqu'ils se séparèrent pour aller s'habiller, qu'elle se rappela ce qu'il lui avait dit à propos de David et du labyrinthe. Malheureusement, il était trop tard pour l'interroger là-dessus.

Quand Laura pénétra dans le salon juste avant dix-neuf heures, elle ne savait pas à quoi s'attendre... de la part de Daniel.

Protéger le secret d'une relation était une chose ; faire comprendre son amour à l'être aimé sous les regards curieux des autres en était une autre. Daniel était un homme plutôt réservé, peu enclin à manifester ses sentiments. Du moins l'avait-elle pensé jusqu'à leur tour de parc : il l'avait attirée derrière chaque arbre, pour l'embrasser avec ferveur.

Elle en avait encore les jambes flageolantes. Quiconque l'observerait avec un tant soit peu d'attention le remarquerait.

— Vous semblez avoir besoin d'un petit remontant ! s'écria Alex en la voyant. Que puis-je vous offrir, Laura ?

— Je ne bois pas, en général. Un porto, peut-être...

Josie la gratifia d'un sourire de sympathie et de compréhension.

— Ne l'écoutez pas. Vous êtes superbe.

Laura examina la longue robe argentée de Josie, puis la sienne, toute noire, et ne put s'empêcher de rire.

— Merci. Vous aussi.

— Les transformations sont toujours fascinantes, vous ne trouvez pas ? murmura Alex.

— Pas lorsqu'on est soi-même l'objet de la métamorphose en cours, répliqua Laura.

— On a l'impression de ne plus savoir qui on est, soupira Josie.

— De ne plus savoir se maîtriser, ajouta Laura.

Alex s'esclaffa.

— Goujat ! s'indigna Josie.

— Désolé, ma chérie, mais si vous vous voyiez, toutes les deux !

Josie se tourna vers Laura.

— Son plus gros défaut, c'est sa désinvolture. Vous vous en êtes sans doute aperçue.

— Ses cravates le trahissent, dit Laura.

Alex contempla celle qu'il portait, criarde à souhait.

— Je proteste !

— A quel propos ? s'enquit Daniel en entrant.

— Elles attaquent ma cravate, riposta Alex en lui tendant un whisky.

— A ta place, je ne m'en inquiéterais pas. Ta cravate est assez agressive pour se défendre toute seule !

Prise de fou rire, Laura n'eut pas le temps de se raidir lorsque Daniel l'enlaça par la taille et l'embrassa.

— Tu es magnifique, ce soir, lui susurra-t-il.

Parfaitement à l'aise, il la garda contre lui, la caressant légèrement. Laura découvrit sans grande surprise que son corps réagissait de lui-même et s'abandonnait. Elle eut même du mal à se retenir de déboutonner la veste de Daniel pour se blottir plus près de lui.

Il vit, ou sentit son désir, car une lueur de plaisir brilla dans ses prunelles.

— Tu as vu Anne ? demanda-t-il à Alex.

— Non. Après la scène que m'a décrite Josie, je suppose qu'elle ne va pas se montrer de sitôt. Tu lui as passé un savon ?

— Plus ou moins. Elle est sortie furibarde et je ne l'ai pas revue depuis.

Kerry apparut, aussi gracieuse que de coutume, et portant une robe qu'Amélia elle-même ne pourrait critiquer. D'une sobre élégance, elle dénudait ses épaules et ses bras, et sa couleur — un bordeaux foncé — rehaussait son teint pâle et éclairait ses cheveux.

Comme toujours lorsqu'elle se trouvait au sein de la famille, elle était très peu maquillée. Pourtant, ses cicatrices paraissaient moins visibles que de coutume. Elle affichait sa même expression sereine, mais ses yeux brillaient d'un éclat nouveau.

Elle a cessé de se plier au petit jeu d'Amélia, songea Laura. La scène du déjeuner aurait-elle produit un résultat à l'opposé de ce qu'avait cherché Anne ?

— Comme d'habitude, Kerry ?

En guise de réponse, elle gratifia Alex d'un sourire. Il lui tendit son verre, et elle rejoignit Josie sur le canapé près de la fenêtre.

— Vous êtes belle comme tout ! s'exclama Josie. Pourquoi ne vous ai-je jamais vue dans cette couleur ?

— Probablement pour la même raison que vous, répliqua Kerry. Il me semble que nous avons toutes deux suivi trop longtemps le chemin de la passivité.

— Je sais ce qui m'a poussée à changer de voie. Et vous ?

— Une prise de conscience. Un peu lente,

certes, mais mieux vaut tard que jamais. Amélia ne va pas être contente, ajouta-t-elle en buvant une gorgée d'alcool.

Laura pensait exactement la même chose. Apparemment, aujourd'hui, Amélia avait perdu tout son pouvoir sur Josie et sur Kerry. Comment réagirait-elle, maintenant, en voyant Laura dans les bras de Daniel ?

Madeleine entra, impeccable comme toujours. Lointaine, aussi. Si elle nota les changements chez les uns ou chez les autres, elle n'en montra rien. Elle accepta le verre que lui offrait Alex et prit sa place habituelle sur le sofa.

Laura observa Daniel à la dérobée en se souvenant de ce qu'il avait dit au sujet de l'attitude de sa mère à son égard. Il la regardait d'un air détaché, mais, au fond, il devait souffrir terriblement. Pour la première fois, elle éprouva de la colère envers Madeleine.

Elle croisa son regard, aux yeux pâles comme ceux de Daniel, mais si vides. Ils ne voyaient pas vraiment Laura. Ils ne voyaient pas son fils, ni le bras de celui-ci autour de Laura. Ils ne voyaient rien. Ils ne s'intéressaient à rien.

Laura plaça sa main sur celle de Daniel et lui sourit. Son expression s'adoucit, et il la serra contre lui.

Ce fut ce qu'Amélia remarqua en entrant dans le salon. Elle nota aussi que Josie avait quitté ses vêtements de deuil et que Kerry portait une robe qui lui allait à la perfection. Peut-être vit-elle aussi que son emprise sur le clan faiblissait.

Au prix d'un effort surhumain, Laura arracha son regard de celui de Daniel lorsqu'elle entendit le cliquetis de la canne d'Amélia. La vieille dame marqua une pause sur le seuil. Son visage flétri frémit imperceptiblement, mais elle s'approcha jusqu'à son fauteuil et prit comme à son habitude le verre que lui présentait Alex.

— Vous êtes tous très beaux, ce soir, déclara-t-elle avec un certain effort, comme si cette ouverture traditionnelle n'était plus de mise.

J'aurais presque pitié d'elle, songea Laura. Puis, avec étonnement, elle se dit que maintenant, elle pourrait la peindre.

— Vous auriez dû faire un feu, murmura Amélia en se tournant vers la cheminée. Le temps est frais.

— Je m'en occupe ! annonça aussitôt Alex.

— Merci, dit Amélia.

Laura lui trouva l'air un peu perdu. Elle se tenait très droite, mais, curieusement, elle semblait avoir rapetissé, fondu. Elle paraissait plus âgée d'un seul coup, les traits relâchés, les rides plus apparentes.

Personne ne semblait prêt à briser le silence, et Laura se demanda s'ils étaient tous aussi soulagés qu'elle, lorsqu'on sonna à la porte d'entrée.

Alex reparut quelques instants plus tard, l'air circonspect.

— Une fois de plus, il ne s'agit pas d'une visite mondaine, dit-il.

Brent Landry, sobrement mais élégamment vêtu, ne détonnait pas dans le salon. Il se dirigea vers la cheminée, d'où il pouvait voir tout le monde, haussant vaguement un sourcil en apercevant Laura et Daniel.

— Nous nous apprêtions à passer à table, déclara Amélia d'un ton glacial.

— Je suis désolé, madame Kilbourne, mais il y a un point que je souhaite éclaircir de toute urgence.

— Avez-vous découvert qui... ? s'enquit Madeleine, l'œil soudain vif.
— Non, pas encore. Nous continuons d'éliminer les suspects.
— Combien d'ennemis un homme jeune peut-il bien avoir ? marmonna Amélia.
— Assez pour nous occuper jour et nuit, répliqua Landry.
Elle pinça les lèvres.
— Nous vous écoutons.
Il scruta l'assemblée, et son regard finit par se poser sur Kerry.
— Madame, j'ai quelques questions à vous poser.
Elle demeura impavide.
— Kerry était en Californie lorsque Peter a été assassiné, intervint Josie. Que pourrait-elle savoir ?
— Plus que vous ne vous l'imaginez. Madame, saviez-vous que votre mari avait des dettes de jeu ?
— Oui, répondit-elle simplement.
— Avant de vous épouser ?
Elle hésita imperceptiblement.
— Non.
— Saviez-vous qu'il y a deux mois environ, votre époux avait participé à une partie de poker dans la salle privée d'un club d'Atlanta, et qu'il avait perdu plus de trois cent mille dollars en une seule nuit ?
Ce fut Alex qui brisa le silence en murmurant :
— Nom de nom !
— Il n'avait pas cette somme en sa possession, dit Kerry.
— En effet, acquiesça Landry. Mais il connaissait le gérant du club, et ce dernier avait accepté

de lui faire crédit. Savez-vous à qui je fais allusion, madame ?

Elle ébaucha un sourire.

— Mon frère, je suppose ?

— Lorenzo DeMitri. Saviez-vous que votre mari lui devait pareille fortune ?

— Oui.

— Vous n'en étiez pas surprise ?

— Rien ne me surprenait de la part de Peter.

— Etes-vous en train de dire que c'est à cause de cette dette de jeu qu'on a assassiné Peter ? Et que le frère de Kerry pourrait être mêlé à l'affaire ? s'écria Amélia.

— Je dis seulement que c'est une nouvelle piste à explorer, répliqua Landry. Madame, saviez-vous que votre frère avait jeté votre mari hors de son club deux jours avant sa mort ?

— J'étais en Californie.

— Mais vous étiez au courant de l'incident ?

— A l'époque, non.

— Quand l'avez-vous su ?

— Pendant que j'étais en Californie.

— Comment l'avez-vous appris ?

Kerry retint son souffle. Ses yeux noisette brillaient.

— Quand mon frère a appelé mon père.

— Pour lui rapporter l'incident ?

— Non. Pour lui expliquer pourquoi le club accusait un déficit de plus de trois cent mille dollars. Vous n'êtes pas sans savoir que mon père en est le propriétaire.

Landry plissa les paupières.

— Votre frère ne comptait donc pas rentrer dans ses fonds ?

— Il savait qu'il n'obtiendrait jamais rien. Mon père aussi.

— Pourquoi a-t-il accepté de faire crédit à Peter, dans ce cas ?

Kerry sourit.

— Peter était mon mari.

Landry parut sceptique.

— Vous voulez me faire croire que votre frère, un homme d'affaires endurci, a bien voulu faire crédit de plusieurs milliers de dollars dont il savait qu'il ne reverrait jamais la couleur, sous prétexte qu'il s'agissait de son beau-frère ?

— C'est la vérité.

— Et votre père ? Il n'a pas ordonné à votre frère de récupérer la somme ?

— Non.

— Il n'était pas furieux contre votre mari ?

— En colère, certainement, mais il connaissait trop Peter. Il a simplement demandé à Lorenzo de ne plus le laisser jouer au club.

Landry la dévisagea un long moment.

— Cela vous surprendrait-il d'apprendre que l'on a vu votre frère ce soir-là à deux pâtés de maisons du motel où Peter Kilbourne a été assassiné ?

Kerry haussa les épaules.

— Pas spécialement. Lorenzo a des intérêts partout.

— Allons, Brent, intervint Alex, vous ne croyez tout de même pas que DeMitri a tué son beau-frère pour une dette, quel qu'en soit le montant ? Qu'aurait-il eu à y gagner ? Un mort ne peut pas honorer ses dettes.

— Peut-être avait-il plus de chances une fois Peter éliminé, rétorqua Landry. Madame, saviez-vous que votre père avait pris une assurance-vie d'un million de dollars au nom de votre époux, en vous désignant comme l'unique bénéficiaire ?

Kerry parut surprise.

— Non. Cependant, c'est tout à fait dans sa manière. Il connaissait l'attitude de Peter envers l'argent, et voulait sans doute s'assurer que j'aurais de quoi subsister si je me retrouvais seule. Je puis vous certifier, lieutenant, que ni mon père ni mon frère ne me réclameront cette somme pour rembourser les dettes de Peter.

— Vous êtes dans une impasse, Brent, déclara Daniel. A moins, bien sûr, que vous n'ayez la preuve que le frère de Kerry, ou quelqu'un à son service, ait rencontré Peter le soir du meurtre?

Landry l'observa brièvement avant de concentrer de nouveau toute son attention sur Kerry.

— Une dernière chose, madame. Si votre père n'en voulait pas à votre époux, pourquoi l'a-t-il joint ici même par téléphone, sur sa ligne privée, le jour du crime?

— C'est moi qui ai téléphoné, pas mon père.

— Cela vous ennuie de me dire pourquoi vous l'avez appelé?

— Cela m'ennuie, oui, répliqua Kerry d'un ton doux, mais ferme.

— Ça suffit, Brent, dit Alex. Kerry était à cinq mille kilomètres d'ici, et rien de ce dont elle a pu discuter avec Peter ne vous servira dans votre enquête.

Landry parut sur le point d'insister, puis il hocha la tête.

— Je suis d'accord. A moins qu'un nouvel indice ne vienne altérer cette certitude.

— Si vous en avez terminé, Brent, nous aimerions dîner, dit Amélia.

— Bien sûr. Pardonnez-moi de vous avoir retardés.

Personne ne bougea ou ne prit la parole jusqu'à ce que la porte d'entrée se fût refermée. Amélia se mit debout, comme si de rien n'était.

— De toute évidence, Anne ne se joindra pas à nous. Ne l'attendons pas davantage.

Laura obéit à la pression des doigts de Daniel, et tous deux s'attardèrent.

— Je n'en reviens pas, dit-elle. Landry est-il convaincu que la famille de Kerry appartient à la Mafia, ou ai-je vu trop de films de gangsters.

— Tu as vu trop de films. Cela dit, il paraît que le père comme le fils sont de vrais requins et se moquent pas mal d'être dans la légalité ou dans l'illégalité. A preuve, la salle privée de ce club.

— Dans ce cas, pourquoi n'ont-ils pas essayé de récupérer la somme que leur devait Peter ? Parce qu'il était de la famille ?

— Possible. A moins que Kerry en sache plus qu'elle ne veuille le dire.

Laura se réveilla peu après minuit. Daniel dormait profondément, sur le ventre, un bras autour de la taille de la jeune femme, le visage enfoui dans sa chevelure.

Elle s'arracha doucement à l'étreinte de Daniel, enfila sa chemise puis alla jusqu'à la fenêtre qui donnait sur le labyrinthe.

Tout était calme dans le parc. Les arbres avaient perdu presque toutes leurs feuilles après la dernière tempête. Le labyrinthe était éclairé. L'air était frais, la nuit sans lune, paisible et immobile.

Pourquoi ce sentiment de malaise, alors ? Parce que Daniel refusait d'évoquer certaines choses ? Parce que Anne avait étalé au grand jour tant de secrets familiaux ? Parce qu'il devenait de plus en plus évident que Peter avait été le mouton à cinq pattes du clan ? Parce que sa jeune veuve était une énigme vivante ? Parce que Amélia semblait avoir changé, d'une manière indéfinissable ?

Parce qu'elle était désespérément amoureuse de Daniel Kilbourne et qu'elle mourrait si ce n'était pas réciproque... ?

Un mouvement attira son attention, et elle distingua une silhouette drapée d'une cape quitter la serre pour se faufiler dans le parc. Qui s'offrait une promenade nocturne ?

— Laura ? Viens te recoucher, ma chérie.

Laura hésita, puis décida de ne rien dire. Se détournant de la fenêtre, elle rejoignit Daniel.

Kerry atteignit le centre du labyrinthe en un temps record. Elle avait marché vite, mais ne se sentait pas du tout essoufflée. Elle entra dans la gloriette et contempla un moment son havre. Les meubles tout simples avec leurs coussins accueillants, les rideaux diaphanes, les fleurs fraîches dans les vases. Simplicité.

Tout, ici, était simple. Sans complications. Tel quel.

Distraitement, elle retapa un ou deux coussins, puis s'assit au bout de la chaise longue, sa cape virevoltant autour d'elle, l'air absent.

Une dizaine de minutes plus tard, elle perçut un bruit de pas. Brent Landry surgit sur le seuil. Un peu pâle, il la fixa de son regard gris. Il y eut un long silence, puis il murmura d'une voix rauque :

— Pardon.

Kerry l'étudia un long moment en silence. Puis, brusquement, elle se leva et se jeta dans ses bras.

14

— Si tu m'avais appelée une seule fois de plus madame, je crois que j'aurais hurlé, murmura-t-elle.

Ils étaient lovés l'un contre l'autre sur la chaise longue, leurs vêtements éparpillés sur le sol, la cape les protégeant du froid.

Brent resserra son étreinte.

— Je ne voulais pas faire cela. Tu le comprends, j'espère ? Je n'avais pas le choix.

Elle demeura silencieuse un moment, son souffle chaud contre le cou de Brent.

— Je sais que tu as pour mission de découvrir l'assassin de Peter. Je sais que tu devais m'interroger. Je crois même savoir pourquoi tu m'as questionnée de cette manière. Parce que tu savais que devant eux, dans cette maison, je n'avais d'autre solution que de répondre. Je ne pouvais pas m'échapper.

— Nous sommes amants depuis bientôt un an, Kerry. Pendant tout ce temps, que m'as-tu dit de ton mariage ? Que m'as-tu dit de ce qui t'importait dans la vie ? Rien. Tu te glisses dans mes bras comme un fantôme. Nous passons une heure ensemble, et tu t'éclipses. Il ne me reste plus que ton souvenir.

— Quand je suis avec toi, je n'ai pas envie de parler, avoua-t-elle avec mélancolie.

— Ce que je te reproche, c'est de ne pas me laisser me rapprocher de toi. De ne pas me laisser t'aimer.

Brent était encore sous le choc de leur histoire, qui avait démarré comme un coup de foudre. Il avait rencontré Kerry à la soirée annuelle du nouvel an d'Amélia, réception ultrachic à laquelle n'étaient conviés que les personnalités et les amis proches. Il avait été surpris plus par sa timidité que par ses cicatrices, cachées sous un maquillage irréprochable.

Aujourd'hui encore, il avait du mal à s'expliquer ce qui s'était passé. Il savait seulement qu'il l'avait découverte dans la serre plus tard dans la soirée, en proie à un violent désespoir. Il lui avait effleuré le visage malgré lui, le côté gauche couvert de cicatrices. La lèvre tremblante, elle l'avait regardé dans les yeux, puis elle s'était glissée sans un mot entre ses bras.

Ils s'étaient étreints avec une ferveur presque sauvage, derrière une fougère géante. Haletants, ils s'étaient accrochés l'un à l'autre pendant une bonne dizaine de minutes. Ils n'avaient pas échangé un mot. Après avoir remis de l'ordre dans sa tenue, Kerry avait silencieusement regagné la maison, et il l'avait laissée aller parce qu'il ne savait pas comment l'en empêcher.

Elle lui avait téléphoné une semaine plus tard en lui annonçant qu'elle se rendait à Atlanta ce jour-là. Pouvaient-ils se voir ? Il lui avait proposé de le retrouver chez lui. Comme la première fois, ils s'étaient étreints avec une hâte pleine de maladresse. Kerry manquait singulièrement d'expérience pour une femme mariée, mais elle s'offrait avec une telle générosité qu'il en avait été profondément ému.

Comme elle se rhabillait, elle lui avait demandé s'ils pouvaient continuer de se voir. Sa vulnérabilité, sa fragilité avaient bouleversé Brent. Et bien que ce fût son métier, il ne l'avait pas questionnée. Il s'était contenté de répondre oui.

Ils s'étaient retrouvés régulièrement à son appartement pendant un temps, mais, pour Kerry, se rendre en ville était compliqué. Aussi, dès le printemps, elle lui avait proposé de le rejoindre dans la gloriette du labyrinthe. Elle n'avait eu aucun mal à faire un double de la clé du jardinier, afin que Brent puisse passer par le portail de derrière. Elle ne craignait pas d'être vue : le labyrinthe était invisible depuis la maison, sauf d'une ou deux fenêtres, et encore, seul le toit de la gloriette était repérable. Ils ne risquaient pas d'être découverts, puisqu'ils se rencontraient de nuit.

Au fil des mois, Brent avait appris toutes sortes de choses sur Kerry, sans jamais lui poser de questions. Elle était d'une sensualité inouïe, réagissant au moindre effleurement. Elle était intelligente, pleine d'humour et douée d'un remarquable sens de l'observation. Elle était aussi timide, tout en sachant s'exprimer lorsqu'elle en éprouvait le besoin, et assoiffée d'affection. Elle se croyait laide.

Brent revint au présent et il resserra son étreinte.

— Je ne t'ai jamais interrogée à ce sujet, parce que tu ne souhaitais pas parler de lui, mais... est-ce à cause de Peter que tu refuses de me laisser t'aimer ? T'a-t-il blessée ?

Elle se hissa sur un coude pour le contempler, le visage immobile.

— Si nous devons évoquer Peter, je préfère me rhabiller d'abord.

Brent ne lui demanda pas pourquoi. Tous deux se vêtirent en silence.

Kerry se mit à arpenter la pièce, évitant le regard de Brent.

— J'avais dix-neuf ans quand je l'ai rencontré pour la première fois, commença-t-elle. Je vivais chez mon père, à Atlanta. Papa venait de faire la connaissance de la femme qu'il épouserait quelques mois plus tard, mais, à l'époque, il était encore célibataire et aimait être entouré. Surtout par les jeunes. Peter avait été présenté à mon frère au cours d'une partie de poker. A ce moment-là, je ne le savais pas. Lorenzo l'avait invité à faire un billard à la maison. Après cela, il est revenu souvent, comme tous les copains de Lorenzo. Contrairement aux autres, cependant, il s'occupait de moi. (Elle s'arrêta de marcher et scruta la pénombre au-dehors, l'air songeur.) Peter ne savait sans doute pas comment *ne pas* charmer une jeune femme. Chez lui, c'était aussi naturel que de respirer. J'avais jusque-là été très protégée. Je partageais mon temps entre la lecture et la musique. Je n'avais pas d'amis. Il était le premier homme à me prêter attention. A me flatter. Et il était si beau...

Brent attendit la suite. Kerry haussa légèrement les épaules.

— Tu devines ce qui est arrivé, évidemment. Je suis tombée amoureuse de lui. J'avais du mal à cacher mes sentiments. Tout le monde le voyait, surtout Peter. Il était... gentil. Il me laissait rêver. Quand il m'a demandée en mariage, quelques semaines plus tard, tu veux savoir comment il a pris ma virginité, la veille de la cérémonie ?

— Pas spécialement.

— Mais tu brûles de savoir le reste. Bref, nous nous sommes mariés. Il m'a amenée ici et m'a présentée à la famille.

— Tu ne connaissais personne ? s'étonna Brent.

— Non. Tout était allé très vite. Nous avons été unis pour le meilleur et pour le pire par un juge de paix, deux jours après sa demande. Peter était pressé. Je dois dire que les Kilbourne ont la faculté de faire bonne figure face au désastre. Ils ont tous dû être abasourdis lorsque Peter m'a ramenée, pourtant, tout le monde a été aimable...

« Je savais que nous devions vivre dans ce manoir. Je ne savais pas que nous ferions chambre à part, mais les premières semaines, ça n'avait aucune importance. Peter dormait en général dans mon lit. Puis, peu à peu, il m'a délaissée, sans explication, sans excuse. Au bout de six mois, j'ai dû quasiment le supplier de me rejoindre. Il était toujours courtois. Quand je le lui demandais, il me faisait l'amour. Puis, un matin, en me réveillant, j'ai vu qu'il me regardait. Il m'a souri... mais j'avais compris. Après cela, je me suis bien gardée de l'inviter. Il n'est plus venu.

— Pourquoi ne l'as-tu pas quitté ? s'indigna Brent.

Elle cligna des paupières, se frotta la joue gauche.

— Papa s'était remarié et installé en Californie. Ma belle-mère ne voulait pas de moi là-bas. Ma sœur avait un foyer, des enfants, Lorenzo menait sa vie. J'avais dix-neuf ans, je n'avais aucune formation. J'étais laide. J'avais besoin d'un lieu où me cacher. Ici, j'étais aussi bien qu'ailleurs, voire plutôt mieux. Personne n'exigeait quoi que ce soit de moi. J'étais tranquille avec mes livres et mes partitions. Peter était poli, et même agréable, lorsqu'il s'est rendu compte que je ne lui reprocherais pas de me tromper. Avec le temps, j'ai eu l'impression qu'il me vouait une certaine reconnaissance, car dès qu'une de ses conquêtes devenait un peu trop envahissante, il brandissait son alliance.

— Kerry…

— J'aurais pu avoir une existence épouvantable, l'interrompit-elle avec calme.

Brent secoua la tête, accablé.

— Mais… pourquoi t'a-t-il épousée ? Parce qu'il voulait une femme qui reste à la maison sans jamais lui causer d'ennuis ?

De nouveau, elle ébaucha un sourire.

— Voyons, Brent, tu n'as pas encore compris ?

— Compris quoi ?

— Pourquoi il s'est marié avec moi, répondit-elle, les yeux brillants de larmes. Mon père l'a acheté pour moi.

Après le choc initial, Brent parvint à remettre en place les pièces du puzzle.

— Lorenzo avait permis à Peter d'accumuler les dettes au club parce que c'était un Kilbourne. Ni lui ni mon père ne s'imaginaient que Peter était sans le sou, et il s'est bien gardé de les détromper, usant de son charme et de ses promesses. Comme tous les joueurs invétérés, il était persuadé qu'un jour la chance lui sourirait. Il continuait donc de jouer. Et de perdre. Quand mon père en a pris conscience, j'étais visiblement très éprise de Peter. Papa était occupé avec sa fiancée, c'était une manière comme une autre pour lui de se débarrasser de moi. Il a donc mis Peter au pied du mur en lui laissant le choix : soit il le dénonçait à cause de ses dettes auprès de

Daniel et d'Amélia, soit Peter m'épousait. C'est sans doute le seul marché que Peter ait jamais respecté.

— Quand as-tu découvert tout cela ?

— Durant mon séjour en Californie. Peter était allé trouver Lorenzo en pleurnichant. Lorenzo l'avait laissé jouer, à condition de respecter les règles établies : il misait en espèces, et quand il ne lui restait plus rien, il s'arrêtait. Cependant, il est parvenu à convaincre Lorenzo de lui faire crédit ce soir-là. La situation a dégénéré, et Peter a fini par perdre plus de trois cent mille dollars, comme tu le sais. Lorenzo l'a jeté dehors en lui intimant de ne pas reparaître avant d'avoir de quoi rembourser ses dettes. Sachant d'avance qu'il n'en verrait pas la couleur, il a pris contact avec notre père pour lui raconter l'incident. Papa était tellement furieux qu'il m'a tout expliqué.

— C'est la raison pour laquelle tu as téléphoné à Peter.

Elle acquiesça.

— J'espérais vaguement qu'il le nierait. Qu'il me rassurerait, me dirait qu'il m'avait épousée parce qu'il en avait envie même s'il avait changé d'avis plus tard. Au contraire, il a ricané en affirmant que je devrais être flattée, ma « dot » ayant valu un demi-million de dollars sous forme de créance.

— Le goujat ! marmonna Brent.

— Je lui ai raccroché au nez, murmura Kerry après un bref silence. C'est la dernière fois que nous nous sommes parlé. Je ne sais pas qui l'a tué, Brent, mais je sais qui n'est pas coupable. Papa n'a rien à voir là-dedans, pas plus que Lorenzo. A leurs yeux, ces dettes étaient synonyme d'une expérience malheureuse. « Dupe-moi une fois, honte à toi ; dupe-moi deux fois, honte à moi. » Peter les avait dupés à deux reprises. Ils ne m'auraient pas rendue veuve pour cela.

— De toute façon, je n'ai jamais pensé que Lorenzo était homme à se servir d'un poignard. Il aurait préféré le pistolet.

Kerry ne put s'empêcher de sourire.

— Tu n'avais aucune idée de mes origines, n'est-ce pas ?

— Aucune.

— Je n'ai jamais été mêlée aux activités illégales de mon père et de mon frère.

— Tu n'as pas besoin de me le préciser, déclara-t-il en posant les mains sur ses épaules. Crois-tu que je ne le sache pas, après tout ce temps ? Si je suis venu te trouver ici, au cours des derniers mois, ce n'est pas uniquement pour assouvir un désir.

Elle le dévisagea longuement, puis murmura :

— Le soir où tu m'as découverte dans la serre, je m'y étais réfugiée parce que j'avais vu Peter s'éclipser dans sa chambre avec un ravissant mannequin. Je savais qu'il me trompait, mais ce jour-là, j'en ai eu la nausée. Puis tu as surgi, tu as eu l'air de compatir à ma souffrance. Lorsque tu as caressé mes cicatrices avec tant de douceur, je... Tu m'as rendue très heureuse, Brent. Tu m'as redonné goût à la vie. Sache que je t'en serai toujours reconnaissante...

Il encadra son visage des deux mains et poussa un juron.

— Tais-toi ! Je ne veux pas de ta gratitude !

— Non ? Comment puis-je ne pas t'être reconnaissante. Grâce à toi, je me suis sentie femme, Brent.

— Tu l'es. Tu es séduisante et sensuelle. Tu es

celle que j'aime de tout mon cœur et de toute mon âme. (Il appuya son front contre le sien, puis l'embrassa avec ferveur.) Ecoute-moi attentivement. J'ai douze ans de plus que toi, Kerry. J'ai connu d'autres femmes. J'ai eu des liaisons. Je sais ce que je veux. Je sais ce que je ressens. Je t'aime. Crois-le. Habitue-toi à cette idée, parce que j'ai la ferme intention de t'en convaincre. Et de t'épouser.

— Brent...

— Il n'y a pas de mais. Si tu veux respecter les conventions, nous attendrons le printemps et l'été, mais nous nous marierons.

Il l'enlaça une dernière fois, puis la quitta.

Il était près de trois heures du matin, lorsque Kerry regagna la maison. Elle était tellement préoccupée qu'elle avançait aveuglément. Elle n'aperçut pas ce qu'il y avait sous le petit pont de bois, à demi immergé dans l'eau du ruisseau.

— Pourquoi ne pas t'installer dans ma chambre? proposa Daniel en accompagnant Laura jusqu'à ses appartements le lendemain matin.

Laura lui jeta un coup d'œil un peu las, tandis qu'ils pénétraient dans son boudoir.

— Je ne devrais même pas être dans cette demeure, encore moins dans ton lit. J'avais prévu de rentrer chez moi ce soir.

— Change tes projets, suggéra-t-il.

Laura n'était pas prête à prendre de tels risques.

— J'en ai pour une minute, murmura-t-elle en s'échappant.

Elle s'attendait plus ou moins qu'il la suive, mais il n'en fit rien. Elle choisit un jean et un pull ample. Elle enfilait ses chaussettes, quand, levant les yeux, elle aperçut le reflet de Daniel dans le miroir au-dessus de la coiffeuse. Il se tenait devant la table basse, le regard posé soit sur son carnet à dessin, soit sur la glace. Jamais elle ne l'avait vu aussi perplexe, comme s'il observait un objet qu'il haïssait et adorait à la fois.

Il se pencha et prit sa glace, se redressa, la retourna lentement. Il paraissait perdu dans ses pensées, des pensées tourmentées. Puis il secoua la tête et remit la glace en place. Laura attendit qu'il se soit éloigné de la table basse et lança :

— J'arrive !

— Tant mieux. Je meurs de faim.

Elle le rejoignit, attachant ses cheveux avec un foulard.

— Tu as demandé à Peter de me racheter cette glace, n'est-ce pas, Daniel ?

Il esquissa un sourire.

— C'est exact.

— Pourquoi ?

— Permets-moi de te poser une question. Tu voulais engager quelqu'un pour effectuer des recherches. L'as-tu fait ?

— Oui. Nous sommes arrivées à la fin des années vingt. Dena devrait me contacter dans les jours qui viennent.

— Quand tu seras en possession de toute son histoire, nous en parlerons, d'accord ?

— Pourquoi attendre ?

Il s'approcha et plaça les mains sur ses épaules.

— Parce que je te le demande.

Laura se frotta la joue contre sa poitrine, puis le dévisagea.

— Tu me tortures délibérément...

L'expression grave, il mit l'index sur ses lèvres pour lui imposer silence.

— Je t'en prie, Laura. C'est très important pour moi.

— Dis-moi au moins si cette glace a un rapport avec le meurtre de Peter.

— Je ne vois pas comment ce serait possible.

— A-t-elle un lien avec...

— Laura, cessons de jouer aux devinettes.

— Ça ne me coûtait rien d'essayer.

Il rit, mais lorsqu'ils furent au rez-de-chaussée, il redevint grave.

— Tu as fait des cauchemars, cette nuit ?

— Je ne sais pas. Pourquoi ?

— Tu étais très agitée. J'ai failli te réveiller, à un moment. Puis, tu t'es calmée.

Laura réfléchit, haussa les épaules.

— J'ai le vague souvenir d'avoir été mal à l'aise, pas plus. Je suis navrée de t'avoir dérangé.

— Pas du tout. Je te contemplais dans ton sommeil.

Laura fut soulagée d'atteindre la salle à manger. Il n'y avait qu'Alex et Josie.

— Où sont-ils tous passés ? demanda-t-elle.

— Kerry fait la grasse matinée, comme souvent le dimanche, expliqua Josie. Amélia s'est levée aux aurores. Elle a regagné sa chambre pour écrire des lettres. Anne est toujours absente. Je ne crois pas qu'elle soit rentrée hier soir. Quant à Madeleine, elle a déjeuné tôt pour aller se promener dans le parc.

— C'est ce dont j'ai rêvé... murmura Laura. Le parc...

— C'était agréable ? demanda poliment Alex.

Elle ne put s'empêcher de rire.

— Désolée, Daniel et moi en parlions plus ou moins en arrivant, mais j'étais incapable de me souvenir de quoi que ce soit. C'est Josie, en évoquant le parc, qui a réveillé mes souvenirs.

— Et alors? De quoi avez-vous rêvé? s'enquit Josie.

Laura y repensa, mal à l'aise.

— C'était une de ces visions étranges où tout est déformé — formes bizarres, angles tordus, couleurs effacées. J'étais perdue dans le labyrinthe, et je tombais sans cesse sur des impasses. Où que j'aille, je me heurtais à des murs ou à des buissons. Les allées devenaient de plus en plus étroites, et je savais que si je ne me repérais pas rapidement, elles disparaîtraient purement et simplement. C'est alors que je me suis réveillée.

Tous quatre bavardèrent encore un moment, puis Daniel et Laura se levèrent.

Comme ils passaient devant le portrait à peine ébauché d'Amélia. Laura marmonna:

— Il faut que je m'y remette.

Elle se sentait mal à l'aise, sans s'en expliquer la raison. Jamais elle n'avait éprouvé une telle sensation d'oppression, même lors de sa première visite.

Il faut que je me dépêche. Il faut que je termine ce portrait.

— Tu es bien silencieuse, lui fit remarquer Daniel, lorsqu'ils empruntèrent le chemin menant au labyrinthe. Qu'est-ce qui ne va pas, Laura?

— Je ne sais pas. J'ai l'impression...

Elle s'immobilisa au pied du petit pont de bois.

— Laura?

Elle recula d'un pas.

— Je... je ne peux pas. Il y a quelque chose qui m'empêche d'aller par là.

A sa grande surprise, Daniel n'insista pas. Il l'enlaça puis la relâcha.

— Attends-moi.

Laura avait envie de s'enfuir en courant, mais elle se força à rester où elle était. Plus Daniel se rapprochait du ruisseau, plus son angoisse grandissait. Un instant, elle faillit le rappeler.

Il plaça une main sur la rampe et se pencha. Puis il se figea. Il revint vers elle, le visage décomposé.

— Qu'y a-t-il ? murmura-t-elle, effrayée.

Il mit les mains sur ses épaules.

— C'est Anne. Elle est morte.

— C'est un accident, n'est-ce pas ? demanda Josie à Brent Landry. Elle est tombée. Elle a glissé et elle est... tombée.

Alex, perché sur les bras du fauteuil, lui serra brièvement l'épaule.

Brent secoua la tête.

— Le parapet est trop haut, elle n'aurait pas pu chuter après une simple glissade. Il a fallu qu'elle soit poussée, et avec force, pour atterrir dans la position où nous l'avons retrouvée.

— Il se peut que ce soit tout de même un accident, insista Daniel. Une querelle qui s'est terminée un peu rudement... De la rosée sur le pont, son pied dérape...

— C'est possible. Mais personne ne s'est précipité pour signaler un accident, n'est-ce pas ?

— Etes-vous en train de dire qu'il y a un meurtrier parmi nous ? demanda Alex.

Ils étaient tous réunis dans le salon, à l'exception d'Amélia et de Madeleine, qui étaient toutes deux restées dans leur chambre lorsque Daniel leur avait annoncé la nouvelle.

C'était le début de l'après-midi. La dépouille

d'Anne venait seulement d'être emportée. Les gars du labo et les policiers étaient repartis.

— Nous en saurons davantage après l'autopsie, mais, pour le moment, il semble qu'Anne soit décédée hier entre dix-huit heures et minuit. Les jardiniers étaient absents pour la journée. Les domestiques présents dans la maison étaient la cuisinière et une bonne. Le portail d'entrée était fermé. Il y avait un gardien de service. Le portail de derrière était verrouillé. Le système de sécurité ne semble pas avoir été forcé. Aucun des détecteurs autour de la propriété n'a été touché. Dites-moi, Alex, qui d'autre a donc pu commettre ce crime ?

— Aucun d'entre nous n'a tué Anne, affirma tranquillement Kerry.

Brent lui jeta un coup d'œil, puis scruta le reste de l'assemblée.

— Comme l'a dit Daniel, une querelle a pu s'envenimer. Si c'est le cas, et si le coupable se dénonce, il est probable que le *district attorney* conclura à une mort accidentelle au pire, à un homicide involontaire. Anne était d'un tempérament explosif, ce n'est un secret pour personne. Elle est peut-être à l'origine d'une dispute. Etait-elle en colère, hier ?

Josie et Laura s'observèrent à la dérobée. Daniel répliqua sèchement :

— Elle s'en est pris à tout le monde, je crois, à l'exception de Laura. Il y a eu une scène, au déjeuner.

— Quel genre de scène ?

— Fort désagréable.

— Pourquoi Anne était-elle fâchée ? demanda Brent à Josie.

— Je n'en ai aucune idée. Elle ne décolérait

pas depuis la semaine dernière, quand vous avez révélé sa liaison avec Peter. Pourtant, vendredi soir et hier midi, elle a tenté de faire la paix avec tout le monde. Ensuite, au déjeuner, elle a littéralement explosé.

— Que s'est-il passé ?

— Elle a insulté tout le monde, dit Daniel.

— Je sais que vous ferez l'impossible pour protéger votre famille, Daniel, et je respecte votre attitude. L'incident ne me regarde pas, fondamentalement, mais je dois découvrir comment et pourquoi Anne Ralston est morte. Je suppose que vous tenez à le savoir aussi, quelle que soit la réponse. Contrairement à Peter, Anne n'est pas décédée dans une chambre de motel anonyme, mais ici même, dans votre propriété. Quelqu'un dans cette demeure connaît la réponse.

Il y eut un long silence. Daniel se tourna vers Josie et lui adressa un signe de la tête. Avec sobriété, la jeune femme fit alors à Brent le récit de ce qui s'était passé.

— Mais il n'y avait pas de quoi fouetter un chat, conclut-elle. Nous connaissions Anne, nous savions comment elle était.

— Et puis, intervint Alex, nous étions tous occupés pendant la soirée. Nous avons pris l'apéritif à dix-neuf heures, et avons eu l'honneur de votre visite. Ensuite, nous avons dîné, après quoi la plupart d'entre nous ont joué au bridge.

— La plupart ?

— Josie, Kerry, Amélia et moi-même. Madeleine regardait un vieux film à la télévision, je crois.

— Et à quelle heure vous êtes-vous quittés ?

Alex haussa les épaules.

— Peu après vingt-deux heures, je dirais. Amélia avait des lettres à écrire. Madeleine a parlé d'un livre. Kerry est allée se mettre au piano. Nous l'entendions jouer, depuis la bibliothèque, où je me trouvais avec Josie... Après cela, Josie et moi sommes montés... chez moi.

Brent prit quelques notes dans son carnet.

— Et vous, Daniel ?

— Laura et moi étions là-haut. Dans ma chambre. Ensemble.

— Toute la soirée ?

— Toute la nuit.

— Avez-vous entendu ou remarqué quelque chose d'anormal ?

Laura déclara, hésitante :

— J'ai vu quelque chose. Mais il était plus de minuit, alors... ça ne compte pas, n'est-ce pas ?

— Qu'avez-vous vu ?

— En regardant par la fenêtre, j'ai aperçu quelqu'un qui sortait de la serre, dans une espèce de cape. Je n'ai pas pu distinguer...

— C'était moi, coupa Kerry. Je me promène souvent dans le parc, la nuit... J'ai traversé ce pont à deux reprises, précisa-t-elle à l'intention de Brent. Je n'ai rien noté.

— Je doute qu'Amélia aurait eu la force de pousser Anne, dit Brent à Daniel, cependant, il faut que je lui parle. Ainsi qu'à votre mère.

Daniel fronça les sourcils.

— Pas aujourd'hui. Elles sont toutes deux bouleversées. Maman est sous sédatif.

— Demain, alors, conclut le lieutenant en glissant son carnet dans sa poche. Nous avons mis un cordon autour du pont, je vous saurais gré d'éviter le périmètre.

— Très bien, dit Daniel. Je suppose qu'il n'y a rien de nouveau concernant le meurtre de Peter ?

— Non. Mes supérieurs me confisqueraient sans doute mon badge, mais je vais vous le dire quand même : il se peut que l'assassin ne soit jamais retrouvé. Jusqu'ici, notre enquête n'a rien donné. Elle continue, bien sûr, mais, pour être franc, je suis pessimiste. Je n'ai ni indices, ni suspects plausibles.

— Super ! grommela Alex.

— Je reviendrai demain après-midi, pour interroger Amélia et Madeleine. D'ici là, si un détail vous revenait, contactez-moi.

Il y eut un bref silence après le départ de Brent, puis Kerry se leva.

— Croyez-vous que la mort d'Anne ait un lien avec celle de Peter ? Deux décès par mort violente en quinze jours au sein d'une même famille, cela me paraît beaucoup... même pour des Kilbourne.

Sur ce, elle quitta la pièce.

— Elle a raison, admit Alex.

Daniel grimaça.

— J'y avais pensé, moi aussi, mais franchement, je ne vois aucun rapport... hormis leur liaison.

— Tout ce que je sais, moi, dit Josie, c'est qu'il faut organiser les obsèques. Autant m'y mettre tout de suite. Je vais devoir retrouver Philip Ralston en Europe. Il faut qu'il soit prévenu.

— Pour un dimanche soir, il va être agréablement surpris, railla Alex. Je vais t'aider, ma chérie.

Josie glissa la main dans la sienne et tous deux sortirent.

— Daniel, tu crois qu'Anne est morte parce que Peter a été assassiné ? demanda Laura.

— Si seulement je pouvais te répondre...

— Je devrais rentrer chez moi. Amélia ne va plus penser à son portrait, maintenant, et...

— Laura, je n'ai pas le droit de te supplier de rester, surtout après cette journée. Je ne t'en voudrais pas si tu nous fuyais pour toujours. Mais je... S'il te plaît, reste ! J'ai besoin de toi.

Laura l'aurait volontiers assailli de questions, mais elles semblaient avoir perdu de leur importance, tout d'un coup. Elle se pelotonna contre lui.

Tard ce soir-là, Alex et Josie montèrent ensemble. Le dîner s'était déroulé dans le silence. Amélia elle-même s'était retirée sitôt après le dessert, ainsi que Madeleine, et Kerry avait commandé un taxi.

— Quelle journée ! murmura Alex.

— Demain ne sera guère mieux, lui rappela Josie. Interrogatoires, organisation des funérailles... Sans oublier les journalistes...

— Epatant, grommela Alex. Quant à moi, il faut que je débusque le coffre numéro deux.

— Le coffre numéro deux ?

— C'est Peter, qui continue à m'embêter du fond de sa tombe.

— Je ne comprends rien.

— C'est logique. Disons simplement que les quelques jours à venir risquent d'être pénibles.

— Alex, tu... veux-tu rester avec moi cette nuit ?

— Pourquoi ? Parce que tu n'as pas le moral ?

— Non. Parce que j'ai envie de t'avoir près de moi. J'ai ôté le portrait de Jeremy et je l'ai mis dans un album, avec les photos de mes parents, de mon poney, de mes camarades d'école. Un souvenir parmi tant d'autres.

Alex sourit.

— Ce n'est pas trop tôt ! Quel côté du lit préfères-tu, ma chérie ?

15

— Coucou, l'étrangère ! Tu es là pour de bon ou tu...

Laura ferma vivement la porte derrière Cassidy.

— Je suis juste venue chercher quelques affaires, murmura-t-elle en évitant le regard de son amie. Qu'est-ce que tu fais là ? Tu ne devrais pas être à ton bureau ?

— Ils le repeignent. On m'a donné mon après-midi.

Laura lui versa une tasse de café.

— Tiens ! Il est tout frais.

— J'ai lu les journaux, aujourd'hui. C'est vrai ? Elle a été assassinée ?

Laura but une gorgée, puis haussa les épaules.

— Nous n'en savons rien encore. Le lieutenant chargé de l'enquête doit passer tout à l'heure discuter avec Daniel.

— Comment la famille a-t-elle pris cette nouvelle tragédie ?

— Chacun assume selon sa personnalité. Amélia s'est ressaisie après un week-end éprouvant. D'après elle, Anne a glissé, c'est un drame, mais la vie continue. Elle est comme après la mort de Peter, souriante, mais distante. Elle a tenu à ce que je travaille sur son portrait ce matin. Daniel lui a suggéré d'attendre la fin des obsèques, mais je lui ai dit que cela occuperait Amélia pendant que Josie et lui se chargeaient de toutes les formalités. Je n'étais pas mécontente de m'activer, moi aussi.

— Tu as donc peint toute la matinée ?

Laura acquiesça.

— Kerry jouait du piano. Josie, comme je te l'ai dit, assistait Daniel. Alex s'est rendu en ville. Madeleine est partie très tôt avec le chauffeur. Elle avait promis de rendre visite à une amie. En fait, elle fuyait.

Cassidy dévisagea attentivement la jeune femme.

— Et Laura ? Comment tient-elle le coup ? Tu me parais fatiguée.

— Je le suis, concéda-t-elle.

D'une voix monocorde, elle relata les événements des dernières quarante-huit heures, esquissant les faits et les personnages. Elle avoua aussi sa relation avec Daniel, mais sans entrer dans les détails.

— Tu l'aimes, déclara Cassidy.

Laura leva sa tasse en guise de toast.

— Cela ne te surprend pas ?

— Non, pas vraiment. Mais que tu ailles t'installer là-bas aussi vite... là, tu m'épates, Laura ! Tu es sûre de pouvoir lui faire confiance ? Tu es certaine qu'il ne te veut aucun mal ?

— Tu veux dire...

— Anne a peut-être été poussée, n'est-ce pas ?

— Daniel ne me ferait jamais de mal. Et il n'en a pas fait à Anne, j'en ai l'intime conviction.

— Si tu le dis... Mais il a d'autres façons de blesser les gens. Tu l'aimes. Et lui ? T'aime-t-il ?

Laura hésita.

— Je ne sais pas. Par moments, quand il me regarde, je le crois. Il éprouve assurément quelque chose pour moi. Oh, Cass, tant de choses se sont passées depuis que nous nous sommes rencontrés ! Je ne sais plus très bien où j'en suis. J'ai du mal à rester lucide. Il m'a dit qu'il avait besoin de moi ; c'est la raison pour laquelle je retourne là-bas.

Cassidy l'observa attentivement, avec une curiosité presque détachée.

— Je me suis toujours demandé quel genre d'amoureuse tu serais. Tu es éprise corps et âme.

Laura eut un rire incertain.

— Contrairement à toi, oui. J'ai toujours su qu'il en serait ainsi, et c'est pourquoi j'ai été si prudente. Jusqu'au jour où j'ai rencontré Daniel. Avec lui... je suis heureuse, Cass. Quand nous sommes ensemble, plus rien ne compte. Je... j'ai l'impression d'être enfin à l'abri.

— Je t'envie, dit Cassidy. Quant au reste, c'est pagaille et compagnie. Et, de toute évidence, tu accuses le coup. Tu es tendue.

— En effet. Inexplicablement, j'éprouve un sentiment d'urgence en ce qui concerne l'achèvement du portrait d'Amélia. J'y ai travaillé ce matin comme une malade — il est presque terminé, je pense. Même Amélia était aux anges. Bien sûr, elle croit que ce n'est qu'un travail préparatoire.

— Mais ce n'est pas le cas ?

Laura regarda Cassidy et se sentit soudain glacée.

— Non, c'est le seul portrait que je ferai jamais d'elle.

— Tu me flanques la chair de poule, ma vieille !

— J'en frissonne moi-même. Peut-être est-ce

cette maison qui a cet effet sur moi... Mais j'en suis convaincue, Cass : il n'y aura pas d'autre tableau d'Amélia.

— Redoutes-tu qu'il ne t'arrive quelque chose... comme à Anne ?

Laura secoua la tête.

— Ça, je n'en sais rien. Je n'ai pas peur, je suis seulement inquiète. Mais davantage qu'au début. J'ai toujours envie de jeter un coup d'œil par-dessus mon épaule et je sauterais au plafond si quelqu'un criait « Bouh ! » au détour d'un couloir. C'est certainement à cause de la maison... Bon sang, quand on pense à tout ce qui s'y est passé... L'atmosphère est chargée d'une de ces tensions... Pas étonnant que j'aie des cauchemars et que je sursaute à tout bout de champ !

— N'y retourne pas, dit fermement Cassidy.

— Il le faut.

— A cause de Daniel ?

— Oui. Et parce que ce n'est pas terminé.

— Qu'est-ce qui n'est pas terminé ? Le portrait d'Amélia ? L'histoire de la glace ? Ton aventure sentimentale avec Daniel ?

Laura parvint à sourire.

— Les trois. De plus, nous ne savons toujours pas qui a tué Peter.

Cassidy eut un geste d'impatience.

— J'abandonne. Tu es décidée à jouer les victimes, je le vois bien. Amélia va craquer et te pousser dans l'escalier, dans la plus pure tradition des héroïnes des romans gothiques. Ou encore, Madeleine versera un soporifique dans ton verre un soir et te fera tomber par la fenêtre parce que tu auras souri à tort pendant le dîner. A moins que ce ne soit Daniel qui...

— Il ne me fera aucun mal.

— Je comprends à présent pourquoi on dit que l'amour rend aveugle.

Laura posa sa tasse sur le comptoir.

— Peut-être. Et si je meurs, tu pourras crier sur les toits que tu m'avais prévenue. En attendant, peux-tu arroser mes plantes, s'il te plaît, et surveiller l'appartement ?

— Bien sûr... Tu es folle ! Folle à lier.

— Merci.

— Envoie-moi une carte postale de l'asile, d'accord ?

Plus tard, tandis qu'elle regagnait la demeure des Kilbourne, Laura se remémora cette conversation et s'étonna une fois de plus de ses affirmations. L'unique portrait d'Amélia ? D'où tenait-elle cette certitude ?

Elle ne pouvait pas répondre à cette question. Elle ne savait pas davantage pourquoi elle avait été à ce point bouleversée en lisant le dossier de Dena. Dès son arrivée, elle s'était plongée dans la lecture des lettres de Shelby Hadden à son amant, puis mari, Brett. Elle en avait eu les larmes aux yeux. Dena n'avait pas menti en évoquant l'intensité de leur passion, mais Laura avait été encore plus frappée par la dévotion qu'ils avaient l'un pour l'autre. Ils avaient surmonté des épreuves terribles pour être réunis, mais en avaient été récompensés au centuple.

Je les envie, c'est tout.

Chassant sa mélancolie, elle se gara, puis pénétra dans la maison par la porte de la cuisine. Elle gravit l'escalier de service jusqu'à l'étage. Elle préférait déballer ses affaires dans son appartement plutôt que dans la chambre de Daniel. Elle ne s'expliquait toujours pas sa réticence à emménager avec lui, mais une petite voix lui conseillait la prudence.

En redescendant, elle découvrit Daniel à son bureau, dans la bibliothèque.

— Tu m'as manqué, avoua-t-il en l'embrassant.

— Je me suis absentée seulement deux heures. Mais toi aussi, tu m'as manqué. Tu as dû être très occupé. Le téléphone a-t-il enfin cessé de sonner ?

Daniel secoua la tête.

— Depuis cet après-midi, nous sommes reliés à un service de répondeur.

— Excellente idée. Où sont-ils, tous ?

— Josie est avec Amélia. Kerry se promène dans le parc. Alex ne devrait pas tarder... Maman non plus, ajouta-t-il en fronçant les sourcils.

— Le lieutenant ne doit-il pas venir bientôt ?

— Il a appelé pour prévenir qu'il aurait un peu de retard. Il y a du nouveau. Il m'agace, avec ses airs mystérieux !

— Qu'est-ce que c'est que tout ça ? s'enquit Laura en désignant les papiers étalés sur son bureau.

— Un avant-projet pour un nouveau système de surveillance aéronautique. Ainsi que divers plans et documents destinés au laboratoire de recherche.

— C'est donc ça, ton travail ? Je croyais que tu étais responsable de l'aspect financier.

— Tout à fait. Toute la partie technique est du charabia pour moi.

— Que fais-tu, alors ?

— Je cherche des empreintes. Et je ne trouve que celles qui n'ont aucun intérêt.

— Landry n'est pas le seul à faire des mystères. S'il s'agit d'un de ces sujets que nous ne pouvons pas encore aborder...

— C'était le cas, interrompit-il, morose. Malheureusement, je crains que l'affaire ne soit rendue publique d'ici peu de temps. Autant que tu y sois préparée.

A cet instant, Alex apparut. Bien qu'il fût en jean et en sweat-shirt, il tenait à la main un attaché-case qui faisait très sérieux.

— Bingo ! lança-t-il à Daniel.

Ce dernier se raidit.

— Je vous laisse, dit Laura.

Daniel la rattrapa par le bras.

— Non, Laura. Autant que tu saches tout maintenant.

— Il s'est passé quelque chose ? voulut savoir Alex.

— J'ai eu un coup de fil, expliqua Daniel. Ils ont avancé la réunion. Si je ne peux pas présenter les plans d'ici à la fin de la semaine, je suis un homme perdu.

Ahurie, Laura porta son regard de l'un à l'autre.

— Daniel ?

— C'est une longue histoire, mais en bref, nous pensons que Peter a volé une série de plans au laboratoire juste avant sa mort. Des documents très importants, destinés à l'armée, et que certaines puissances étrangères seraient prêtes à payer très cher. Notre gouvernement m'accusera quand on saura qu'ils ont disparu.

— Mais si Peter les a pris...

— Tout me désigne comme étant le voleur. Peter a dû me piquer mon passe et s'en servir. Selon tous les listings, je suis le dernier à être entré dans la salle des coffres avant la disparition des plans.

— Tout le monde sait que tu serais incapable d'un tel acte ! protesta Laura.

— Malheureusement, toutes les preuves sont contre moi. Alex, tu as trouvé le second coffre ?

— Oui. Sur une intuition, je suis retourné à Macon. Il en avait pris un autre, dans une autre banque.

Daniel s'adressa à Laura.

— Entre autres choses, nous avons trouvé la clé d'un coffre dans la chambre où Peter a été tué. Inutile de te préciser que nous espérions récupérer les plans. Jusqu'ici, nous n'avons pas eu de chance... Alors ? Le résultat des courses, Alex ?

Ce dernier posa son attaché-case sur le bureau.

— Pas de plans. Encore une planque, mais vide de fric.

Il laissa tomber quelques cassettes audio, puis quatre vidéocassettes.

— Je suis passé au cabinet tout écouter et visionner. Je n'ai pas regretté de m'être bouclé à double tour. Devine...

Daniel examina les vidéocassettes. Chacune portait un prénom et une date, écrits de la main de Peter. *Andrea. Melissa. Gretchen...*

— Mon Dieu ! murmura-t-il.

— S'il ne les faisait pas déjà chanter, il en avait au moins l'intention, déclara Alex. Je ne me suis pas attardé, mais il y a là de quoi détruire deux ou trois mariages et une carrière politique. Je n'ai reconnu aucune des femmes concernées, mais, d'après moi, elles auraient toutes eu beaucoup à perdre si Peter avait montré ces cassettes à leur mari.

— Je commence à comprendre où il trouvait tout cet argent pour jouer.

— Oui, dit Alex. Je vais brûler tout ça.

— Non ! intervint Laura.

Les deux hommes la dévisagèrent, éberlués.
— Vous devez avertir ces personnes, leur rendre les enregistrements et tout leur expliquer. Sinon, elles ne seront jamais certaines que le chantage s'est arrêté avec la mort de Peter.
— Tu as raison, dit Daniel.
Alex grimaça.
— D'accord. La tâche ne me réjouit guère, mais je serai aussi discret que possible. J'aurai peut-être un peu de mal à les identifier.
— Toutes ces femmes avaient un mobile pour vouloir assassiner Peter, dit Laura.
Alex haussa les sourcils. Apparemment, les deux hommes en avaient déjà discuté.
— Je désapprouve qu'on fasse justice soi-même, déclara Daniel, mais, dans le cas présent, toute ma sympathie va à ces victimes. Peut-être l'une d'entre elles n'a-t-elle eu que cette solution pour se sortir d'une situation désespérée. En l'occurrence, c'était de la légitime défense. On ne peut pas en dire autant de Peter.
— En clair, proclama Alex après avoir refermé son attaché-case, nous ne transmettrons pas ces informations à la police.
— Vous n'approuvez pas cette décision ? s'enquit Laura.
— Si, en fait. J'ai toujours pensé que Peter méritait d'être puni par l'une de ses conquêtes. Cependant, je suis avocat, aussi je préfère que cela ne s'ébruite pas... Daniel, je pense que tout ceci est en sécurité ici pour ce soir. Je l'enfermerai dans mon coffre-fort au cabinet demain matin. A plus tard.
— Je comprends que tu n'aies pas voulu m'en parler, murmura Laura. Ce doit être affreux pour

toi de savoir que ton frère commettait de telles ignominies.

— Le pire, c'est que je m'en suis toujours douté. Sauf pour les plans. Là, il m'a surpris.

— Pourquoi ? Tu ne l'en croyais pas capable ?

— Je n'imaginais pas qu'il irait vendre les secrets de son pays, non. Je pensais encore moins qu'il allait me tendre un piège.

— Pourquoi ? Il te détestait à ce point ?

— Je ne l'ai jamais cru. Pourtant...

Josie frappa.

— Brent est arrivé. Il veut nous voir tous dans le grand salon... Une fois de plus, ajouta-t-elle en fronçant le nez.

— Très bien, acquiesça Daniel. Pourquoi ai-je l'impression que Brent va nous annoncer un nouvel homicide ?

La liste des suspects était terriblement courte.

— J'ai passé la soirée dans ma chambre, déclara sèchement Amélia. J'écrivais des lettres.

— Vous êtes allée à votre fenêtre ? Vous n'avez rien remarqué ?

— Non, rétorqua Amélia, droite comme un *I* dans son fauteuil, le regard noir. Voulez-vous dire qu'on l'a « poussée » ?

— Exactement. Le médecin légiste a relevé des marques sur l'épaule d'Anne, là où se seraient posées les mains de quelqu'un qui voulait la faire basculer par-dessus le parapet.

— Vous ne vous imaginez tout de même pas que j'aie pu faire cela !

— Je ne pense pas que vous en auriez eu la force, admit Brent, imperturbable. Cela dit, Anne était mince et légère. Si elle avait été déséquilibrée...

— Je n'ai pas quitté mes appartements, l'interrompit Amélia en détachant les mots.

— Brent, nous avons tous des alibis pour samedi soir, dit Alex.

Assis entre Josie et Kerry sur le canapé, il paraissait décontracté, mais ses yeux verts trahissaient son irritation.

— Vous savez pertinemment que n'importe lequel d'entre vous a pu sortir au cours de la soirée. Vous n'étiez pas tous ensemble après le dîner.

— Personne n'est sorti, insista Alex.

Brent regarda Kerry et, pour la première fois, parut gêné par son interrogatoire.

— Etant donné que le légiste a élargi sa fourchette pour établir l'heure du crime — entre vingt heures et une heure du matin —, je suis obligé de vous demander si vous avez vu Anne ou lui avez parlé lors de votre promenade dans le parc, dans la nuit de samedi.

— Non, répliqua Kerry, sereine comme à son habitude. Je m'en serais souvenue. Anne avait horreur du parc. J'aurais été étonnée de l'y croiser.

La porte d'entrée claqua et Madeleine fit irruption dans la pièce, décoiffée, son chandail glissant sur l'épaule. Son regard était brillant et clair. Elle portait un gros tube en plastique fermé aux deux bouts, deux vidéocassettes, un petit carnet noir et une grande enveloppe.

Elle déposa le tout sur la table basse et dit, hors d'haleine :

— Là ! Je vous avais bien dit que j'étais au courant de tous les secrets de Peter.

Dans le silence qui suivit, Daniel se pencha

pour prendre le tube. Il l'ouvrit à un bout et en extirpa des plans enroulés.

Alex murmura :

— Ce sont... ?

Daniel opina, puis se tourna vers Madeleine.

— Maman, où as-tu trouvé tout ça ?

Elle lui sourit.

— Dans une des cachettes de Peter, bien sûr. Je les connais toutes.

— Et ça ? Tu étais au courant ? Tu sais ce que c'est ?

— Ce sont les plans qu'Amélia lui a demandé de voler pour elle.

Tous se figèrent, médusés. Puis Amélia éclata de rire.

— Voyons, Madeleine, c'est grotesque ! Pourquoi aurais-je fait une chose pareille ?

Sa bru la contempla d'un air triomphant.

— Parce que vous vouliez la ruine de Daniel, évidemment.

Amélia toisa Madeleine avec mépris.

— Nous allons devoir rappeler le médecin, ma chère. Il faut qu'il surveille le dosage de tes médicaments. Ou qu'il t'enferme.

— Je sais ce que je dis, s'écria Madeleine. C'est la vérité. Peter devait vendre ces plans à un représentant d'un pays du Moyen-Orient. Je ne sais plus lequel. Amélia avait tout arrangé. Elle l'avait déjà fait, il y a des années. Elle avait gardé des contacts.

— Il y a des années ? répéta Daniel.

Madeleine hocha vigoureusement la tête.

— Dans les années quarante, pendant la guerre, et juste après. Elle gagnait beaucoup d'argent ainsi. Elle a toujours été très dépensière, voyez-vous. Elle avait accès aux documents militaires.

Elle les revendait. Jusqu'au jour où David a découvert le pot-aux-roses. Sinon, pourquoi l'aurait-elle tué ?

— Elle est complètement folle, décréta Amélia d'un ton calme. Vous ne le voyez donc pas ? Pour l'amour du ciel, Daniel, elle est tombée sur la tête !

Daniel continuait de fixer Madeleine.

— Elle a vendu des secrets militaires à l'ennemi ?

— Absolument. L'affaire de David était florissante, il avait décroché de gros contrats avec le gouvernement. A l'époque, elle l'assistait pour la comptabilité, c'était facile pour elle de prendre les documents. Enfin, pas de les prendre, mais de les copier. Elle a expliqué à Peter comment elle s'y prenait, puis elle lui a remis une liste de contacts. La plupart étaient morts : elle les avait perdus de vue, depuis le temps. Cependant, l'un d'eux a mis Peter en rapport avec un trafiquant d'armes intéressé.

— Pourquoi Peter avait-il conservé ces documents dans sa... cachette ? demanda Daniel.

Pour la première fois, Madeleine hésita.

— Il... il avait rendez-vous ce soir-là. Le soir où il a été assassiné. Il m'avait avoué dans l'après-midi qu'il n'était pas certain d'y aller. Il n'avait pas confiance. Plus il y pensait, moins cela lui plaisait de savoir que tu serais accusé, Daniel. J'ai pensé tout d'abord qu'on l'avait tué à cause de ça. Parce que ce type était un escroc. J'ai imaginé que ce dernier était parti avec les plans. C'est pourquoi je n'ai pas songé à fouiller dans les affaires de Peter.

Laura se sentait complètement engourdie. Daniel était livide.

— Maman, si tu pensais connaître l'identité de l'assassin de Peter, pourquoi n'en as-tu jamais rien dit ?

Elle parut étonnée.

— C'était un secret, mon chéri. Je ne pouvais pas trahir le secret de Peter. D'ailleurs, j'étais bouleversée. Je n'avais qu'une envie, dormir et oublier.

— Je vous dis qu'elle est folle ! s'exclama Amélia. Tu le vois bien, Daniel. Tu ne comprends pas ce que voulait Peter ? Une fois que tu te serais trouvé derrière les barreaux, il aurait eu la mainmise sur les affaires familiales.

— C'est faux, Amélia. D'un point de vue légal, vous étiez toujours à la tête de l'entreprise. Peter aurait été obligé de vous débouter, or il n'y connaissait strictement rien.

Elle pinça les lèvres et lui lança un regard noir.

— Il détestait devoir te consulter à tout bout de champ, te supplier. Il voulait te détruire, Daniel. Il voulait t'écraser.

— Je crois que c'est vous qui le vouliez, murmura Daniel, d'une voix presque inaudible.

Il posa le tube sur la table basse et se mit à feuilleter le carnet.

— Des noms, des dates, des propositions de contrats... Je doute que Peter ait connu des marchands d'armes de quarante ans ses aînés.

— Ne dis pas de bêtises ! glapit Amélia.

Daniel parcourut encore quelques notes, puis dévisagea la vieille dame.

— Tout est écrit ici, Amélia. Tout, y compris vos recommandations sur la façon d'utiliser les passes pour accéder au coffre-fort. Avez-vous oublié que c'était une manie chez lui de tout noter, tant sa mémoire était mauvaise ? Ou avez-vous pensé que toute l'affaire se terminerait si vite que cela importait peu? Que je rentrerais d'un voyage d'affaires et qu'on me jetterait en prison pour trahison? C'est ça? Ou étiez-vous tellement pressée de vous débarrasser de moi que vous étiez prête à prendre des risques?

Elle le fixa, ses traits altiers déformés par la haine.

— Croyais-tu que j'allais te faire des courbettes jusqu'à la fin de mes jours, Daniel? Te regarder gérer notre fortune à ma place?

— Amélia, vous meniez notre famille à la ruine. Devais-je rester là à vos côtés, sans rien dire?

Pour la première fois, leur lutte était ouvertement déclarée. Autour d'eux, personne n'osait intervenir.

— Tu t'es inquiété à tort, grogna-t-elle.

— A d'autres, Amélia! J'ai été forcé d'intervenir pour vous empêcher de jeter l'argent par les fenêtres.

— C'était mon argent! David m'a tout laissé, avec la charge de prendre les décisions, et...

— Vraiment? C'est curieux, je n'ai pas cette impression, Amélia. Voyez-vous, j'ai procédé à quelques vérifications. David devait rencontrer Preston Montgomery à propos de son testament... le jour même où il est mort. Drôle de coïncidence, non?

Amélia serra les dents, mais ne répliqua mot.

— Peter avait peut-être raison de croire que David avait découvert vos stratagèmes. Est-ce cela? Vous a-t-il questionnée à ce sujet? Au bord de la piscine, par exemple, d'où vous ne pouviez pas être entendus des domestiques? Vous a-t-il annoncé qu'il allait modifier son testament, vous retirer tout pouvoir? Est-ce à ce moment-là que vous avez ramassé un objet lourd pour le frapper, Amélia ?

— Tu es aussi cinglé que Madeleine.

— Non. Cependant, ce crime-là nous importe peu, aujourd'hui. Il n'y a eu aucune preuve contre vous, à l'époque, je ne vois pas comment on pourrait vous accuser aujourd'hui. Vous l'avez échappé belle. En revanche, je ne pouvais pas vous laisser ruiner la famille.

— Etait-il nécessaire de m'humilier ? De contester sans cesse mon autorité, même sous ce toit ?

— J'ai des preuves, et vous le savez. Peut-être est-il temps de mettre les autres au courant. Je me suis toujours arrangé pour vous épargner en public. J'aurais pu vous traîner devant les tribunaux.

Amélia sourit.

— C'est là que tu as commis une erreur, Daniel. La seule, en vérité.

— Laquelle ?

— Tu ne t'es pas servi des preuves en ta possession quand tu en avais l'occasion. Cela m'a laissé du temps, vois-tu. (Elle se leva.) J'avais espéré que Peter rencontrerait le trafiquant d'armes ce soir-là. J'ai supposé qu'on l'avait tué afin d'éviter toute transaction, enchaîna-t-elle comme si elle parlait de la météo. Je savais que tu avais découvert la disparition des plans. J'étais convaincue que, tôt ou tard, ils referaient surface... avec tes empreintes. Entre-temps, il me suffisait de détourner ton attention de ce problème. Par chance, la diversion s'est présentée d'elle-même... (Elle sourit à Laura.) Un jeu d'enfant, conclut-elle.

— Vous avez échoué, Amélia.

— Non. C'est Peter qui a échoué. Les hommes m'ont toujours déçue.

— A commencer par David ?

— Non, à commencer par mon père. Mais c'est une longue histoire, et je suis épuisée. Je te la raconterai demain. Peut-être.

Lentement, le port de tête impérial, Amélia effectua sa sortie.

Ce fut Brent Landry qui rompit l'interminable silence après ce départ.

— Vous pourriez déposer plainte.

Daniel contemplait le carnet entre ses mains.

— Non. Les plans n'ont pas été vendus. Ma réputation est intacte. Rien ne permet de relier Amélia aux autres vols. Elle n'a commis aucun crime.

— Si elle a tué son mari...

— Si vous voulez vous amuser à enquêter sur un *accident* qui remonte à quarante ans, libre à vous. Aucun indice n'a été relevé à l'époque, comment pensez-vous pouvoir en découvrir aujourd'hui ?

— C'est peut-être elle qui a poussé Anne...

— Oh, non, ce n'est pas elle ! s'écria Madeleine d'un ton enjoué.

Daniel contempla longuement sa mère, puis se leva.

— Maman...

Madeleine recula d'un pas et émit un petit rire.

— Ne me regarde pas comme ça, Daniel. Ce n'était pas intentionnel, tu sais. Elle se vantait de connaître tous les secrets de Peter, elle parlait à qui voulait l'entendre, elle trahissait sa confiance. Ce soir-là, dans le parc, elle m'a provoquée. Elle m'a dit que je ne savais pas tout, qu'il m'avait caché des choses. Je lui ai ordonné de se taire et... et je l'ai un peu bousculée. Elle est tombée. Oui, je savais tout de Peter...

— Tout cela est inadmissible, Brent ! s'exclama Alex. Elle n'a pas été avisée de ses droits.

— Je ne l'interrogeais pas, murmura Brent.

Madeleine fronça les sourcils.

— Il est bientôt l'heure de dîner, non ? Je vais me préparer.

Laura se leva.

— Il ne faut pas la laisser seule.

— Je vous accompagne ! proposa Josie.

Daniel fixa le carnet, les lèvres pincées.

— Elle est irresponsable, Brent. C'était un accident.

— C'est clair ! renchérit Alex.

Brent hésita.

— Je vais en discuter avec le *district attorney*. Etant donné les circonstances, Madeleine étant toujours sous calmants depuis la mort de Peter, il jugera probablement le procès inutile.

— Merci.

— J'aimerais consulter le carnet, Daniel. Peter a peut-être été assassiné par la personne qu'il devait rencontrer cette nuit-là. S'il y a des noms...

— Soyez discret. Ce n'est pas la peine d'ébruiter l'affaire.

— Je ferai de mon mieux. Voulez-vous dire que vous n'entreprendrez aucune action contre Amélia ? Après tout ce qu'elle vous a fait subir ?

Daniel se rassit sur le canapé et prit l'enveloppe.

— Oui. Il faut que ça cesse. Si Amélia avait été tenue à l'écart de l'entreprise familiale, elle n'aurait jamais appris l'existence de ces nouveaux plans. Je ne peux plus lui autoriser l'accès des dossiers. Tant qu'elle...

— Tu veux intenter un procès ? s'enquit Alex.

— Je n'ai plus le choix.

— C'est donc cela ? Vous allez l'évincer publiquement, devina Brent.

— Ce sera pire que tout, pour elle, marmonna Kerry.

— Elle a sans doute tué son mari, insista Brent. C'est probablement elle qui a créé la situation ayant entraîné la mort de Peter. D'après ce que j'ai compris, elle n'aurait pas hésité à vous faire abattre, Daniel. Cela mérite davantage qu'une humiliation publique, non ?

— La justice finit toujours par gagner.

Kerry se leva.

— Je vous raccompagne, Brent.

Un moment plus tard, la porte d'entrée s'ouvrit, puis se referma. Kerry ne reparut pas.

Daniel vida l'enveloppe de son contenu et grimaça.

— Des photos...

Alex grogna.

Avec un soupir, Daniel les remit dans l'enveloppe.

— Quelle journée ! s'exclama Alex. Tu sais ce que je trouve le plus incroyable, dans toute cette affaire ?

— Quoi ?

— Nous ne savons toujours pas qui a tué Peter. C'est comme si un fantôme avait surgi, l'avait assassiné, puis s'était volatilisé. Combien de secrets ont été dévoilés, ces deux dernières semaines, sans qu'on ait la moindre idée de qui a pu l'assassiner ? Je me demande si nous découvrirons un jour la vérité.

Daniel se posait la même question.

Peu avant dix-neuf heures, Laura frappa discrètement à la porte de Daniel. Elle le trouva dans un fauteuil près de la cheminée sans feu.

— Le médecin est auprès de Madeleine, annonça-t-elle. Josie a fait monter un plateau à Amélia. Quant à nous, nous devons nous servir sur la desserte de la salle à manger.

— Tu devrais manger quelque chose.

— Je préférais t'attendre.

— Je n'ai pas faim.

Laura hésita, puis se pencha.

— Si tu préfères, je peux m'en aller.

— Non... J'ai besoin de toi, ma chérie.

— Dans ce cas, je reste.

Elle lui caressa la joue avec tendresse.

— Tu m'aimes, n'est-ce pas, Laura ?

— Je t'ai toujours aimé. Même avant de te connaître. Tu ne le savais pas ?

Il ferma brièvement les yeux.

— Je sais seulement que je t'aime depuis longtemps... si longtemps. (Il l'attira sur ses genoux et la serra contre lui.) Reste avec moi, répéta-t-il.

Pour rien au monde Laura n'aurait voulu changer de place. Murmurant son amour, elle lui offrit son visage, et, comme chaque fois, la douceur initiale de leur étreinte céda rapidement à un désir urgent, presque sauvage, effaçant la douleur, guérissant l'amertume.

Laura installa ses affaires chez Daniel ce soir-là.

Un autre événement se produisit cette nuit-là. Mettant un terme à une longue tradition, Amélia mourut tranquillement dans son sommeil.

16

Une semaine plus tard, par une fraîche matinée d'octobre, Laura s'éloigna de son chevalet, hocha distraitement la tête et posa son pinceau.

— Tu as terminé ? s'enquit Daniel.

Elle leva les yeux et lui sourit, tandis qu'il s'avançait vers elle.

— Oui.

Il la rejoignit, passa le bras autour de sa taille, et tous deux examinèrent le portrait d'Amélia commencé juste avant sa mort. La vieille dame apparaissait dans toute son élégance, en robe du début du siècle à col montant, dans son fauteuil en rotin, sur un fond de verdure. Son regard était secret, son sourire, énigmatique, et son menton levé trahissait une volonté de fer.

— Tu as su capter tout son caractère, murmura Daniel. Félicitations, mon amour. Tu es une véritable artiste.

Ensemble, ils rentrèrent dans la maison.

— J'avoue que cela me redonne confiance en moi. Si j'ai su traduire la personnalité d'Amélia Kilbourne sur ma toile, je saurai peindre n'importe qui.

— Nous l'accrocherons au salon.

— Amélia serait sans doute d'accord, acquiesça Laura en riant.

Amélia se serait sans doute également réjouie d'apprendre à quel point son décès avait fait sensation. Survenu si vite après la mort d'Anne et le meurtre de Peter, il avait donné lieu à toutes sortes de rumeurs. On avait même parlé d'assassinat. L'autopsie avait prouvé qu'Amélia avait succombé à un arrêt du cœur.

La semaine qui venait de s'écouler n'avait pas été un lit de roses. Le *district attorney* avait fini par renoncer à poursuivre Madeleine en justice. Le dossier d'Anne était clos. L'héritage de cette dernière se réduisait au minimum. Amélia, en revanche, possédait une fortune personnelle considérable. Daniel et Alex avaient passé des heures à examiner les documents et à remplir des formalités complexes.

— Tu as pu venir à bout de tes corvées ? demanda Laura.

— Nous avons fait ce que nous pouvions pour le moment, en tout cas au cabinet. Plusieurs mois seront nécessaires pour obtenir l'homologation du testament d'Amélia, mais la transmission légale des pouvoirs dans l'affaire se déroule sans trop de heurts. Grâce à l'esprit visionnaire de David, ajouta-t-il en haussant les épaules. Quant au reste, nous pouvons nous en occuper ici. Alex continue de rechercher toutes les femmes sur lesquelles Peter exerçait un chantage, afin de leur remettre les enregistrements. Il souhaite que nous parlions à maman dès que possible. Nous devons nous assurer que nous avons récupéré tout ce que cachait Peter.

Laura savait que cette perspective ne l'enchantait guère. Malheureusement, c'était inévitable.

Ils l'auraient interrogée plus tôt, si le nouveau médecin auquel elle avait été confiée les y avait autorisés.

— Alex est avec elle en ce moment ?

— Oui. Je crois qu'il veut se débarrasser des problèmes de Peter une fois pour toutes.

Ensemble, ils se dirigèrent vers la bibliothèque. Laura le prit par la taille.

— Ces pauvres femmes seront vite rassurées. Josie a bavardé avec Madeleine, ce matin. Elle semblait aller beaucoup mieux. Je ne crois pas qu'Alex ait trop de mal à découvrir ce qui pourrait être encore dissimulé.

Un feu brûlait dans la cheminée. Les rideaux étaient ouverts, et un pâle soleil automnal inondait la pièce. Ils s'installèrent sur un canapé en cuir, et Daniel attira Laura sur ses genoux en souriant.

— T'ai-je remerciée d'avoir été si attentionnée envers maman, ces jours derniers ?

— Il n'y a pas eu que moi. Josie, Kerry et moi nous sommes arrangées pour tenir compagnie à Madeleine. Ces nouveaux médicaments qui lui ont été prescrits semblent produire un effet positif. Elle est calme, mais pas droguée comme avant. Je pense qu'elle va s'en sortir, Daniel.

— Nous avons encore un drôle de parcours devant nous. Tu en as conscience, n'est-ce pas ?

— Je sais, mais tout va s'arranger.

Du bout des doigts, il lui caressa le visage.

— Jamais je n'aurais pu supporter tout cela sans toi, mon amour. Le fait de savoir que tu m'attendais ici à mon retour, le soir, et que tu partagerais mon lit m'a énormément aidé. Je t'aime tant.

Laura frotta sa joue contre sa main.

— Moi aussi, je t'aime.

Il hésita, puis :

— Je sais que tu n'as pas eu le temps de réfléchir, et je sais que je devrais t'en accorder davantage. Je sais aussi, sans l'ombre d'un doute, que je veux passer le reste de mon existence à tes côtés. Dis-moi que tu veux bien m'épouser, Laura. Je t'en prie !

Elle le dévisagea longuement.

— Tu es si sûr de toi, murmura-t-elle.

Il serra les mâchoires.

— Oui. J'ai su dès le premier jour que nous étions destinés l'un à l'autre. Tu ne l'as pas senti, toi aussi ?

Un peu effrayée par la puissance de leur passion, elle acquiesça.

— Si. Je ne comprenais pas de quoi il s'agissait, mais je... je sais que je t'aime, Daniel.

— Dis-moi que tu veux m'épouser.

— Oui !

Elle s'accrocha à son cou et l'embrassa avec tendresse.

Alex entra.

— Excusez-moi !

Laura se redressa précipitamment et fixa le gros carton qu'il plaçait devant eux sur la table basse.

— Qu'est-ce que c'est ?

Alex s'assit sur le sofa.

— D'après Madeleine, Peter lui avait demandé de garder ça pour lui. C'était dans son armoire. Il y rangeait des choses, de temps en temps, mais elle n'avait jamais eu la curiosité de regarder ce qu'il contenait. Bref, j'ai voulu que vous y jetiez un coup d'œil, au cas où ce serait ce que j'espère...

Sourcils froncés, Daniel se pencha et ouvrit la boîte. A l'intérieur s'entassaient pêle-mêle vêtements et objets divers. Un signet, une bougie parfumée, une minuscule pendule en porcelaine, des bijoux, dont un bracelet en or et une montre de femme, un éventail, un petit vase, un flacon presque vide de parfum de luxe, une écharpe en soie, un gant en daim... et une culotte rose.

— C'est ça qui m'a mis sur la voie, expliqua Alex.

— Qu'est-ce que c'est ? demanda Laura.

Daniel soupira.

— Ce sont ses trophées, mon amour. Quand il était au lycée, Peter a commencé à collectionner des souvenirs de chacune des filles avec lesquelles il couchait. En fait, il les volait. D'après lui, elles n'étaient pas au courant. C'était plus drôle. Quand je m'en suis rendu compte, je lui ai passé un sacré savon et il a promis d'arrêter. Je croyais qu'il avait cessé.

— Certains de ces trucs datent, fit remarquer Alex. Mais Madeleine a bien dit qu'il y mettait des choses de temps en temps. Si elle dit vrai...

Laura contempla le fatras d'objets, partagée entre la curiosité et le dégoût. Soudain, en remarquant l'écharpe, elle eut la vague impression de l'avoir déjà vue quelque part. Elle s'en empara, examina l'étoffe, étudia les couleurs. Son index effleura le monogramme brodé en bordure de l'ourlet.

Les pièces du puzzle se mirent en place d'elles-mêmes. Les possibilités et les probabilités se rejoignirent.

La solution était sous son nez depuis le début.

— Mon Dieu ! chuchota-t-elle.

Daniel posa la main sur sa cuisse.

— Laura ? Qu'y a-t-il ?

Elle tourna la tête vers lui, glacée.

— Je crois savoir qui a tué Peter.

Laura contempla l'épaisse enveloppe que lui avait remise le gardien de son immeuble. Elle avait tout de suite reconnu l'écriture de Dena. Ce ne pouvait être que le dernier rapport de ses recherches concernant la glace. Résistant à la tentation, elle la laissa sur le comptoir de sa cuisine.

On sonnait à la porte. Elle alla ouvrir. Cassidy entra en lançant, un peu sèchement :

— Salut, l'étrangère ! Où étais-tu, depuis une semaine ?

— Désolée, Cass. Les événements se sont précipités.

Cassidy grogna.

— Pas possible ! J'ai lu les journaux. Tu es de passage, une fois de plus ?

— On peut dire ça, murmura Laura en versant du café dans une tasse pour son amie, qui s'était assise devant le bar. Tiens. Je voulais te rendre ça ! ajouta-t-elle en sortant de sa poche un carré multicolore soigneusement plié.

— Où l'as-tu retrouvée ? J'avais tellement peur d'avoir perdu ton cadeau d'anniversaire ! Où était cette écharpe ?

Laura inspira à fond. Jusqu'à la dernière minute elle avait espéré s'être trompée.

— Dans le carton de Peter contenant tous ses trophées.

Cassidy blêmit.

— J'aurais dû m'en douter. Le goujat !

— Tu l'as rencontré à la banque, n'est-ce pas ? Là où sa famille a tous ses comptes.

C'était sous mon nez, et je n'ai rien vu.

Cassidy hocha lentement la tête.

— La plupart du temps, il venait traiter les

affaires de sa grand-mère. Au début, il a flirté un peu avec moi. Puis, il y a six mois, il m'a invitée à dîner.

— Et tu... t'es éprise de lui ?

— Le coup de foudre, avoua Cassidy avec un sourire amer. C'était la première fois que j'aimais quelqu'un, corps et âme. Jamais un homme ne m'avait rendue folle à ce point.

Laura demanda avec tristesse :

— Tu ne m'en as jamais parlé, Cass. Pourquoi ?

— Parce que je savais que tu désapprouverais. Après tout, il était marié. Et puis, c'était excitant d'avoir un amant secret.

— C'est pour cela que je ne l'ai jamais vu dans l'immeuble ?

— Bien sûr, Peter aurait préféré le confort de mon lit à celui d'un motel. Mais j'ai refusé tout net. Je suppose qu'en... qu'en dormant ailleurs, c'était plus facile pour moi de feindre que c'était un rêve. D'imaginer que je ne couchais pas avec un homme marié qui ne quitterait jamais sa femme. C'est incroyable, cette capacité que nous avons à nous persuader d'accepter ce qui est malsain, non ?

— Que s'est-il passé ?

— A ton avis ? Il en a vite eu assez, évidemment. Comme pour toutes les autres. Je m'accrochais à lui, j'échafaudais des plans pour l'avenir, et lui convoitait déjà sa prochaine conquête. Sa propre cousine. Le connaissant, je suis sûre qu'il trouvait encore meilleur le fruit défendu. Il n'avait jamais été jusque-là. C'était une nouveauté.

Laura s'efforça de demeurer calme.

— Comment as-tu découvert l'existence d'Anne ?

— Le jour de la vente aux enchères. Je n'avais pas revu Peter depuis plus d'une semaine, et j'étais à bout de nerfs. C'est pour cela que je tenais à t'emmener là-bas. Je savais qu'il essayait de se débarrasser de moi, mais je refusais de l'accepter. Je l'aimais tant qu'il m'était impossible d'imaginer que ce n'était pas réciproque.

La gorge nouée, Laura attendit la suite.

— Tu l'as vu quand nous nous sommes séparées ?

— Oui. J'ai déjoué l'attention des gardiens, dans l'espoir d'entrer dans la maison, ou de l'apercevoir par une fenêtre. J'étais à ce point intoxiquée. Bref, je ne l'ai pas trouvé. Il était dans la serre. Avec Anne. Ils... Il la caressait.

— Ce qui explique ton humeur de chien, ensuite. Non parce que tu avais raté la table que tu convoitais, mais à cause de la scène dont tu avais été témoin.

— Je suis surprise que tu aies remarqué mon état. Tu ne pensais qu'à ta glace.

— M'aurais-tu dit la vérité, si je t'avais posé la question ?

— Sans doute pas.

— Que s'est-il passé cette nuit-là, Cass ?

La jeune femme semblait à des kilomètres de là. Lorsqu'elle reprit la parole, ce fut d'une voix presque absente.

— Je les avais entendus parler d'un rendez-vous au motel. J'ai su alors que c'était sérieux. Ils étaient amants. Il avait couché avec moi une semaine auparavant, mais ce soir-là, il allait faire l'amour avec sa cousine, et ce ne serait pas la première fois.

— Qu'as-tu fait ?

— J'y suis allée, bien sûr. Je devais être à une soirée avec un type que j'avais rencontré à quelques reprises... Je n'ai pas eu de mal à m'éclipser. Tout le monde était ivre mort.

— Et toi ?

— J'avais promis à mon chevalier servant de prendre le volant au retour. Je n'avais donc pas bu une goutte d'alcool. J'avais les clés. J'ai pris sa voiture. Le motel était de l'autre côté de la ville. Il était plus de onze heures quand j'y suis arrivée.

Laura ferma les yeux.

— Tu avais l'intention de le tuer ?

Cassidy ébaucha un sourire lointain.

— Tu préférerais m'entendre répondre non, mais en fait, j'y songeais. J'étais parfaitement calme. J'avais même volé un couteau chez mes hôtes, que j'avais caché dans mon sac. Au cas où... Mais ce n'était pas... Si seulement Peter avait... mais non.

— Que s'est-il passé, Cass ? insista Laura.

— Anne s'en allait, expliqua Cassidy, le front plissé. J'étais garée un peu plus bas dans la rue, je voyais leur porte. Il l'a raccompagnée pour lui dire au revoir. Il n'était pas habillé. Je savais qu'il allait prendre une douche. Je le connaissais bien. J'ai attendu un moment, jusqu'à ce que son ombre se déplace derrière les stores. Puis je suis allée frapper. Il m'a laissée entrer.

— Il n'a pas été surpris de te voir là ?

— Si, mais Peter savait user et abuser de son charme en toute circonstance. Il ne devait pas se rendre compte à quel point j'étais enragée.

— Non, en effet.

Cassidy dévisagea son amie, l'air grave.

— Je ne me rappelle pas l'avoir poignardé. Nous avons parlé, tout d'abord, mais je ne me souviens pas de la conversation. Sauf un détail. Je lui ai dit que je l'aimais, que je lui pardonnerais ses frasques avec Anne, mais que je voulais être aimée en retour. Je l'ai supplié. Il a ri si fort qu'il a dû s'asseoir sur le lit. C'est probablement à ce moment-là que j'ai craqué. Quand je l'ai regardé ensuite, il était mort.

Au prix d'un effort surhumain, Laura parvint à déclarer :

— Tu devais être couverte de sang.

— Non, pas trop. Il y en avait, mais pas énormément. Je portais un pantalon et un chemisier noirs. J'ai pris une serviette dans la salle de bains, j'y ai enveloppé le couteau. Je me suis nettoyé le visage et les mains avec un gant de toilette humide. Puis, je me suis arrêtée dans un café au bord de la route pour me relaver dans les toilettes.

— Et le couteau ?

— Je suis revenue au parking, ici, et je l'ai bouclé dans le coffre, pour que mon ami ne le découvre pas. Plus tard, je l'ai jeté dans une décharge, de l'autre côté de la ville. Je suis retournée à la soirée. Ils ne s'étaient même pas aperçus de mon absence.

— Mon Dieu, Cass. Je... Jamais je n'aurais deviné ! Tu semblais comme d'habitude...

— Tu as toujours dit que j'avais le don de compartimenter mes sentiments. Tu avais sans doute raison... Voilà mon histoire sordide. Tu l'as enregistrée, Laura ?

— Non, dit une autre voix. Mais moi, si.

Cassidy se tourna vers le couloir qui menait à la chambre de Laura. Deux hommes en émergèrent. Cassidy les avait vus aux informations télévisées.

— Vous êtes Landry, lança-t-elle en avisant le

plus imposant des deux. Et vous, Daniel. Je suppose que vous allez épouser Laura ?

Il hocha la tête, le regard empli de compassion.

— Oui.

— « Ils vécurent heureux et eurent beaucoup d'enfants », railla Cassidy en se laissant glisser du tabouret. C'était la fin dont je rêvais, vous savez. Celle que je croyais mériter. Celle qu'on nous promet quand on est gosse. Les auteurs de contes de fées n'ont jamais entendu parler de Peter Kilbourne.

— Je suis désolé, dit Daniel.

Elle le dévisagea, un peu étonnée.

— Je le vois, en effet. Moi aussi, si vous voulez tout savoir. Malheureusement, nous ne pouvons rien changer au passé.

Elle posa son regard sur Landry.

— Cassidy Burke, je vous arrête pour homicide sur la personne de Peter Kilbourne. Vous avez le droit de vous taire...

Laura n'écouta pas la suite. Elle ne regarda pas Cassidy s'éloigner en compagnie du policier. Elle se jeta dans les bras de Daniel et pleura.

Ce fut le vendredi suivant que Laura se souvint de l'enveloppe. Elle l'avait apportée chez les Kilbourne, l'avait rangée dans un tiroir, sous ses vêtements, et n'y avait plus pensé ensuite.

Etant seule dans la maison, elle décida d'en profiter pour consulter les résultats des recherches de Dena au sujet de la glace. C'était le seul mystère qu'il lui restait à résoudre. Il était temps de s'en préoccuper.

Elle s'installa dans le fauteuil et vida le contenu de l'enveloppe sur la table basse : plusieurs liasses de papiers retenus par des trombones, un carnet noir à couverture de cuir, une missive de Dena.

Laura, commencez par lire le rapport.

Intriguée, Laura s'y plongea aussitôt. Le début était un résumé des découvertes précédentes, qui s'achevaient par les morts de Shelby et de Brett Galvin.

« En 1952, un dénommé Mark Coleman, âgé de vingt-trois ans, acheta un vieux miroir en argent dans une boutique de San Francisco. Le vendeur lui dit que, s'il était intéressé par les glaces, il pouvait se rendre à une brocante qui aurait lieu non loin de là, le samedi suivant. L'église vendait des objets restant de l'héritage d'Andrew Galvin (fils de Brett et de Shelby, mort célibataire à cinquante ans par noyade). Mark y alla et acheta la glace à main en cuivre.

« C'est là qu'il rencontra Catherine Archard.

« Elle avait dix-huit ans, elle était pratiquante. Elle était aussi très fragile, physiquement et mentalement. Mark la courtisa. Dans ses lettres à ses amis, Catherine était heureuse. Après Dieu, elle aimait Mark.

« Un an et demi après leur rencontre, ils se fiancèrent. Puis, la veille de Noël 1954, quelques semaines avant leur mariage, Catherine et Mark se querellèrent. Elle prit sa voiture et partit comme une folle sous une pluie battante. Il la suivit. Catherine, qui avait la réputation d'être mauvaise conductrice, perdit le contrôle de son véhicule. Avant que Mark ne pût la sauver, il prit feu.

« C'est tout ce que j'ai découvert à propos de cet accident.

« Mark Coleman fut désespéré. Il pleurait encore

sa fiancée dix ans plus tard, lorsqu'il a péri dans un crash aérien.

«Tout ce qu'il possédait fut donné aux œuvres de charité, notamment la glace. Un antiquaire de San Francisco l'a achetée ainsi que plusieurs autres objets. Il a fait faillite au début des années soixante-dix. Son stock a été liquidé. La glace n'est mentionnée nulle part.

«La piste s'arrête là, entre 1964 et 1974.

«N. B.: Laura, je ne peux pas m'expliquer le journal intime que je joins à cet envoi. Une amie de Californie m'a communiqué quelques coupures de journaux et les lettres de Catherine. Le lendemain même, elle tombait sur ce carnet dans un marché aux puces. Fascinée par cette coïncidence, elle me l'a adressé immédiatement. Après lecture, je ne suis pas certaine que ce soit un hasard. Notez en particulier la dernière relation... Nous reparlerons de tout cela.»

Laura secoua la tête, à la fois sidérée et mal à l'aise. Elle lut d'abord les photocopies des lettres de Catherine, à l'écriture infantile, remplies de grands sentiments.

Puis elle s'empara du journal, le feuilleta rapidement, sensible à l'élégance et à l'énergie du manuscrit. Le dernier compte rendu datait du 23 octobre 1952:

«Quand le vendeur m'a dit qu'Andrew Galvin avait donné tout ce qu'il possédait aux œuvres de charité, je n'ai pas voulu le croire. J'avais toujours eu du mal à accepter ce concept... la mort d'un enfant né dans une vie antérieure. Mon Dieu, j'aurais pu aller à San Francisco et y rencontrer Andrew, le fils que j'avais eu dans une vie antérieure ! Je l'aurais connu adulte, plus âgé que moi. Etrange. Dérangeant. Cependant, le décès d'Andrew m'a permis de retrouver la glace. Et elle. Cette fois, elle s'appelle Catherine. Elle est très jeune, tout juste dix-huit ans. Gentille, sérieuse. Très pratiquante. Je vais devoir patienter. »

Laura demeura immobile un long moment, le regard dans le vide. Les pensées se bousculaient dans son esprit. Tous les événements, tous les sentiments inexplicables éprouvés au cours de sa vie prenaient un sens nouveau... Du moins, si elle était prête à admettre une vérité impossible.

Daniel apparut vers dix-sept heures. En voyant tous les papiers disséminés sur la table basse, il sentit son sang se glacer. Il scruta les alentours, aperçut Laura à la fenêtre. Il faillit crier de soulagement. Il alla se placer derrière le fauteuil, les mains sur le dossier.

— Laura ?

Elle ne se retourna pas, et lorsqu'elle s'exprima, sa voix parut presque irréelle.

— Tu m'as dit que David avait eu l'idée du labyrinthe grâce à un inconnu rencontré dans un bar. Raconte.

L'heure n'était plus aux mensonges ni aux dérobades. Entre eux, il ne pouvait plus y avoir que la vérité nue.

— En 1955, David était à San Francisco pour un voyage d'affaires. Dans le bar de son hôtel, il a rencontré un homme un peu ivre qui avait enterré sa fiancée un an plus tôt. Il avait devant lui une glace à main en cuivre, gravée au dos d'un motif compliqué. Ce motif, a-t-il dit à David, s'intitulait « Eternité », et la glace avait été commandée tout spécialement pour fêter... un amour éternel. Puis il lui a raconté une incroyable histoire d'amants réincarnés. Ce récit obséda David. Dès son retour, il fit aménager le labyrinthe. Comme tu peux le constater, il s'est parfaitement rappelé le dessin.

— On ne le voit bien que d'ici, murmura Laura. C'était la chambre de David, n'est-ce pas ?

— Oui.

Elle se retourna enfin et s'adossa au chambranle. Elle était pâle, mais calme. Son regard demeurait indéchiffrable.

— Laura...

— C'était toi, n'est-ce pas ? Le jeune homme du bar. C'était toi. Dix années avant la naissance de Daniel Kilbourne.

— Oui, c'était moi. Avec un autre visage, à une autre époque. Mais c'était bien moi.

— Et... c'est moi que tu pleurais.

— J'avais commis une erreur. Je t'avais parlé de nous trop tôt. Ta foi était telle que tu ne pouvais pas admettre un tel aveu, même de la part de l'être aimé. Tu avais peur, tu étais désespérée. Tu t'es enfuie, et tu as péri cette nuit-là dans un accident. J'ai vécu dix ans sans toi. Je me suis promis de ne plus jamais répéter mon erreur, Laura. Je ne voulais pas te dire la vérité tant que tu ne serais pas prête à l'entendre.

— C'est la raison pour laquelle tu refusais de parler de la glace.

— Oui.

— J'ai toujours détesté Noël, sans savoir pourquoi.

Daniel fit un pas vers elle, mais s'arrêta lorsqu'elle leva la main.

— Je n'ai aucun souvenir, seulement des sensations.

— Je sais. C'est toujours ainsi. C'est une des croix que j'ai eues à porter.

— Mais, toi, Daniel, tu te rappelles quelque chose ?

— Au début, dans l'enfance, ce sont des images, des rêves. Plus je vieillis, plus les souvenirs se précisent. Quand j'atteins l'âge adulte, je sais. Et je me mets à ta recherche.

— De quoi te souviens-tu ? insista-t-elle.

— Je me rappelle la première fois que je t'ai vue, il y a très, très longtemps. Je me rappelle chacun des visages que tu as eus, plus encore que les miens. Je me rappelle les fois où nous avons pu vieillir ensemble, celles où nous sommes morts jeunes. Je me rappelle nos tragédies, nos victoires, chacun des endroits où nous avons vécu.

— L'Ecosse ! s'exclama-t-elle. Mon tableau.

— Nous y avons été tellement heureux.

— Ne l'avons-nous pas toujours été ?

— Les choses n'ont pas toujours été faciles, Laura. Parfois, quand je te rencontrais, tu étais déjà promise à un autre. Parfois, nos existences étaient déchirées par la violence. Cependant, nous avons toujours su que nous nous appartenions.

Elle continuait de le scruter. Etait-elle fascinée ou sceptique ?

— Pourquoi est-ce que je refuse de me couper les cheveux ? s'enquit-elle brusquement.

— A cause d'un événement particulier. Tu habitais un petit village, et quand je t'ai connue, tu étais déjà mariée. L'union avait été arrangée par ton père, qui t'avait quasiment vendue. Tu étais malheureuse bien avant mon arrivée. Il n'y avait aucune issue possible, alors que, pourtant, nous savions que nous devions être ensemble. Nous avons pris des risques énormes.

« Lorsqu'il a découvert notre liaison, ton époux t'a battue et t'a coupé les cheveux. C'était sa façon de t'humilier, en t'obligeant à porter la marque de la femme adultère. Tu n'avais pas honte de m'aimer, mais en te rasant le crâne, il t'avait blessée bien plus qu'avec des mots ou des coups. Tu as juré que plus jamais on ne toucherait à ta chevelure sans ton consentement. Depuis, dans chacune de tes vies, tu as eu les cheveux longs.

— Que sommes-nous devenus ?

— J'ai tué ton mari et nous nous sommes enfuis. Notre existence était pénible, mais nous étions l'un avec l'autre. Cela nous a sauvés.

— Tout cela paraît incroyable.

— Je sais, mon amour. Mais c'est la vérité.

— La glace... c'est elle qui nous guide l'un vers l'autre ?

Il secoua la tête.

— Je n'en sais rien. J'ai appris à suivre les méandres du destin. Depuis que cette glace a été fabriquée pour toi, elle a d'une manière ou d'une autre exercé son influence dans chacune de nos nouvelles vies. Cette fois... Je n'ai pas la moindre idée de la manière dont elle a atterri dans cette demeure, au sein de cette famille. Au début de leur mariage, David inondait Amélia de présents auxquels elle ne s'intéressait pas. Ce dont je suis certain, c'est qu'en lisant la description de cet objet dans la liste de notre vente aux enchères, j'ai pensé que c'était une chance de nous retrouver. J'ai donc envoyé Peter la récupérer.

— Pourquoi n'es-tu pas venu toi-même ?

— J'avais peur, avoua-t-il en toute simplicité. Je craignais que ce ne soit pas notre glace. Que ce ne soit pas toi. Je n'osais plus espérer, après toutes ces années sans toi. A son retour, Peter m'a parlé de ta collection. J'ai su alors que c'était toi. Les glaces nous ont toujours fascinés. Peter m'a d'ailleurs taquiné cet après-midi-là en disant que nous étions liés par notre obsession. (Daniel fronça soudain les sourcils.) Ce doit être ce qu'Amélia a entendu. Elle a fait une remarque, un peu plus tard, quand tu es venue ici. J'ai cru sur le moment que David lui avait confié quelque chose en faisant construire le labyrinthe. Ce n'est pas impossible. Peut-être a-t-elle seulement écouté ma conversation avec Peter. En tout cas, elle en savait assez pour imaginer que tu serais la diversion idéale. Elle t'a donc entraînée au sein du clan.

— J'ai encore une question à te poser, murmura Laura après un long silence.

— Laquelle, mon amour ?

— Cette vie est-elle la dernière ? En aurons-nous d'autres ?

Daniel esquissa un sourire.

— Je ne lis pas dans l'avenir, Laura. Je ne connais que le passé. Cependant, je peux t'assurer que nous vivons chaque fois comme si ce devait être la dernière.

Laura avança vers lui et le regarda avec gravité.

— Dans ce cas, ne perdons pas de temps.

— Laura...

— Je t'aime, Daniel, souffla-t-elle en passant les bras autour de son cou. Je veux que cette vie soit la meilleure que nous ayons jamais eue.

Quand il posa les lèvres sur les siennes, il n'en douta pas un instant.

Retrouvez toutes nos collections :

Le 1er juin :

L'ange nocturne - Liz Carlyle (n° 8048)

Le jour, Sidonie Saint-Godard est une jeune femme correcte qui enseigne les bonnes manières aux jeunes filles de la bourgeoisie. La nuit, elle devient le séduisant Ange noir, évoluant dans les milieux interlopes et détroussant les gentlemen. Seulement voilà, elle n'aurait pas dû voler le marquis Devellyn !

Le trésor de la passion - Leslie LaFoy (n° 8049)

Tout accuse Barret du meurtre de Megan Richard. Isabella, la cousine de la victime, croit en son innocence et lui offre son aide. Selon elle, le meurtre est lié à une mystérieuse carte indiquant l'emplacement d'un trésor. Une forte complicité naît entre eux lorsqu'ils se lancent à la recherche du coupable…

Le 16 juin :

Une femme convoitée - Johanna Lindsey (n° 4879)

Audrey n'a pas le choix : pour éponger les dettes de son oncle, elle est contrainte de vendre sa virginité aux enchères. Derek Malory n'a pas l'habitude d'acheter des femmes, mais il lui semble criminel d'abandonner cette malheureuse au désir pervers d'Ashford. Un motif de plus à la haine qui les oppose…

L'honneur des Lockhart - Julia London (n° 8052)

Pour payer la dette familiale, Mared Lockhart est obligé de se marier avec Payton Douglas, voisin et ennemi de toujours. Pour éviter ce drame, les Lockhart proposent une solution : Mared sera la gouvernante de Payton pendant un an. Un moindre mal ? Non, pour Mared, c'est l'humiliation… surtout lorsqu'elle réalise que le mariage avec un homme aussi séduisant que Payton n'aurait finalement pas été une si mauvaise chose !

Nouveau ! 2 rendez-vous mensuels aux alentours du 1er et du 15 de chaque mois.

SUSPENSE

Le 1er juin :

La recherche de Laura - Kay Hooper (n° 4998)

Le jour où Laura, dessinatrice, fait l'acquisition d'un miroir à la vente aux enchères organisée chez les Kilbourne, elle ne sait pas que son destin va basculer. Le soir même, Peter Kilbourne tente de le lui racheter et se fait assassiner. Aussitôt après, la vieille Amélia, chef de famille incontesté, lui demande de réaliser son portrait…

Sans laisser de traces - Mariah Stewart (n° 8050)

Gena et John, agents du FBI et anciens amants, enquêtent sur des disparitions de femmes. Ce que Gena ignore, c'est qu'elle va devoir replonger dans son passé pour résoudre l'affaire qui leur a été confiée, car tout est lié à la secte dont ses parents faisaient partie, et en particulier à son mystérieux prêtre…

Nouveau ! 1 rendez-vous mensuel aux alentours du 1er de chaque mois.

MONDES MYSTÉRIEUX

Le 1er juin :

La communauté du Sud - 5 : La morsure de la panthère - Charlaine Harris (n° 8200)

En Louisiane, Sookie a maintenant une vie agréable. Une seule ombre au tableau : son frère Jason s'est fait mordre par une panthère et va se transformer à la nouvelle lune. En plus, un tireur anonyme abat les créatures étranges. Malgré le danger, Sookie décide de mener l'enquête…

Nouveau ! 1 rendez-vous mensuel aux alentours du 1er de chaque mois.

Quand l'amour vous plonge dans un monde de sensualité

Le 16 juin :

Plus fort que le désir **- Cheryl Holt (n° 8055)**
Angleterre, 1813. Pour des raisons financières, Olivia va épouser le vieux lord Salisbury. Dans la bibliothèque, Olivia déniche un livre érotique et découvre ainsi un univers dont elle ignore tout. Sa rencontre avec le séduisant Phillip, fils illégitime du lord, est l'occasion de mettre en pratique ses nouvelles connaissances…

Nouveau ! 1 rendez-vous mensuel aux alentours du 15 de chaque mois.

Comédie

Le 16 juin :

Chaque homme a son revers **- Vicki Lewis Thompson (n° 8053)**
La grand-mère d'Ally meurt en lui léguant son argent. La jeune femme peut enfin s'installer en Alaska pour devenir la photographe de paysages qu'elle a toujours rêvé d'être. Seulement, en plus de la fortune, Ally a aussi hérité du bras droit de sa grand-mère : Mitchell, un vrai ringard !

Gloire et déboires **- Jane Heller (n° 8054)**
Stacey Reiser ne voulait qu'une chose : que sa mère abusive lui fiche la paix ! Elle a 34 ans tout de même ! Mais sa mère devient une icône publicitaire adulée qui n'a plus une minute pour sa fille… Alors, qui surveille ses fréquentations, ses finances, et même… ses amours ? Stacey bien sûr !

Nouveau ! 2 titres tous les deux mois aux alentours du 15.

Barbara Cartland

Le 1er juin :

Le secret de mon bien-aimé - **n° 1274** Collect'or
Le cœur de l'amour - **n° 8047**

Le 16 juin :

Rivalités amoureuses - **n° 3967**

Nouveau ! 2 rendez-vous mensuels aux alentours du 1er et du 15 de chaque mois.